D1067862

TOUS CES SILENCES
ENTRE NOUS

Thrity Umrigar

TOUS CES SILENCES
ENTRE NOUS

Traduit de l'anglais
par Martine Leroy-Battistelli

ÉDITIONS FRANCE LOISIRS

Titre original : *The Space Between Us*

Édition du Club France Loisirs,
avec l'autorisation des Éditions Flammarion

Éditions France Loisirs,
123, boulevard de Grenelle, Paris
www.franceloisirs.com

Éditeur original : William Morrow, *an imprint of* HarperCollins*Publishers*
© Thrity Umrigar, 2005
© Flammarion, 2007, pour la traduction française
ISBN : 978-2-298-00841-8

Pour la vraie Bhima et les millions d'autres
qui lui ressemblent

Debout sur les rochers glissants, la femme en sari vert contemplait les eaux noires qui l'environnaient. Elle était maigre et le vent tiède qui s'insinuait dans ses cheveux clairsemés dénouait des mèches de son chignon. La rumeur de la ville lui parvenait assourdie, noyée dans le martellement incessant de la mer qui caressait ses pieds nus. Hormis les crabes qu'elle entendait et sentait galoper sur les gros blocs, elle était seule – seule avec l'océan qui murmurait et la lune lointaine, étirée en forme de sourire dans le ciel nocturne. Même ses mains étaient vides, maintenant qu'elle les avait ouvertes pour relâcher son fardeau gonflé d'hélium et qu'elle suivait des yeux le dernier ballon avalé par la nuit. Ses mains étaient vides, désormais, aussi vides que son cœur semblable à une noix de coco dont on aurait ôté la chair.

En équilibre instable sur les rochers, avec la marée montante qui lui léchait les pieds, la femme leva son visage vers le ciel d'encre, espérant y lire une réponse. Derrière elle, il y avait la cité fantôme et une existence qui, en cet instant, lui paraissait irréelle, chimérique. Devant s'étirait la couture presque invisible qui joignait la mer et le ciel. Elle pouvait repartir à travers les blocs, escalader le muret de ciment et regagner le monde des hommes, se fondre de nouveau dans la pulsation folle, vibrante, désordonnée de la grande ville. Elle *pouvait aussi s'avancer dans l'océan en attente, pour qu'il l'ensorcelle et l'engloutisse dans ses chuchotis mystérieux.*

Une fois de plus, elle examina le ciel, quêtant un conseil. Mais la seule chose qu'elle entendit, ce fut le battement familier de son cœur dévoué...

PREMIÈRE PARTIE

1

Le jour s'est levé mais dans le cœur de Bhima c'est le crépuscule.

Elle roule sur le flanc gauche et s'assoit dans le même élan, comme elle le fait tous les matins. Elle bâille, s'étire en levant un bras maigre au-dessus de sa tête, et l'odeur rancie qui s'échappe de son aisselle assaille ses narines. Elle paresse un instant, assise au bord du mince matelas de coton posé à même le sol, ses pieds calleux à plat sur la terre battue, les genoux repliés et la tête appuyée sur ses bras croisés. Elle est presque en paix, l'esprit vide et provisoirement libéré des soucis qui l'attendent aujourd'hui, demain et après-demain... Afin de prolonger un moment cet état de bienheureuse insouciance, elle tend machinalement la main vers la boîte de tabac à chiquer toute proche et introduit dans sa bouche une petite boule qui gonfle sa joue creuse telle une balle de cricket.

Cette béatitude est de courte durée. Dans la pâle et douce clarté du jour naissant, elle distingue la silhouette de Maya qui se retourne sur sa couche, à l'autre bout de la cabane. La jeune fille marmonne dans son sommeil en émettant des glapissements plaintifs et, malgré elle, Bhima sent son cœur s'attendrir et fondre, comme au temps lointain où elle allaitait Pooja, la mère de Maya. Émue par ces vagissements, elle se lève en grommelant et va vers sa petite-fille. Mais dans la seconde qu'il lui faut pour traverser la baraque, un changement se produit dans son cœur, si bien que le sentiment maternel et nourricier qu'elle éprouvait il y a à peine un instant laisse place à la colère véhémente, impitoyable, qui ne la quitte pas depuis quelques semaines. Elle se plante devant la dormeuse, qui s'est mise à ronfler doucement, dans une tranquille ignorance du regard furieux de sa grand-mère, fixé avec précision sur le léger renflement de son ventre. Un coup de pied bien appliqué, se dit Bhima, un coup de pied dans ce ventre, suivi d'un autre et d'un autre encore, et tout sera terminé. Regardez-la dormir, pareille à une catin sans vergogne, comme si elle n'avait aucun sujet de tourment. Comme si elle n'avait pas mis ma vie sens dessus dessous. Le pied droit de Bhima frémit par avance, son mollet se contracte, tandis qu'elle le soulève de quelques centimètres. Ce serait si facile. Et, comparé à ce que serait capable de faire une autre grand-mère à une autre Maya – la pousser prestement dans un puits, la vendre à un bordel, prendre un bidon d'essence et une allumette –, ce serait beaucoup plus humain. De la sorte, Maya pourrait vivre, poursuivre ses études et avoir une existence différente de celle que Bhima a toujours connue. C'est ce qui aurait dû se passer, ce qui se passait jusqu'à ce que cette idiote de fille, cette fille au grand cœur et, aujourd'hui, au gros ventre, se soit fait faire un enfant.

Soudain, Maya laisse échapper un grognement

sonore et le pied de Bhima retombe. Elle s'accroupit auprès d'elle et la secoue par les épaules pour la réveiller. Quand Maya allait encore à la faculté, Bhima la laissait dormir le plus tard possible, elle lui préparait du *gaajar halwa* tous les dimanches et, le soir, au dîner, elle lui réservait la plus grosse part du plat. Toutes les fois que Serabai lui faisait un petit cadeau – une barre de chocolat Cadbury, par exemple, ou un morceau de nougat iranien à la pistache –, elle le mettait de côté pour le rapporter à la maison, alors même que Serabai n'oubliait presque jamais de lui en donner aussi pour Maya. Mais depuis que Bhima sait que sa petite-fille s'est mal conduite, elle la réveille de très bonne heure. Voilà plusieurs dimanches qu'il n'y a pas eu de *gaajar halwa*, mais la coupable n'a pas réclamé son dessert préféré. Au début de la semaine, Bhima l'avait même enjointe d'aller faire la queue à la fontaine pour remplir leurs deux récipients. Maya s'était rebellée, en passant machinalement la main sur son ventre, mais Bhima avait regardé ailleurs et dit que, de toute manière, les gens du bidonville finiraient bien par découvrir le pot aux roses un jour ou l'autre et qu'il ne servait donc à rien d'essayer de cacher sa honte.

Maya se retourne dans son sommeil et son visage frôle le corps de Bhima, accroupie auprès d'elle. Sa menotte fraîche et potelée s'empare de la main maigre et crevassée de sa grand-mère et la garde prisonnière entre sa poitrine et son menton, en y déposant un filet de salive. Malgré elle, la vieille femme s'attendrit. Maya a toujours été ainsi – affectueuse, confiante. En dépit des nombreux malheurs qu'elle a eus dans sa jeune vie, elle a conservé sa douceur et son innocence. De sa main libre, Bhima caresse la chevelure épaisse et soyeuse, qui fait un tel contraste avec sa maigre tignasse.

Le bruit étouffé d'un transistor pénètre dans la cabane et Bhima jure à mi-voix. D'habitude, quand Jaiprakash allume sa radio, elle est déjà en train d'attendre son tour au point d'eau. C'est donc qu'elle est en retard. Serabai ne sera pas contente. C'est la faute de cette idiote de petite paresseuse. Bhima retire brutalement sa main, peu soucieuse de la réveiller. Mais Maya continue à dormir. Bhima se relève d'un bond et, ce faisant, sa hanche gauche émet un claquement sec. Elle s'immobilise, dans l'attente de la vague de douleur qui suit ordinairement, mais aujourd'hui est un jour faste. Rien ne se produit.

Bhima prend les deux récipients de cuivre et ouvre la porte. Elle baisse la tête pour pouvoir sortir et referme vite le battant derrière elle. Il ne faudrait pas que les jeunes voyous dépravés qui peuplent le *basti* reluquent sa petite-fille au passage. L'un d'eux est sans doute le père de l'enfant... Elle agite la tête pour chasser les pensées insidieuses qui l'envahissent.

Sentant ses intestins protester, elle claque de la langue. Elle va devoir se rendre aux latrines publiques avant d'aller chercher de l'eau et, entre-temps, la file d'attente s'allongera. D'habitude elle arrive à se retenir jusqu'à ce qu'elle arrive chez Serabai, où il y a de vraies toilettes. Heureusement, il est encore tôt et les lieux devraient être dans un

16

état à peu près convenable. Dans quelques heures, il restera tout juste assez de place pour se faufiler entre les tas de merde que les habitants du bidonville déposent sur la terre battue. Après tant d'années, Bhima n'est toujours pas habituée aux mouches et à la puanteur, qui continuent à lui soulever le cœur. La communauté paye une *harijan* qui habite au fin fond du *basti* pour ramasser chaque soir leurs excréments. De temps à autre, Bhima la voit qui enfourne, à l'aide d'un petit balai, les galettes malodorantes dans un panier d'osier garni de journaux. Quelquefois leurs regards se croisent et Bhima se fait un devoir de lui sourire. Contrairement à la plupart des gens du bidonville, elle ne s'estime pas supérieure à cette malheureuse créature.

Elle termine ce qu'elle a à faire et part vers la fontaine. Elle pousse un petit grognement en voyant la longue file qui sinue devant les baraques lépreuses et délabrées, couvertes de palmes ou de tôle ondulée. La lumière crue du matin souligne la saleté de l'endroit. Les égouts à ciel ouvert dégageant une odeur acre et rance, les rangées de cabanes branlantes, les alcooliques efflanqués qui traînent çà et là, le regard vacant et la bouche pendante, tout semble encore plus laid dans la transparence du jour naissant. Bhima ne peut s'empêcher de penser à l'époque où elle habitait, avec son mari, Gopal, et leurs deux enfants, dans un *chawl* où l'eau sortait du robinet de la cuisine en glougloutant et où ils partageaient les cabinets avec seulement deux autres familles.

Elle s'apprête à rejoindre la file d'attente, quand

Bibi la hèle : « Hé, Bhima *mausi*. Venez par ici. Je vous ai gardé une place. »

Bhima a un sourire reconnaissant. Bibi est une grosse femme asthmatique installée ici depuis deux ans et qui l'a tout de suite adoptée comme une vieille tante. Alors que Bhima est discrète et réservée, Bibi ne craint pas de se faire remarquer et de parler haut. Impossible de rester longtemps fâché avec elle : elle est toujours prête à aider autrui, et la façon qu'elle a de taquiner gentiment jeunes et vieux l'a rendue particulièrement populaire dans le bidonville.

Bhima va vers Bibi. « Mettez-vous là, dit celle-ci en la débarrassant d'un récipient, bien qu'elle en ait déjà deux à elle. Glissez-vous ici. »

L'homme qui est juste derrière croit devoir protester. « Dites donc, Bibi, on n'est pas dans le Deccan Express qui fait des réservations pour les premières classes. Personne n'a le droit de passer devant les autres. »

Bhima sent le rouge lui monter au visage, mais Bibi la retient d'un geste de la main et se retourne vers le mécontent. « Tiens, tiens, dit-elle d'une voix claironnante. Monsieur Deccan Express rouspète parce qu'on lui passe devant. Mais dans une heure ou deux, pendant que Bhima *mausi* trimera, il s'en ira tranquillement au bistrot du coin. Et si jamais il y a pénurie d'alcool, ce qu'à Dieu ne plaise, nous verrons bien s'il essaye ou non de resquiller. »

Autour d'eux les gens ricanent. Le râleur, embarrassé, se dandine d'un pied sur l'autre et marmonne : « C'est bon, Bibi, pas d'attaques personnelles, s'il vous plaît. »

18

La voix de Bibi monte encore d'un ton. « *Arre, bhaisahib*, qui est-ce qui vous attaque ? Tout ce que je dis, c'est que vous êtes un homme qui a la possibilité de se prélasser, un homme qui possède beaucoup de biens. Si vous avez envie de passer vos journées au bistrot, c'est votre affaire. Tout le monde sait combien vous gâtez votre femme. Mais la pauvre Bhima ici présente n'a pas un bon mari comme vous pour la nourrir. Aussi je ne pensais pas qu'un monsieur de votre rang serait contrarié qu'elle prenne de l'eau avant lui. »

L'assistance est ravie. « *Ae*, Bibi, tu es impayable, *yaar*, dit un jeune qui traîne dans les parages. C'est vraiment toi la meilleure.

— À quoi nous sert l'arme nucléaire ? demande quelqu'un d'autre. Il n'y aura qu'à envoyer Bibi au Cachemire. Le feu de sa langue fera fondre la neige, croyez-moi.

— Attendez, attendez, j'ai trouvé, dit Mohan, un adolescent de dix-sept ans qui habite presque en face de chez Bibi. Je viens de composer une chanson, spécialement pour la circonstance. Écoutez ça :

L'arme atomique, c'est dépassé,
Dit l'Inde aux Pakistanais.
Le sort fatal de Mr Deccan Express
Elle vous l'infligera, Bibi la Tigresse.

Un homme que Bhima ne connaît pas envoie une claque dans le dos de l'artiste. « *Arre, ustad*, quel talent ! Le poète de notre bidonville. Avec ta gueule de star de cinéma, tu devrais écrire des chansons et les interpréter toi-même. Pensez, le physique de Sanjay Dutt et la voix de Muhammad Rafi. Le soir de la remise des prix, tu rafleras tous les oscars, c'est sûr. »

Bhima ne peut s'empêcher de sourire. « C'est bon, *altoo-fal-toos*, dit Bibi, en souriant elle aussi. Maintenant, fichez-nous la paix. »

Lorsque Bhima regagne sa cabane, elle trouve Maya en train de préparer le thé sur le réchaud. En la voyant plonger des feuilles de menthe dans l'eau bouillante, elle sent son estomac gargouiller. Debout sur le pas de la porte, toutes deux se nettoient rapidement les dents. Maya utilise une brosse, mais Bhima se contente de mettre de la poudre dentifrice sur le bout de son index et d'en frotter vigoureusement les chicots qui lui restent. Elles crachent dans le caniveau qui passe devant la maison. Bhima plonge un gobelet en plastique dans un des récipients de cuivre et se lave à travers ses vêtements, vite fait bien fait. Elle s'empourpre en s'apercevant que l'homme qui habite juste en face la regarde au moment où elle passe une main sous son corsage pour se laver les aisselles. « Quel insolent, marmonne-t-elle. On dirait qu'il n'a ni mère ni sœur. »

Quand elle rentre dans la cabane, Maya est en train de verser le thé dans deux verres. Elles s'accroupissent l'une en face de l'autre, en soufflant sur le breuvage brûlant dans lequel elles trempent un morceau de pain. « Il est bon, ce thé », dit Bhima. C'est la première fois de la matinée qu'elle adresse la parole à Maya. Mais comme si la gratitude qui éclaire soudain les yeux de la jeune fille réveillait sa rancœur, elle lance : « Tu auras au moins retenu quelque chose de tout ce que je t'ai appris. »

Maya tressaille et reprend son air méfiant de chien battu. Ce qui n'échappe pas à Bhima, qui en éprouve un peu de remords, en même temps qu'une étrange satisfaction. Elle est prise du besoin d'asséner un autre coup.

« Dis-moi, qu'est-ce que tu comptes faire aujourd'hui ? »

Maya hausse les épaules.

Ce geste déclenche la fureur de Bhima. « Ah ! c'est vrai, la *memsahib* ne va plus à ses cours, j'oubliais, dit-elle en s'adressant aux murs. Non, maintenant elle va rester toute la journée ici à ne rien faire, comme une reine, à s'engraisser et à engraisser son petit bâtard, pendant que sa pauvre grand-mère se tue à la besogne chez quelqu'un d'autre. Et tout ça pour pouvoir nourrir le démon qui grandit dans le ventre de sa petite-fille. »

Si elle cherchait à lui faire mal, c'est réussi. Maya se lève et part se réfugier tout au fond de la petite pièce. Elle s'adosse à la paroi de tôle, les mains posées sur son ventre, et sanglote doucement.

Bhima a envie de la prendre dans ses bras, de la serrer contre elle, de la caresser ainsi qu'elle le faisait jadis, de lui pardonner et de lui demander pardon. Mais elle ne peut pas. Si c'était seulement de la colère qui l'habitait, elle parviendrait à escalader le mur que celle-ci a élevé pour tendre la main à sa petite-fille. Mais la colère n'est que la façade derrière laquelle se cache la peur, une peur aussi vaste, infinie et grise que la mer d'Oman, de la

21

peur pour cette petite idiote, innocente et enceinte, qui reste là à sangloter devant elle, et pour le bébé qui va venir au monde, accueilli par une mère qui est elle-même une enfant et une vieille grand-mère usée jusqu'aux os, une grand-mère qui n'en peut plus de perdre ce qu'elle a aimé, qui ne supporte ni l'idée qu'on lui retire encore quelque chose, ni la perspective d'avoir encore quelqu'un à aimer.

Alors elle regarde sans rien dire la fille qui pleure, en contraignant son cœur à se cuirasser pour ne pas donner prise aux flèches de ces sanglots. « Pleurer est un luxe », dit-elle, mais elle ne sait pas si elle a réellement prononcé ces mots ou si elle les a seulement pensés. « Je t'envie tes larmes. »

Ce qu'elle dit ensuite, elle le dit en toute conscience. « Si tu te sens suffisamment bien, passe chez Serabai dans la journée. Elle demande tout le temps de tes nouvelles. »

Mais même à travers ses larmes, Maya fait signe que non. « Je te l'ai déjà dit, *ma*. Je ne veux pas sortir de la maison. »

Bhima se rend. « Très bien. Reste ici pendant que ta vieille grand-mère trime comme une esclave, dit-elle en se redressant. Engraisse ton bébé avec mon sang.

— *Ma-ma*, s'il te plaît », sanglote Maya, en se bouchant les oreilles comme lorsqu'elle était petite.

Bhima tire la porte derrière elle. Elle a grande envie de la claquer mais elle se retient. Inutile que les gens du bidonville sachent qu'elles ont des ennuis. Ils apprendront bien assez tôt que Maya s'est couverte de honte et alors ils se jetteront sur elle comme des vautours. À quoi bon hâter la venue de ce jour ?

Tandis qu'elle se met en route pour aller chez Serabai, un petit vent frais la pénètre, et elle frissonne. D'après la position du soleil, elle sait qu'elle est en retard. Elle presse le pas. Serabai doit être impatiente qu'elle lui raconte ce qui s'est passé hier.

2

Le regard de Sera Dubash va du panier d'oignons suspendu près de la fenêtre de la cuisine à la grosse pendule accrochée au mur. Bhima n'est toujours pas arrivée. Il va vraiment falloir lui parler une bonne fois pour toutes de ces retards à répétition. Car c'est elle, Sera, qui a la charge de préparer le déjeuner de Dinaz et de Viraf tous les matins et elle a besoin de Bhima pour l'aider. Hier, les enfants sont partis à leur travail dix minutes plus tard que d'habitude, parce que leur casse-croûte n'était pas prêt. Sera avait dû supplier son gendre de ne pas conduire trop vite, d'être prudent, et lui rappeler que sa femme attendait leur premier enfant. « Mais bien sûr, maman, avait plaisanté Viraf en lui déposant un petit baiser sur la joue. Tout le monde sait que les mots ATTENTION FRAGILE sont tatoués sur le ventre de Dinaz. »

À l'idée de la grossesse de sa fille, Sera pense à Maya et elle s'en veut d'avoir songé à réprimander Bhima. Pauvre Bhima. Elle a eu déjà bien assez de malheurs dans sa vie sans que sa petite-fille s'en mêle. Qui aurait pu prédire que cette enfant si gentille allait un jour se conduire honteusement ? Sera a hâte de savoir ce qui s'est passé hier à la faculté où Maya fait ses études, et son impatience la pousse à jeter un nouveau coup d'œil à la pendule.

Elle soupire. S'il y a une chose dont elle a horreur, c'est bien de hacher des oignons, mais elle a intérêt à se mettre tout de suite au travail si elle veut que les omelettes des enfants soient prêtes à temps. Nul ne sait quand Bhima arrivera ce matin. Elle prend un oignon de taille moyenne et à peine en a-t-elle ôté la première peau translucide que ses yeux commencent à pleurer. Autant en finir le plus vite possible avec cette corvée. Il y a de ça bien des années, Feroz était arrivé derrière elle, alors qu'elle se trouvait dans la cuisine, et il s'était exclamé : « Mon Dieu ! Sera, tu haches ces oignons comme si tu tranchais des têtes. Quelle véhémence !

— J'aimerais encore mieux trancher des têtes plutôt que des oignons », avait-elle répondu. Et Feroz avait ri. C'était avant, avant qu'elle ait perdu le pouvoir de le faire rire.

Sera entend Viraf siffloter dans sa chambre et elle sourit. Elle imagine son gendre en train de nouer sa cravate devant la glace, puis passer la main dans son épaisse chevelure. Elle trouve qu'il y a quelque chose de merveilleux dans les bruits que fait un homme qui se prépare pour affronter sa journée. Contrairement à Feroz, Viraf n'est pas discret et sa présence ne passe pas inaperçue. Tout à l'heure, il a laissé tomber sa brosse et murmuré « merde » à mi-voix ; il chante de vieilles chansons des Beatles sous la douche ; il se gargarise bruyamment en se lavant les dents ; il crie à Dinaz de lui apporter du shampoing ; il débarque

25

dans la cuisine avec de la crème à raser sur les joues et une serviette autour de la taille. Feroz, en revanche, s'était toujours comporté comme un voleur dans sa propre maison ; il sortait de la salle de bains habillé de pied en cap et quittait sa chambre sans avoir jeté un seul regard à la glace.

Sera casse deux œufs dans un bol, les bat et y ajoute des oignons, de l'ail, du persil et une pincée de piment. Le mélange grésille en tombant dans l'huile qui chauffe dans la poêle. Plus qu'une omelette à préparer. Elle se demande si elle ne devrait pas en prévoir deux autres pour elle et Bhima, mais l'idée de recommencer à hacher des oignons l'arrête et elle se dit qu'elle pourrait peut-être mettre de l'ail à la place. Elle tend la main vers la boîte à pain, puis elle se souvient : pas d'amidon. Le régime à base exclusive de protéines que suivent Viraf et Dinaz complique beaucoup la confection des repas. Elle ouvre le réfrigérateur et cherche ce qu'elle pourrait ajouter pour compléter leur déjeuner.

« Oh ! maman, c'est vraiment gentil. Tu aurais dû me le dire... j'aurais pu hacher les oignons, lance Dinaz en entrant dans la cuisine.

— Et tu serais arrivée au bureau imprégnée de l'odeur d'un restaurant parsi ? rétorque Sera en souriant. Si tu veux vraiment m'aider, dis-moi plutôt ce que je peux te mettre d'autre, *deehra*. Un œuf ne suffit pas...

— C'est plus que suffisant. Je t'assure.

— *Arre*, Dinaz, ça suffit peut-être pour toi, mais pas pour ton mari, *beta*. C'est un homme adulte et son travail lui demande beaucoup d'énergie. »

Dinaz fait la moue. « Ah oui ! ton gendre bien-aimé se tue à la tâche, le pauvre. En revanche, ta bonne à rien de fille regarde voler les mouches toute la journée.

— Allons, Dinaz, je voulais seulement dire... »

Sera a entendu le pas de Viraf et senti l'odeur de son after-shave, avant même de le voir arriver.

« E-xa-cte-ment ! dit Viraf en entrant dans la cuisine. Maman a cent pour cent raison. *Chalo*, il y a au moins une personne dans cette maison qui m'apprécie et qui sait que je travaille dur pour nourrir ma femme et mon futur enfant. »

Dinaz lui donne une tape sur le bras. « Tais-toi, *yaar*. Un enfant gâté, voilà ce que maman a fait de toi. On verra bien qui obtiendra la plus forte augmentation. » Son sourire atténue l'acidité de sa remarque.

Viraf hausse les épaules et roule des yeux. « C'est parce qu'elle est avantagée, maman, ce n'est pas juste. Ce pauvre Mr Dalai est tellement subjugué par la beauté et le charme de ma femme qu'il ne peut rien lui refuser. Il se transforme en petit toutou chaque fois qu'il doit s'adresser à elle. Et à côté de ces ruses féminines, de quelles armes dispose un brave et honnête garçon comme moi, avec sa figure de pomme cuite ? »

Les deux femmes rient. « Regarde-le, maman. Il cherche les compliments. »

Sera sourit tandis que les deux jeunes gens repartent dans leur chambre pour finir de s'habiller. Elle est tellement soulagée de voir que l'orage qui avait éclaté entre eux il y a quelques mois s'est apparemment éloigné. Du jour où Viraf et Dinaz se sont installés chez elle, après la mort de Feroz, elle s'est juré de ne jamais se mêler de leurs affaires. Personne ne sait mieux qu'elle le mal que peut faire une belle-mère qui fourre son nez partout. Cependant, elle avait du mal à se taire en voyant des rides presque imperceptibles se creuser sur le visage mince et pâle de Dinaz. Elle était obligée de se mordre la langue chaque fois que Viraf rembarrait sa femme enceinte pendant les repas, ou quand il lui faisait une remarque si blessante qu'elle baissait la tête sur son assiette le temps de retrouver son calme et de se composer un masque d'indifférence. Sera était bien placée pour comprendre ça. Combien de fois avait-elle ordonné à ses yeux de ne pas se remplir de larmes à la suite d'une rebuffade de Feroz, afin de ne pas donner à Banu, sa belle-mère, la satisfaction de voir que son fils l'avait touchée au vif? Viraf, lui au moins, ne bat pas sa femme, se disait-elle pour se consoler, puis elle se détestait d'avoir eu cette pensée, d'avoir placé la barre si bas que l'absence de mauvais traitements physiques fût devenu le seul critère d'un mariage réussi. Elle avait de plus hautes ambitions pour sa fille unique.

Aujourd'hui, en regardant partir Dinaz, Sera sourit. Quel que soit le conflit qui avait surgi entre les enfants, tel un vent mauvais, ils l'ont surmonté. Ils plaisantent et se taquinent comme auparavant, quand ils se comportaient l'un avec l'autre d'une façon révélant qu'ils étaient d'abord des amis avant d'être des époux. Même au tout début, quand Feroz la vénérait à l'égal d'une étoile tombée du ciel, Sera n'avait jamais connu cette relation spontanée, naturelle, égalitaire que sa fille a avec son mari. Dans les premiers temps de leur mariage, Feroz était attentionné, courtois, tendre même, mais il gardait toujours ses distances. Par exemple, si elle entrait dans la salle de bains pendant qu'il se brossait les dents ou se coupait les ongles des pieds, il la chassait en disant : « Ça ne te regarde pas. Tu n'as pas besoin de me voir quand je ne suis pas à mon avantage. »

Quand Dinaz lui crie quelque chose depuis la pièce voisine, elle met un moment avant de revenir à la réalité. « Est-ce que les *pora* sont prêts et emballés, maman ?

— Presque », répond-elle en prenant le rouleau de papier d'alu que Viraf a rapporté de son dernier voyage en Amérique.

La sonnette de la porte d'entrée retentit et Sera pousse un soupir de soulagement. Bhima.

Sera va ouvrir et lorsqu'elle voit le visage défait et terreux de Bhima, elle devine que sa mission a échoué. Elle lève un sourcil interrogateur et, en réponse, Bhima balance lentement la tête d'un côté à l'autre. C'est ce que Sera apprécie le plus chez Bhima – langage muet, cette intimité qui s'est établie entre elles au fil des années. Et c'est grâce à cette complicité qu'elle devine que Bhima attend le départ des enfants pour lui raconter les événements d'hier. Ce qui tombe bien, à dire vrai, étant donné que Sera préfère que sa fille, elle aussi enceinte, ne soit pas au courant des épreuves que traverse Maya. Elle ne veut pas que le malheur de Maya jette une ombre sur le bonheur de Dinaz.

« Excusez-moi, Serabai, dit Bhima. Ce matin, il y avait plus de monde que d'habitude à la fontaine.

— Ce n'est pas grave », répond Sera, sur un ton qu'elle-même trouve sec, car elle n'a pu empêcher de laisser transparaître l'irritation qu'elle éprouvait il y a encore un instant. « C'est seulement que j'ai dû préparer moi-même les omelettes des enfants. Pour qu'ils ne soient pas en retard à leur travail. »

Avant que Bhima ait eu le temps de répondre, les deux femmes entendent Viraf crier dans la pièce voisine : « Dinaz ! Tu n'as pas vu ma cravate rouge ? Celle que tu m'as offerte l'an dernier pour mon anniversaire ?

— Seigneur, quel enfant tu fais ! répond Dinaz. (Sans la voir, elles devinent qu'elle sourit.) Je m'étonne même que tu aies su mâcher ta nourriture avant de me connaître. Comment te débrouillais-tu ? Je me le demande.

— Mal. Je mettais des chaussettes dépareillées pour aller au bureau. Et, en parlant de mon alimentation, tu n'avais pas remarqué, quand on s'est connus, que je me nourrissais au biberon ?

— Ce Viraf *baba*, tout de même, remarque Bhima en hochant la tête. Il a toujours quelque chose à dire. Il met de la gaieté dans la maison par sa seule présence, comme si c'était tous les jours la fête du Holi ou du Diwali. »

Sera acquiesce. Elle devine immédiatement ce que Bhima n'a pas dit : ce n'est pas comme avant, quand Feroz était là et qu'elles marchaient toutes les deux sur la pointe des pieds, redoutant ses silences menaçants et ses explosions de colère.

Quand la maison était pareille à un tombeau, emmurée dans le silence, un silence qui empêchait Sera de s'ouvrir aux autres, de confier son terrible secret, même à ses amies intimes. Quand Bhima était la seule à savoir, la seule à sentir sous sa main l'humidité de la taie d'oreiller mouillée par les larmes brûlantes qu'elle versait nuit après nuit, la seule à entendre les bruits étouffés provenant de la chambre conjugale...

Sera secoue vivement la tête pour en évacuer les toiles d'araignée laissées par le passé. Voilà que je ressasse ces vieilles histoires, alors que la pauvre Bhima vit aujourd'hui un vrai cauchemar. Quelle femme sotte et égoïste je suis devenue.

« Allons, viens, dit-elle à Bhima. Ton thé est prêt. Bois-le avant de t'attaquer à la vaisselle. »

3

Bhima est dans la cuisine, elle fait la vaisselle du dîner de la veille. Sera regarde ses mains, maigres et noires comme les branches d'un arbre, qui vont et viennent sur les casseroles et les poêles, qui les récurent jusqu'à ce qu'elles brillent comme le soleil de midi. Elle, elle a beau s'appliquer, elle n'arrive jamais à les rendre aussi reluisantes.

Viraf arrive en serrant le nœud de sa cravate. « C'est décidé, dit-il, sans s'adresser à quelqu'un en particulier. Le mois prochain j'achète un lave-vaisselle. La pauvre Bhima n'aura plus besoin de se donner tant de mal. »

Bhima lui lance un regard reconnaissant mais avant qu'elle ait pu dire un mot, Sera déclare : « Non non. Ma Bhima en remontrerait à toutes ces machines. Même un appareil d'importation ne pourrait laver la vaisselle aussi bien qu'elle. Garde ton argent, *deekra*. »

... et donnez-le moi, à la place, se dit Bhima, puis, craignant qu'on ait lu dans ses pensées, elle se met à récurer une casserole avec une ardeur accrue. De plus, elle a besoin de passer sa colère sur quelque chose. Quelquefois, elle ne comprend pas sa patronne. D'un côté, il arrive à celle-ci de parler d'elle en disant « ma Bhima », ce qui la fait rougir de fierté ; de l'autre, elle agit souvent d'une façon qui est contraire aux intérêts de sa servante. Par exemple, ce refus que Viraf *baba* achète un lave-vaisselle. Pourtant, quel soulagement ce serait de ne plus plonger ses mains arthritiques dans l'eau à longueur de journée. Sans compter qu'elle commence à avoir mal au dos à force de rester courbée au-dessus de l'évier pour frotter les casseroles, si bien que lorsqu'elle rentre chez elle, en fin de journée, elle n'arrive à se redresser qu'à mi-parcours. Mais comment le dire à Serabai, qui ce matin encore lui a adressé des remontrances voilées, parce qu'elle a été obligée de préparer les omelettes pour sa fille et son gendre. D'accord, elle déteste hacher les oignons. Mais est-ce qu'elle, Bhima, aime aller s'accroupir dans les latrines communes ? Elle s'y résout parce qu'elle ne peut pas faire autrement. Comparé à une telle humiliation, hacher des oignons n'est pas plus ennuyeux que de couper du pain.

Ce coup de colère passé, son objectivité et la solide affection qu'elle voue à la famille Dubash reprennent le dessus. Elle s'adresse des reproches : Ingrate. Qui t'a soignée quand tu avais la malaria ? Ton fantôme de mari ? Qui t'a donné de l'argent hier encore, pour aller à l'école de Maya en taxi ? Ta feignante de petite-fille ? Non, c'est cette femme dont tu manges le pain et que tu juges si mal. Honte à toi.

En se rappelant sa visite à la faculté, Bhima jette machinalement un regard à la pendule de la cuisine. Dans quelques minutes, Viraf *baba* et la petite Dinaz seront partis. Alors elle pourra boire tranquillement son thé avec Serabai et tout lui raconter. Elle devine que sa patronne a hâte de savoir ce qui s'est passé hier et, à cette pensée, sa gorge se serre d'émotion et de gratitude. Il existe au moins une personne qui s'inquiète autant qu'elle pour cette gamine qui attend un enfant. C'est grâce à la générosité de Serabai que Maya a pu continuer ses études, et si aujourd'hui Serabai se sent trahie, si elle a l'impression d'avoir eu tort de miser sur l'avenir de la jeune fille, il faut reconnaître que jamais elle ne s'en est plainte à Bhima. Dès l'instant où elle a su ce qui était arrivé, Sera a tout de suite proposé son aide. « Il faut qu'elle avorte, c'est évident, avait-elle dit. C'est la seule solution. Maya est trop douée, trop intelligente, pour gâcher sa vie en devenant mère à dix-sept ans. Je vais me charger de tout, Bhima, tu n'auras à t'occuper de rien. Tu as bien assez de soucis comme ça, je le sais. »

Mais pour des raisons qu'elle n'a toujours pas comprises, Bhima avait hésité. Peut-être, sans s'en rendre compte, était-elle influencée par la réaction de Maya, qui s'était fermée la première fois qu'elle avait parlé d'avortement. Et il y avait autre chose : l'espoir implicite, voire inconscient, que le père de l'enfant se manifeste pour assumer ses responsabilités et faire son devoir. Que le voile d'anonymat, de secret, s'écarte pour laisser apparaître un jeune homme désemparé mais honnête, effrayé mais désireux de relever le défi, de se marier et de bâtir une existence avec la femme qui allait lui donner son premier enfant. Bien sûr, à dix-sept ans, Maya était bien jeune pour être mère, et le mariage

34

mettrait probablement fin à son rêve d'obtenir un diplôme de comptable et de travailler dans une entreprise sérieuse. L'avenir radieux qui devait l'attendre, elle qui était la première personne de la famille à faire des études – la bonne situation qu'elle devait sans aucun doute décrocher grâce à l'appui et aux relations professionnelles de Dinaz et de Viraf, qui l'aurait mise à l'abri des travaux subalternes éreintants qui avaient déjà gâché la vie de sa mère et de sa grand-mère –, cet avenir-là lui serait barré, c'était certain. Mais – et là Bhima se permettait une lueur d'espoir – une autre voie s'ouvrirait peut-être. Si seulement Maya acceptait de révéler l'identité du père de l'enfant. Bhima imaginait sa petite-fille chérie, grasse et comblée, en train de s'affairer dans sa cuisine devant des poêles et des casseroles en acier inoxydable étincelantes, de faire frire des *puri* pour un fils turbulent et un mari rentrant chaque soir à la maison après sa journée au bureau.

Elle s'était sentie envahie par une telle excitation il y a quelques jours, quand, après plusieurs semaines de cajoleries, de supplications et de menaces, Maya avait fini par lui avouer le nom du père. Ashok Malhotra. « Il est dans la même faculté que moi, avait-elle dit en sanglotant. Il est dans ma classe. Tu es satisfaite, *ma*, maintenant que tu as réussi à m'extorquer son nom ? Et maintenant, laisse-moi tranquille, s'il te plaît. »

Oui, Bhima était satisfaite. Elle avait enfin un nom à mettre sur l'ombre qui hantait ses rêves et ses cauchemars. Ashok Malhotra. Un étudiant qui fréquentait le même établissement que Maya. Elle avait essayé d'en savoir plus, de lui faire dire où et comment ça s'était passé. Mais alors Maya s'était complètement refermée, sourde aux questions de Bhima, le regard perdu dans le vague, avec cette expression bovine qu'elle avait depuis qu'elle était enceinte. Et soudain, Bhima avait décidé qu'elle préférait ne pas connaître trop de détails sordides. Quelle différence faisaient le quand et le comment ? Elle avait enfin réussi à lui arracher son secret, à lui faire dire le nom du garçon qui leur causait tant de soucis. Maintenant Bhima savait où le trouver. C'était à elle d'agir. Maya n'était qu'une fille sotte et immature, qui ne se rendait pas compte qu'elle allait sombrer dans un gouffre sans fond si elle mettait un enfant au monde sans un père pour subvenir à leurs besoins. C'était le rôle de Bhima de plaider sa cause, de faire ce que Maya était incapable de faire – obliger cet Ashok Malhotra à assumer ses responsabilités, en appeler à son sens de l'honneur. Lui expliquer que sa Maya serait non pas une chaîne mais une guirlande autour de son cou.

« Je te payerai le taxi pour aller à la faculté, avait dit Sera. Va trouver ce garçon, Bhima. Vois quelles sont ses intentions. Vois si cet Ashok est digne de ta Maya ou si c'est un coureur de jupons qui voulait seulement passer un bon moment. Je souhaite de tout mon cœur que ce soit quelqu'un d'honnête. »

Bhima n'était encore jamais allée seule à l'université. L'unique fois où elle s'y était rendue, c'était avec Maya, et Sera les accompagnait. Elles avaient fait la queue ensemble pour remplir les formalités d'inscription, et Sera avait mouché le gratte-papier mal embouché qui avait houspillé Maya : elle s'était redressée de toute sa taille, le toisant d'un œil méprisant, son long nez parsi pointé sur lui, et l'avait prié d'un ton sec, avec son accent de personne éduquée, de bien vouloir regarder à qui il s'adressait, que cette enfant qu'il traitait si mal était probablement le sujet le plus brillant qu'ils auraient jamais la chance d'avoir dans cet établissement. Sous ce regard de grande dame hautaine, l'employé s'était recroquevillé et confondu en excuses. « Pardon, madame. Je ne voulais pas vous offenser. C'est qu'on est surchargé de travail, vous comprenez. Excusez-moi, je vous en prie. »

Mais cette fois, Bhima dut affronter seule le fonctionnaire. Comme de juste, il était assis derrière son bureau, examinant des papiers d'un air renfrogné. « Pardon, excusez-moi ? » dit-elle timidement.

L'homme ne leva même pas la tête. « C'est pour quoi ? fit-il d'un ton brusque.

— Je cherche un étudiant. Pouvez-vous m'aider à le trouver ? »

Le silence retomba, le temps que le préposé finisse de griffonner sur la feuille posée devant lui. Puis : « Vous êtes une parente de cet étudiant ? »

Bhima se troubla. « Ah !... Je suis sa... non, je ne suis pas une parente. Je voudrais seulement lui parler. »

Le scribouillard dût remarquer son embarras car il la regarda alors de ses petits yeux porcins et luisants. « Pas une parente, hein ? » dit-il, assez haut pour que ses collègues l'entendent. « Peut-être espérez-vous nouer des liens avec un jeune étudiant, c'est ça ? » Les autres se mirent à ricaner pendant que Bhima baissait la tête, ne sachant trop quoi faire. Se rappelant la façon dont Sera avait remis l'insolent en place de quelques mots bien sentis, elle regretta, et non pour la première fois, de ne pas avoir d'instruction. Une colère froide montait en elle. Elle s'était préparée pour cette rencontre avec Ashok Malhotra pendant toute la nuit. Elle n'avait pas fermé l'œil, tellement elle était anxieuse et tendue. Elle avait mis au point un petit discours, en se demandant si elle devait menacer ou cajoler, attaquer ou supplier. Pendant le trajet en taxi, elle avait eu l'impression d'être une casserole d'eau en train de bouillir sur la nouvelle cuisinière de Serabai et qui menaçait de déborder. Et voilà que ce malappris se moquait d'elle, par réflexe, histoire de s'amuser un peu. Il jouait avec elle de cet air détaché, cette façon un peu désabusée des chats errants du bidonville quand ils avaient attrapé une souris. Bhima sentit sa détermination l'abandonner peu à peu.

Une autre employée, une femme d'une vingtaine d'années, vint à son secours. « Ne vous occupez pas d'eux, *mausi*, dit-elle en se levant de derrière son bureau pour aller vers Bhima. Apparemment, ces hommes n'ont rien de mieux à faire. Dites-moi qui vous voulez voir. »

Bhima lui adressa un sourire reconnaissant, mais mit machinalement la main devant sa bouche pour cacher les deux dents qui lui manquaient. « Merci, ma fille. Je cherche un dénommé Ashok Malhotra. »

À l'énoncé de ce nom, il se produisit quelque chose de curieux. Les quatre fonctionnaires se mirent à sourire. « *Arre, mausi*, pourquoi n'avez-vous pas dit tout de suite que vous vouliez voir notre prince Ashok ? demanda l'un d'eux. Attendez, je vais dire à quelqu'un de vous conduire jusqu'à lui. Il est très certainement dans son palais, en train de donner audience à ses courtisans. »

Bhima le considéra d'un air perplexe puis elle interrogea la femme du regard. En voyant cela, l'homme sourit. « La cantine, expliqua-t-il, amusé. C'est là que le prince Ashok reçoit sa cour. Vous pouvez aller lui présenter vos hommages. » Il pressa le bouton d'une sonnerie et, quelques instants plus tard, un individu à l'air revêche apparut. « *Ae*, Suresh, dit l'employé. Cette belle dame est venue voir notre Ashok. Emmène-la à la cantine, veux-tu ? »

La cantine sentait la cigarette et la friture. C'était une salle caverneuse, enfumée et résonnant du bruit des discussions. De jeunes garçons au teint foncé, vêtus de pantalons kaki, prenaient les commandes et circulaient entre les tables avec des verres de thé fumant. Les étudiants, issus pour la plupart de la petite bourgeoisie, levaient à peine les yeux quand ils déposaient devant eux des assiettes de *samosa* et de *masala dosa,* sauf pour se plaindre de temps à autre que le thé avait refroidi pendant qu'ils attendaient leur plat. Les plus âgés, surtout s'il y avait une fille avec eux, accompagnaient souvent leurs doléances d'une tape amicale mais bien sentie, sur la tête des jeunes serveurs. Obéissant à un rituel ancestral, ceux-ci souriaient, en se frottant le crâne et en marmonnant qu'ils apportaient toujours les commandes dès qu'elles étaient prêtes. « Comment faire, *sahib* ? Beaucoup de travail, aujourd'hui. » Ils étaient généralement récompensés de cette touchante servilité par un pourboire un peu plus généreux.

« Il est là-bas, dit Suresh en montrant un jeune homme très mince, vêtu d'une *kurtah* bleue et d'un jean délavé. C'est celui qui est assis à droite. » Même de loin et bien qu'il y eût trois autres étudiants à la table, Bhima se rendit compte qu'Ashok était le leader du petit groupe. Elle se retourna pour parler à Suresh mais il était déjà reparti.

Les quatre garçons la regardèrent avec curiosité quand elle arriva devant eux et fixa sans rien dire le père de son arrière-petit-fils. « Bon, finit par dire l'un d'eux. Est-ce qu'on peut vous aider ? » Les trois autres riaient discrètement.

Bhima jugea sympathique le garçon qu'elle avait en face d'elle. Enhardie par cette impression, elle dit : « Vous êtes Ashok ? Ashok Malhotra ? »

Le jeune homme se souleva légèrement de sa chaise. « *Namaste*. Et vous êtes ?

— Il faut que je vous parle. En privé », ajouta-t-elle, tandis que ses yeux se reportaient fugitivement sur les trois autres.

Ashok eut l'air surpris. « Oui, bien sûr, bien sûr. » Il regarda ses camarades d'un air entendu et ceux-ci se levèrent à contrecœur pour laisser la place à la femme maigre et sévère qui se tenait devant eux. « Dis donc, Ashok, ton harem ne cesse de s'étoffer », chuchota l'un d'eux, mais Bhima l'entendit et fit une grimace. Pour la première fois, l'idée lui vint que ce garçon séduisant et populaire avait peut-être d'autres petites amies que Maya.

Elle secoua énergiquement la tête pour chasser cette inquiétante pensée et Ashok sourit. « Il y a vraiment beaucoup trop de mouches dans cette cantine », dit-il d'un ton d'excuse.

La gentillesse de son sourire donna à Bhima le courage de parler. « Je suis la grand-mère de Maya Phedke », annonça-t-elle.

4

Elles sont dans la salle à manger en train de boire leur thé, Sera dans la tasse gris-bleu que Dinaz lui a rapportée des Cottage Industries, Bhima dans le gobelet en acier inoxydable qui lui est réservé chez les Dubash. Comme de coutume, Sera est assise sur une chaise, à la table, tandis que Bhima est accroupie à côté d'elle. Quand Dinaz était plus jeune, elle reprochait à sa mère de ne pas permettre à Bhima de s'asseoir sur une chaise ou sur le canapé et de la contraindre à utiliser sa vaisselle personnelle et non celle qui servait aux Dubash. « Tu racontes à toutes tes amies que Bhima fait partie de la famille, que tu ne pourrais pas vivre sans elle, et pourtant elle n'est pas assez bien pour s'asseoir à table avec nous, s'emportait l'adolescente. Papa et toi, vous n'arrêtez pas de critiquer les hindous des castes supérieures qui brûlent des intouchables et vous dites sans cesse que c'est mal. Mais sous votre propre toit, il y a aussi des castes. Quelle hypocrisie, maman !

— Voyons, Dinaz, disait Sera, conciliante. Il me semble qu'il y a une légère différence entre le fait de brûler des intouchables et celui d'obliger Bhima à avoir sa vaisselle à elle. Et puis tu n'as donc pas remarqué l'atroce odeur du tabac qu'elle mâchonne à longueur de journée ? Tu aimerais que nos verres soient en contact avec sa bouche ?

— Mais il n'y a pas que ça, maman, tu le sais bien. S'il n'y avait que cette histoire de tabac, pourquoi est-ce que tu ne la laisserais pas s'asseoir sur les chaises et le canapé ? Ou alors c'est qu'elle a aussi du tabac sur le derrière ?

— Dinaz ! (Sera était sincèrement choquée.) Surveille ton langage, je te prie. Tu sais que papa aurait une attaque s'il rentrait un jour à la maison et trouvait Bhima installée sur le canapé. »

Elles n'avaient pu s'empêcher de rire toutes les deux en imaginant l'expression horrifiée de Feroz. Mais Dinaz n'avait pas encore vidé son sac. « De toute manière, c'est une question purement théorique, puisque la pauvre Bhima n'a jamais une minute pour souffler un peu.

— À ce propos, avait rétorqué Sera en haussant un sourcil réprobateur, l'autre jour je t'ai entendue lui conseiller de demander une augmentation. Écoute-moi bien, Dinaz, tu peux penser ce que tu voudras, mais c'est nous qui sommes ta famille, pas Bhima. Il me semble que tout bien considéré, les Dubash traitent mieux leurs domestiques que la plupart des gens que nous connaissons. L'argent ne pousse pas sur les arbres, ma chérie. Ton papa se donne beaucoup de mal pour nous assurer une existence confortable. Ce n'est pas bien de ta part de monter Bhima contre nous. Souviens-toi : charité bien ordonnée commence par soi-même. »

Aujourd'hui, en regardant Bhima boire son thé à petites gorgées, Sera se tortille sur sa chaise. Maintenant que Feroz est mort, elle se dit parfois qu'elle devrait lui proposer de s'asseoir à table avec elle. Au début, bien sûr, certaines de ses amies seraient scandalisées et dès qu'un domestique de l'immeuble demanderait une augmentation, les patrons reprocheraient à Sera d'avoir donné le mauvais exemple. « Sera a laissé Bhima la mener par le bout du nez et pas seulement s'asseoir sur son canapé, dirait la voisine. Sous peu, les domestiques vont fonder un syndicat. »

Mais tout ça finirait par se tasser. Et de toute manière, elle se moque bien de l'opinion des voisins. Elle ne leur doit rien et maintenant que Feroz est mort, elle est libérée de cette peur qui l'a poursuivie pendant tant d'années. La peur qu'on colporte des ragots sur leur ménage. Ou pire encore, que ceux qui avaient l'œil perçant remarquent les bleus que les vêtements et le fond de teint ne parvenaient pas à dissimuler, qu'ils la plaignent et cancanent derrière son dos. Maintenant que Feroz est mort, elle n'a plus à redouter leur pitié.

Et pourtant... En imaginant sa servante assise sur son canapé, elle est saisie de dégoût. À cette pensée elle se raidit, comme le jour où elle avait surpris Dinaz, quand elle avait quinze ans, en train d'embrasser Bhima. Ce spectacle avait éveillé en elle des sentiments contradictoires : de la fierté et de l'admiration devant la facilité et le naturel avec lesquels Dinaz enfreignait un tabou implicite, mais également de la répugnance, si bien qu'elle avait failli donner l'ordre à sa fille d'aller se laver les mains. Ce qui est surprenant, pense aujourd'hui Sera, en se remémorant l'incident. N'avait-elle pas toujours dit que Bhima était une personne d'une extraordinaire propreté? « Bhima n'a jamais entendu parler de déodorant, mais crois-moi, pas une fois je n'ai constaté qu'elle sentait mauvais, avait-elle dit un jour à son amie Mani. Je ne sais pas comment elle se débrouille, vu qu'elle n'a pas l'eau courante à la maison et qu'elle doit faire sa toilette devant tout le monde. Pourtant c'est ainsi. » Depuis qu'elle travaille chez Sera, Bhima fait une pause d'un quart d'heure tous les après-midi, à quatre heures, pour se laver le visage avec son savon rangé dans la cuisine, se passer du talc sous les bras et recoiffer ses cheveux de plus en plus clairsemés au fil des années. Du coup, Sera avait pris conscience qu'elle-même sentait la transpiration et, depuis, elle s'obligeait à interrompre systématiquement ce qu'elle était en train de faire pour se rafraîchir.

Malgré tout, elle reste réticente, elle répugne à laisser Bhima se servir de ses affaires. Tandis qu'elles dégustent leur thé dans un silence amical, Sera cherche des justifications à ses préjugés. Il y a ce maudit tabac qu'elle ne cesse de mâchonner. Ça me donne la nausée et imprègne tout ce qui l'environne, se dit-elle. Et puis, pour avoir vu le bidonville où elle habite, j'imagine la situation – quelle sorte d'eau utilise-t-elle pour sa toilette, et peut-elle se laver convenablement les parties intimes ?

Perdue dans ses pensées coupables, Sera s'aperçoit qu'elle n'a pas écouté ce que Bhima vient de dire.

« Oh! Bhima, répète, s'il te plaît. Excuse-moi. Je n'ai pas bien compris. »

Bhima pousse un soupir impatienté et recommence son récit.

« Je suis la grand-mère de Maya Phedke », avait donc annoncé Bhima.

Ashok Malhotra attendait la suite en clignant des paupières. Comme elle se taisait, il se pencha vers elle et dit : « Et alors ? »

Ils se regardaient sans rien dire, comme si chacun attendait que l'autre se décide à parler. Finalement, ce fut Ashok qui rompit le silence : « Je vous demande pardon... suis-je censé... je veux dire... je connais cette Maya ? »

La voix de Bhima hésita. « Maya, dit-elle, comme si elle décrivait sa petite-fille à un étranger. Une étudiante de deuxième année. Les cheveux longs. Grande, avec le teint clair. » Elle se tut, paralysée par l'incongruité qu'il y avait à devoir rappeler à cette brute sans cœur à quoi ressemblait la femme qu'il avait engrossée.

Ashok vint à son secours. « Ah, Maya ! dit-il avec un visage éclairé. Bien sûr que je connais Maya. Mais j'ignorais son nom de famille. Excusez-moi. »

Bhima examina le jeune homme qui lui faisait face. Pas la moindre lueur d'inquiétude ou de remords dans ces yeux, s'étonna-t-elle. Les jeunes d'aujourd'hui, tout de même ! Ils couchaient ensemble sans même savoir leurs noms de famille respectifs. De son temps, il était plus important de connaître le patronyme de quelqu'un que son prénom. C'est lui, après tout, qui vous renseigne sur ce qui importe le plus – à quelle caste cette personne appartient, d'où elle vient, qui étaient ses

46

ancêtres, quel métier elle exerce et à quoi ressemble son *khandaan*, son milieu familial. Et voilà que ce garçon avouait allégrement qu'il n'avait pas pris la peine de s'enquérir du nom de famille de Maya.

« Au fait, comment va Maya ? demandait maintenant Ashok. Ça me fait penser que je ne l'ai pas vue depuis un temps fou. Elle va bien, j'espère ? ajouta-t-il, soudain vaguement inquiet.

— Non. Elle ne va pas bien.

— Ah bon ! s'exclama-t-il. Qu'est-ce qu'elle a ? La malaria ? J'ai deux amis qui l'ont en ce moment. Mais écoutez-moi, dites-lui de ne pas s'inquiéter. Je lui passerai mes notes. Ce sera même pour moi une bonne raison de ne plus sécher les cours et de passer mon temps dans la salle de travail plutôt que dans cette stupide cantine. » Il sourit de son sourire étincelant.

Pour la première fois, Bhima se dit que derrière le beau visage d'Ashok se cachait peut-être le cerveau d'un imbécile. Ce garçon était-il vraiment un demeuré ? Ou alors il jouait les idiots, afin de passer pour innocent et de tenter de se soustraire à son devoir. Eh bien, c'était donc ça ? Plus Bhima examinait la physionomie ouverte et les yeux limpides d'Ashok, mieux elle lisait dans son jeu.

Mais elle n'allait pas le laisser s'en tirer aussi facilement. C'était pour ça qu'elle était venue ici, dans cet endroit qui lui était étranger, pour obliger ce garçon à avouer et à prendre ses responsabilités. Elle se pencha en avant sur sa chaise. « Ce n'est pas la malaria, *beta,* dit-elle, en maîtrisant les tremblements de sa voix. Vous savez très bien ce qu'elle a. »

Ashok haussa les sourcils. « Moi... Je le sais? » Le silence retomba tandis qu'ils se regardaient. Puis Bhima secoua la tête d'un mouvement impatienté. Il ne lui facilitait pas la tâche. Lui, il pouvait se permettre de rester assis là toute la journée, mais pas elle. Elle, elle était vieille, fatiguée, elle avait un long chemin à faire pour rentrer à la maison et un repas à préparer en arrivant. De plus, Maya ne manquerait pas de lui faire une scène quand elle saurait où elle était allée. Il y aurait des larmes, des récriminations, et Maya la regarderait avec ses grands yeux en disant : « Comment as-tu pu faire ça, *ma*? Moi qui croyais que tu ne trahirais jamais mon secret. » Comme si elle avait reçu une pile de livres sur la tête, Bhima sentit tout à coup le poids de ses soixante-cinq ans. Chacun des os de son squelette criait son malheur, chacun de ses cheveux gris psalmodiait sa souffrance, chaque muscle de son corps frémissait et tremblait de douleur. Elle examinait ce jeune homme aux cheveux bien noirs et à la peau lisse avec une envie pleine d'amertume. Elle prenait note de ses ongles nets, de sa *kurtah* amidonnée, de sa coiffure impeccable. Elle voyait son visage éclatant de jeunesse et de santé, ses dents blanches et sans défaut, ses mains sans taches et sans rides. Ce garçon avait tout son temps. On l'avait surnommé le prince Ashok, et c'était vraiment un prince. Il pouvait dépenser son temps sans compter – ou plutôt le gaspiller. Alors qu'elle, Bhima, devait l'économiser, mettre à profit chaque seconde de sa journée, lui pouvait en prendre de grandes brassées et le prodiguer avec autant de facilité que des pièces de dix *paise*.

Un peu de la rage et du ressentiment qu'elle éprouvait avait dû transparaître sur son visage car Ashok la regardait maintenant avec inquiétude. « Ça va, ma tante ? demanda-t-il. Vous voulez un Limca ou quelque chose ?

— Écoutez-moi, Ashok Malhotra, je n'ai pas de temps à perdre. Je suis vieille, il ne me reste plus beaucoup d'années à vivre. Pour cette raison au moins, ayez pitié de moi et n'essayez pas de jouer au plus malin. Ce n'est pas facile pour moi non plus, *beta*. »

Son expression changea. Il ôta ses coudes de la table en Formica et s'appuya contre le dossier de sa chaise, comme pour mettre le plus de distance possible entre lui et Bhima. « Je suis bien Ashok Malhotra, dit-il en articulant avec précaution. Mais êtes-vous sûre que je suis l'Ashok que vous cherchez ? »

Bhima laissa échapper un soupir ou plutôt une sorte de chuintement. « Écoutez, *baba*. Je sais tout. Inutile de faire semblant avec moi. Maya m'a tout raconté. Je ne suis pas ici pour vous faire des reproches. Je veux seulement...

— Quoi ? Qu'est-ce que Maya vous a raconté ? »

Enfin, on aboutissait quelque part. « Ashok, Maya est enceinte. Elle n'a pas la malaria. Elle est enceinte.

— Enceinte ? (Ashok n'en revenait pas.) C'est impossible. Je suis bouleversé.

— Je sais, *beta*, dit Bhima d'une voix plus douce. Nous le sommes tous. Ce n'est pas le destin

49

que j'espérais pour ma petite-fille. Pourtant, qui connaît les voies mystérieuses par lesquelles opère le Seigneur ? Peut-être...

— Non, je voulais dire, surtout Maya. Je ne la connaissais pas très bien, mais je la respectais véritablement. J'ai toujours pensé que c'était quelqu'un de sensé, contrairement à certaines filles de ma connaissance. »

Bhima le regardait bouche bée. Il était incroyable. Quel aplomb ! Assis en face d'elle, en train de parler des filles qu'il connaissait. Est-ce que par hasard il en aurait mis d'autres enceintes ? Était-il possible qu'il y eût – ce qu'à Dieu ne plaise – d'autres petits Ashok Malhotra ici et là ? Un flot de tristesse et de désespoir la submergea.

Il fallait tout de même faire encore une tentative. Il fallait qu'elle oblige ce garçon à oublier ses autres conquêtes. « Ce qui est fait est fait, dit-elle. La question est : maintenant, que va-t-il se passer ? »

Ashok haussa les épaules. En voyant cela, Bhima agrippa le bord de la table rose pour empêcher sa main de voler vers sa figure. Sa Maya était dans une situation désespérée et tout ce que ce salaud, ce coureur de jupons impudent trouvait à faire, c'était hausser les épaules.

« Écoutez-moi, reprit-elle, sans plus chercher à dissimuler sa fureur. Je sais tout. Maya m'a tout raconté. Sur elle et vous. Et puisque vous allez être père, vous pourriez au moins...

— Quoi ? Quoi ? (Ashok s'était levé de sa chaise et il y avait quelque chose de nouveau dans son ton.) Qu'est-ce que vous avez dit ? »

Il n'était donc pas au courant. En voyant ses camarades les regarder avec perplexité, Bhima se maudit de ne pas avoir choisi un endroit plus tranquille pour lui annoncer la nouvelle. « Hé, Ashok, est-ce que ça va, *yaar*? » lança l'un d'eux.

Ashok était blême et il respirait précipitamment. Malgré son désespoir, Bhima eut soudain envie de rire en le voyant réagir comme l'héroïne d'un film hindi, dont la vertu aurait été mise en doute. Mais la haine qui luisait dans les yeux du jeune homme étouffa dans l'œuf son hilarité naissante. « Asseyez-vous, *beta*, supplia-t-elle. C'est dur, je sais, mais...

— Elle a dit ça? siffla-t-il. Elle a dit que j'étais le père de son enfant? »

Incapable d'affronter son regard, Bhima acquiesça d'un mouvement de tête.

« Quelle sale menteuse. Quelle sale et infecte menteuse. Comment a-t-elle osé? La salope. La garce. Ça prouve bien qu'il ne faut jamais faire confiance aux femmes. Jamais. »

Bhima ne comprit pas tout de suite qu'il parlait de Maya. Et soudain elle eut une révélation, à savoir que, de toute manière, elle ne voudrait pas de cet Ashok Malhotra pour gendre, eût-il été le seul homme sur terre. Dans cette fraction de seconde, l'avenir lui apparut, avec toutes les conséquences qu'impliquait cette découverte, et elle vit les lambeaux d'un rêve. Il n'y aurait pas pour Maya de cuisine remplie de casseroles et de poêles rutilantes, pas de mari attentionné qui lui apporterait tout ce que Bhima n'avait pu lui offrir. À la place, il y aurait un avortement et toute une vie de honte et de mensonge. Pourtant cela valait mieux qu'un mariage forcé avec cet individu au langage ordurier. Sera lui lisait souvent des articles de journaux où il était question de jeunes mariées brûlées vives et d'épouses qu'on assassinait pour s'approprier une dot. Bhima frissonna. Il était des maris qui infligeaient à leur femme des traitements qu'on n'aurait pas souhaités à son pire ennemi. On pouvait dire tout ce qu'on voulait de Gopal, mais même après que l'alcool l'eut transformé en déchet humain, il ne l'avait jamais insultée avec les mots que ce jeune démon venait d'employer pour parler de Maya.

Cette découverte – le fait qu'elle n'aurait voulu pour rien au monde qu'Ashok Malhotra entrât dans leur famille – la libéra. « Taisez-vous, ordonna-t-elle. Je vous défends de parler ainsi de ma petite-fille. Sinon, je vous préviens, même morte, je sortirai de ma tombe pour vous trancher la langue. Ma Maya est une fille bien, elle vous vaut mille fois. Il a fallu une bête immonde comme vous pour la corrompre. Quant à vous demander de l'épouser et d'en faire une honnête femme, c'est sûrement que...

— L'épouser ? En faire une honnête femme ? (La voix d'Ashok avait quelque chose d'hystérique.) *Arre Bhagwan*, je rêve ou quoi ? Écoutez-moi, vieille cinglée, je connais à peine votre petite-fille. C'est tout juste si je lui ai parlé cinq ou six fois, et encore, jamais en tête à tête. Dieu m'en est témoin. »

Bhima allait protester, mais le regard furibond d'Ashok l'arrêta. « C'est une machination montée par des gens qui m'en veulent, j'en suis sûr, dit-il en promenant ses yeux à travers la salle. C'est un coup de ces salopards de l'Union des étudiants progressistes, de cette bande de gauchistes dégénérés, je le sais. Ils cherchent tous les moyens de nous discréditer, nous autres du RSJ. Toutes ces putes progressistes, avec leurs discours sur la laïcité et ce genre de conneries. Et leurs « camarades » socialistes efféminés, qui leur courent après comme des chiens, la langue pendante. Mais tout de même, je n'aurais jamais cru qu'ils iraient si loin.

— Je suis venue ici pour vous parler de Maya, *beta*. Pas d'autre chose...

— Je n'aurais jamais cru que Maya était des leurs, dit Ashok, si bas que Bhima l'entendit à peine. Mais peu importe. Elle ne pourra pas salir ma réputation. Tout le monde sait que je fais partie du RSJ, qui préconise de rester pur et chaste jusqu'au mariage. Il y a même des étudiants chrétiens qui m'ont dit en confidence que bien qu'ils ne soient pas d'accord avec l'objectif du RJS de mettre en place un État hindouiste, ils approuvent un grand nombre de ses valeurs. Bien entendu, ils ne le reconnaîtraient jamais ouvertement. Ils ont trop peur des fanatiques musulmans, je suppose. En tout cas, le RJS nous enseigne de respecter nos femmes, même les femmes déchues comme Maya. Mais nous estimons aussi qu'il faut rendre les coups. Nous devons riposter si quelqu'un nous attaque et salit notre honneur », conclut-il en fusillant Bhima du regard.

Un de ses camarades s'approcha de la table. « Qu'est-ce qui se passe, chef ? demanda-t-il en regardant Bhima. La vieille dame t'embête ? On va régler cette affaire en deux temps trois mouvements. » Mais Ashok l'écarta d'un geste. « Non, non. Je suis assez grand pour me débrouiller tout seul.

— *Chamcha* », grogna Bhima en voyant le jeune homme s'éloigner.

Mais à vrai dire, elle se savait vaincue. L'énergie avec laquelle Ashok s'était défendu, la lueur furieuse, paranoïaque, brillant dans son regard, son mépris évident pour Maya et ses menaces à peine voilées l'avaient si totalement anéantie qu'elle avait l'impression de s'écrouler comme un château de cartes. Il ne lui restait plus rien à dire, elle n'avait plus aucune raison de rester là. Elle avait échoué spectaculairement dans sa mission, échoué si lamentablement qu'elle s'interrogeait même sur son bien-fondé. « Je suis désolée de vous avoir mis dans cet état, murmura-t-elle. J'espère que vous pourrez me pardonner, *beta.* Je ne suis qu'une pauvre femme idiote et stupide. Ayez au moins pitié de mes cheveux gris et oubliez ce que je vous ai dit. Notre famille – et là sa voix se brisa – ne vous importunera plus. S'il vous plaît, essayez de trouver dans votre cœur de quoi me pardonner. »

Quand elle se retourna pour partir, la salle de restaurant lui sembla avoir doublé de longueur. Elle s'en alla d'un pas mal assuré, les yeux rivés au sol, tâchant de rester sourde aux murmures et aux rires étouffés qui la suivaient. Ses sandales en caoutchouc lui meurtrissaient les pieds.

Le chauffeur de taxi était un jeune homme sociable qui avait manifestement envie de parler, mais Bhima n'était pas d'humeur à lui faire la conversation. Elle regardait les immeubles décrépis et les chantiers de construction qui défilaient derrière la vitre. Même les embruns de la mer d'Oman ne réussirent pas à la sortir de son abattement, pas plus que la vue de ses eaux d'un gris brunâtre qui, d'ordinaire, lui mettaient de la joie au cœur.

Elle repassait dans sa tête sa discussion avec Ashok, en essayant de situer le moment précis où elle lui avait échappé ainsi qu'un troupeau d'éléphants saisis de folie, l'instant où son cœur s'était brisé, en même temps que tous ses espoirs s'envolaient en fumée sous ses yeux incrédules.

Et aussi le moment précis où elle avait commencé à croire à l'innocence d'Ashok Malhotra. Parce qu'elle ne doutait pas une seconde qu'il eût dit la vérité. Et que c'était Maya – Maya, la petite-fille qu'elle avait arrachée à la mort ; Maya, l'orpheline qu'elle avait recueillie et qui était devenue une jeune fille intelligente et ambitieuse ; Maya, la seule famille qu'il lui restait ; Maya qui avait été l'unique lumière de sa triste vie, et dont la réussite devait la dédommager de toutes ses déceptions et rêves avortés ; Maya, le point lumineux sur lequel se focalisaient ses chimères et ses attentes – c'était Maya qui avait menti. C'était Maya qui l'avait trahie. (Mais depuis le temps, Bhima n'aurait-elle pas dû s'accoutumer aux trahisons ?) Maya qui était cause de son humiliation. (Mais l'humiliation n'est-elle pas devenue son pain quotidien ?) Maya qui, semblait-il, empilait les malheurs, tels des oreillers bien durs, sous la tête de Bhima. (Mais après tout, pourquoi Maya aurait-elle été différente des autres membres de la famille ?)

Bhima demanda au chauffeur de la déposer à quelques centaines de mètres du bidonville. Elle n'avait pas envie que ses voisins se mettent à cancaner et à imaginer Dieu sait quoi en la voyant rentrer chez elle en taxi. Aujourd'hui, elle ne se sentait pas de taille à endurer l'aiguillon de leur jalousie. Beaucoup d'entre eux, elle le savait, l'enviaient de travailler pour quelqu'un comme Serabai. « *Ae*, Bhima *mausi*, lui disait souvent Bibi. J'attends seulement que votre Maya décroche une bonne situation et que vous puissiez prendre votre retraite, pour me faire embaucher par votre Serabai. Comme ça, moi aussi je rentrerai à la maison avec du chocolat pour mes petits. Cette Gujarati qui m'emploie est une vraie *kanjoos*. Si jamais elle me donne un grain de sel supplémentaire le jour de ma paye, je peux être sûre qu'elle essayera de déduire quelque chose sur ce qu'elle me doit le mois d'après. »

Bhima marchait vite, elle avait hâte de rentrer chez elle. Les lanières de ses *chappals* en caoutchouc lui sciaient le pied mais elle était trop absorbée dans ses pensées pour sentir la douleur. Si ce n'était pas Ashok Malhotra, qui était le père de l'enfant de Maya ? Mais en définitive, quelle importance cela avait-il ? C'était sans doute un de ces petits voyous du bidonville qui l'avait engrossée. Peut-être cet insolent qui habitait en face et n'avait même pas la correction de détourner le regard quand elles faisaient leurs ablutions quotidiennes. À cette pensée, Bhima sentit le rouge lui

56

monter au visage. Oui, l'avortement était la seule solution. L'explication qu'elle venait d'avoir avec Ashok Malhotra lui avait ôté toute envie de se battre. Elle n'imaginait pas pouvoir affronter un autre suspect. Sans compter que rien ne garantissait que cette petite effrontée ne lui mentirait pas une fois de plus. La fourberie de Maya la mettait hors d'elle. Sa main droite frémissait par avance à l'idée des gifles cuisantes qu'elle s'apprêtait à lui donner. Elle accéléra encore le pas.

Mais tandis qu'elle approchait du *basti*, elle fut saisie d'une étrange répugnance à l'idée de regagner sa cabane obscure. Elle constata une fois de plus combien ces constructions de tôle et de carton – qui ressemblaient plus à de gigantesques nids fabriqués par un essaim de corbeaux ivres qu'à des habitations humaines – étaient branlantes et misérables. De sa main droite, elle releva le bas de son sari pour qu'il ne trempe pas dans l'eau boueuse stagnant sur le sol. De la gauche, elle chassa la nuée de mouches qui l'assaillaient. Comme toujours, un sentiment de découragement s'abattit sur elle au moment de pénétrer dans le bidonville. Mais aujourd'hui ce découragement portait des marques de dents. Elle éprouvait de la haine pour Maya. Cette fille stupide et dévergondée qui avait jeté sans réfléchir son avenir à la poubelle, comme un vieux journal. Elle aussi passerait sa vie dans ces baraquements insalubres, condamnée à perpétuité à la même existence que sa grand-mère. Et l'ombre de l'enfant mort ne cesserait jamais de la poursuivre. Elle avait été si près d'échapper à ce destin, de faire quelque chose de sa vie. Mais la malédiction familiale pesait également sur elle, suspendue au-dessus de sa tête telles les serres ouvertes d'un rapace. La malédiction qui avait rendu Maya orpheline à l'âge de sept ans allait la priver de son enfant dix ans plus tard.

Bien entendu, si Bhima n'avait pas fait un tel esclandre ce matin-là, à la faculté, Maya aurait peut-être pu y retourner bientôt. Après l'avortement, elle serait restée quelques jours à la maison pour se reposer, puis elle aurait tranquillement repris ses cours. Si un camarade l'avait questionnée sur son absence, il lui aurait suffi de répondre qu'elle avait eu – qu'est-ce qu'Ashok avait dit à propos de son ami? – la malaria. Personne n'aurait rien su. Mais dès l'instant où sa petite-fille avait prononcé le nom d'Ashok Malhotra, un espoir insensé s'était emparé de Bhima. L'image de la cuisine aux casseroles reluisantes avait enfiévré son imagination. On aurait dit que le diable s'était amusé d'elle, qu'il lui avait insufflé un fol optimisme, l'avait conduite jusqu'à l'école de Maya en dansant devant elle pour lui montrer la table d'Ashok Malhotra, où la déconvenue et le ridicule l'attendaient, tel un plat de *battatawada* brûlants. Le sentiment de sa culpabilité infiltrait ses membres las, comme ces colorants que les radiologues vous injectent dans les veines. Sans le vouloir, elle avait ruiné l'avenir de sa petite-fille. Quelque faute que Maya eût commise, elle était réparable. Mais ce que Bhima avait fait – mettre un étranger au courant d'un déshonneur familial, salir la réputation de Maya devant un imbécile dévot et content de lui, révéler son secret à Dieu sait combien d'oreilles curieuses et indiscrètes –, cette faute-là ne pouvait être réparée. Elle avait mis son enfant à nu, dans cette claire et vaste salle, l'avait exposée aux flèches de la médisance et des commérages.

Peut-être était-ce justement à cause de ces remords qu'elle passa si vite à l'attaque. Maya avait à peine eu le temps de refermer la porte branlante de leur cabane que déjà Bhima saisissait la sandale qui avait creusé un profond sillon sanguinolent dans son pied droit pour en frapper cette fille dont la seule vue la rendait malade de chagrin. « Viens ici, vilaine menteuse ! Prends ça, et ça, et ça. Viens ici, je voudrais pouvoir te faire disparaître, ne plus jamais revoir ta face d'hypocrite. »

Instinctivement, Maya, qui essayait de parer la raclée, se protégeait le ventre de ses mains. Elle se retourna, si bien que les coups s'abattirent sur son dos. « Non, *ma* », geignit-elle, puis elle ne prononça plus un seul mot, se contentant de grimacer chaque fois que sa grand-mère la frappait.

Ce silence déchaîna la fureur de Bhima. Elle voulait faire couler le sang, mais avant tout, c'étaient les larmes de Maya qu'elle cherchait à déclencher, comme si ces larmes pouvaient les baptiser l'une et l'autre, les purifier, les laver de ce mal qui s'était insinué dans leurs vies. « Dis quelque chose », lança-t-elle. Et elle répéta, en rythme avec les coups : « Dis quelque chose... Demande... pardon... petit démon... toi... que ta mère n'aurait jamais dû enfanter. » Mais tout ce qu'elle avait enduré pendant cette journée – l'humiliation, la fatigue, le mensonge, la blessure, la mortification d'avoir été trompée par sa propre petite-fille et, maintenant, son effroi devant la façon dont elle-même se conduisait – eurent raison de son courage et c'est elle qui faillit pleurer.

Elle avait mal aux bras et s'arrêta de frapper. Recroquevillée sur le sol, Maya la regardait de ses grands yeux affolés. Bhima eut le cœur brisé de la voir ainsi, elle aurait voulu serrer contre elle ce jeune corps tremblant pour le couvrir de baisers, avec le même emportement qu'elle l'avait roué de coups une minute plus tôt, mais elle se durcit. C'était justement à cause de sa faiblesse que Maya avait fait fausse route.

« Ashok Malhotra, éructa-t-elle. Le père de ton petit bâtard, hein ? *Arre*, une fille dévergondée comme toi devrait renaître neuf fois avant de pouvoir mettre la main sur un garçon aussi honnête et aussi pieux que lui. »

Maya la regarda, interloquée. « Comment sais-tu que Ashok est pieux ?

— Je l'ai vu. Tout à l'heure. Je suis allée à la faculté pour lui demander de t'épouser. » Bhima éclata d'un rire amer, tout en secouant la tête à l'idée qu'elle avait pu être si naïve.

« Tu as fait quoi ? » L'indignation enflait la voix de Maya. « Tu as fait quoi, *ma* ? »

Bhima se força à garder les yeux fixés sur sa petite-fille. « C'est ta faute. Ou alors tu me racontes tellement de mensonges que tu as oublié ce que tu m'as dit à son sujet ? Et puis, non, c'est ma faute à moi, après tout. Comment ai-je pu croire une fille dévergondée ?

— Ne sois pas cruelle, *ma*, je t'en supplie. Frappe-moi avec tes *chappals* ou avec un bâton, arrose-

60

moi avec de l'essence et fais-moi brûler vive, ça m'est égal. Mais ne me frappe pas avec tes mots.

— Moi, je te frappe ? Attends de voir comment ce monde impitoyable te frappera quand on saura que tu es enceinte. Tu as vu le *purdha* que porte Yasmeen, la musulmane du bidonville d'à côté ? Toi, tu n'en auras pas besoin. Ta honte te servira de voile.

— Et maintenant tu as répandu ma honte dans toute la fac, comme du fumier, dit Maya, avec amertume. Je connais cet Ashok. Je n'ai jamais marché dans ses histoires de "Hare Rama". Je me suis rendu compte qu'il aimait colporter des ragots, surtout sur les filles qu'il n'apprécie pas. Et puis il parle si fort, à croire qu'il est né avec un haut-parleur dans la gorge. Tout l'établissement est sûrement déjà au courant. »

Bhima s'efforça de ravaler la culpabilité qui lui avait fait venir un goût de lait tourné dans la bouche. « Tu aurais dû y penser avant de le mêler à tout ça. Avant de me regarder dans les yeux et de me mentir.

— Tu m'y as forcée », rétorqua Maya et, l'espace d'un instant, la Maya d'avant, pétulante et pleine de vie, reparut. « Tu m'as harcelée et harcelée sans cesse, alors j'ai prononcé le premier nom, le nom le plus invraisemblable qui me venait à l'esprit. Quelle importance de savoir qui est le père, *ma* ? Ce qui compte c'est que cet enfant grandit dans mon ventre, pas dans le sien. C'est ma malédiction et ma bénédiction, celle de personne d'autre...

— Une bénédiction ? Tu parles de cette... cette chose... qui grandit dans ton ventre comme d'une

61

bénédiction ? Est-ce que tu es devenue folle, ma fille ? Ou alors tu cherches à tuer ta vieille grand-mère pour pouvoir hériter de ce palais où nous habitons ? »

Maya posa une main hésitante sur le bras maigre de Bhima. « Ne parle pas de mourir, *ma*. Je n'ai personne d'autre que toi au monde. »

C'est donc ainsi qu'un cœur se brise, songea Bhima. Telle est donc la sensation glacée, délicate, exquise que cela fait naître, exactement comme les notes aiguës des violons dans la musique classique qu'écoute Serabai. Bhima avait envie de serrer Maya contre elle et de l'étrangler, de la protéger et de l'anéantir, tout cela à la fois.

« C'est bon, dit-elle d'un ton brusque. Ne te prends pas pour Mina Kumari dans un de ses films. Va allumer le réchaud. Mon estomac gargouille si fort que les rats ne vont pas tarder à détaler. »

Maya s'apprêtait à obtempérer quand Bhima la retint par le bras. « Écoute, ma fille. Demain je demanderai à Serabai de m'indiquer un médecin qui pratique des avortements. On a déjà perdu trop de temps. »

5

Tandis qu'elle attend l'ascenseur, Sera se demande si elle n'a pas eu tort de laisser Bhima seule à la maison. Jamais elle ne lui a semblé aussi vieille, aussi fatiguée, aussi – quel est le mot ? – aussi découragée, qu'aujourd'hui. Pas même quand Gopal est parti, en emportant ce qu'elle avait de plus précieux. Cette fois-là, à l'évidence, Bhima avait reçu un coup terrible, mais il lui restait Pooja et la responsabilité qu'elle se sentait envers sa fille l'avait remontée et empêchée de s'effondrer. Non, Gopal lui avait peut-être brisé les reins, mais Maya l'avait atteinte au cœur. Ashok Malhotra, ça par exemple ! Sera essaie de mobiliser un peu de colère conte Maya, pour s'apercevoir qu'elle en est incapable. Elle tente de se la représenter telle qu'elle est aujourd'hui – méfiante, dépravée, agressive, manipulatrice – mais elle ne voit que la gamine de sept ans, timide et craintive, dans sa robe rouge à volants et ses sandales dorées, qui se tenait devant elle et Feroz, agrippée à la main de sa grand-mère, les yeux cernés après toute une nuit passée dans le train qui la ramenait de Delhi. Une petite orpheline, atrocement maigre, que Sera avait fini par apprivoiser avec les trois barres de chocolat au lait qu'elle lui donnait jour après jour, car Bhima l'emmenait avec elle chez les Dubash. Cette enfant qui, deux mois à peine après son arrivée, avait surpris et ravi Sera en lui demandant en anglais : « Où est mon chocolat ? » C'est ce jour-là, ou peu après, que Sera s'était dit que cette fillette intelligente méritait une autre vie que celle que sa grand-mère pouvait lui offrir. Et qu'elle, Sera, se chargerait de lui faire faire des études.

Sera entre dans l'ascenseur où se trouve déjà Mrs Madan, la voisine du cinquième. « *Kem che* Sera ? dit celle-ci. Ça fait longtemps que je ne vous avais pas vue.

— Oh ! je vais bien. Et vous ? » demande-t-elle, se repentant aussitôt d'avoir posé cette question.

Mrs Madan soupire. « *Chaltai hai, chaltai hai*. On fait aller. Mon arthrite empire. Regardez mon pouce : vous voyez comme il est rouge et enflé ? On dirait une grosse tomate. *Baap re*, vous n'imaginez pas ce que je souffre. Toutefois, comme disait mon cher Praful, ce qu'on ne peut guérir, il faut le supporter. Mais croyez-moi, Sera, c'est parce qu'il n'avait jamais eu de migraine. Quelquefois j'ai tellement mal à la tête que je n'arrive même plus à ouvrir les yeux. Dieu merci ! ma bonne sait exactement quoi faire dans ce cas. Il y a si longtemps qu'elle travaille chez moi, vous comprenez. Pas aussi longtemps que votre Bhima, bien entendu. Ça, c'est vraiment exceptionnel, je dois le dire. Pas étonnant que vous la traitiez comme un membre de la famille. Mon Praful disait toujours que vous lui passiez tout, si vous me permettez. Mais les hommes n'ont pas de cœur, n'est-ce pas ? Ils ne sont pas comme nous. Je dis toujours : Sera aura sa récompense au Ciel pour la façon dont elle traite Bhima.

— Le Ciel n'a rien à voir là-dedans, dit Sera. Bhima est une femme respectable et qui fait bien son travail...

— Oh ! je sais, je sais. C'est exactement ce que je dis à tout le monde. Vous aussi, vous êtes bonne, comme moi. Il n'y a qu'à voir la façon dont vous vous occupez de votre belle-mère. N'allez pas croire que je ne l'ai pas remarqué, bien que je sois presque aveugle à cause de ma cataracte. On ne vous voit peut-être pas aussi souvent à l'*agyari* que certains d'entre nous, mais vous êtes pieuse à votre manière, je le sais. *Chalo*, il faut que j'aille chercher mes médicaments. Le médecin dit que je devrais marcher un peu tous les jours, mais les trottoirs de Bombay sont en si mauvais état, de nos jours, que j'ai peur de sortir de chez moi. Il y a partout des trous et des bouches d'égout ouvertes. »

Quelle idiote, cette Mehru Madan, songe Sera en la quittant. Elle mélange tout, que ce soit pour la religion ou pour la médecine. Et en se rappelant que Feroz l'avait surnommée la Vieille cervelle embrouillée, elle sourit.

Elle sourit toujours quand elle entre dans l'ascenseur de l'immeuble de Banu Dubash. Voyant son visage, le liftier sourit aussi. « *Salaam memsahib* », dit-il. Elle lui adresse un petit signe de tête assez sec, contrariée d'avoir été surprise hors de ses gardes.

« Deuxième », annonce-t-elle, bien qu'elle sache

65

pertinemment qu'il n'est pas utile de lui dire à quel étage se trouve l'appartement de Banu Dubash.

Couchée dans son lit, l'Ogresse dort, ses longs cheveux clairsemés répandus sur l'oreiller, telle une crinière. Sera ouvre la porte avec sa clé et pénètre dans l'appartement vétuste. Comme d'habitude, un mélange d'odeurs d'eau de Cologne et d'alcool à 90° assaille aussitôt ses narines. Et toujours comme d'habitude, les rideaux sont fermés car l'Ogresse tient à ce que son antre reste plongé dans l'obscurité. L'atmosphère sent le renfermé et Sera, en proie à un sentiment de claustrophobie, doit se retenir pour ne pas écarter les tentures délavées et ouvrir en grand les fenêtres, afin de laisser entrer à flots l'air et le soleil. Elle pose un œil critique sur les murs sales et ternes dont la peinture s'écaille et se dit que ce ne serait pas du luxe de faire venir une équipe d'ouvriers pour leur redonner fraîcheur et couleur. Elle ne se souvient pas que l'appartement ait jamais été repeint depuis le jour où elle y est entrée pour la première fois, il y a bien longtemps, en tant que jeune – enfin, pas si jeune que ça – fiancée. Elle frissonne involontairement au souvenir de l'époque malheureuse où elle vivait chez l'Ogresse. Dieu merci ! elle avait eu la bonne idée de s'en aller et la chance que la Providence lui permette d'avoir une maison à elle. Non que la vie avec Feroz ait été ensuite un paradis. Mais tout de même. Si elle avait continué à habiter chez ses beaux-parents, elle aurait fini par se jeter par la fenêtre, un jour ou l'autre.

Edna, l'infirmière de jour, somnole dans le grand

66

fauteuil placé dans un coin de la chambre où dort l'Ogresse, dont les ronflements rythmés emplissent l'air d'une musique mélancolique. En entrant, Sera voit d'abord le reflet d'Edna dans la glace qui recouvre l'une des portes de l'armoire en acajou trônant à côté du lit. Sur l'autre porte est représentée une scène forestière, peuplée de girafes, d'éléphants et de faons. Quand elle avait découvert cette chose monstrueuse, Sera en était restée médusée. En ce temps-là, l'appartement des Dubash était bourré de meubles anciens : une table de salle à manger en acajou sculpté pouvant accueillir une douzaine de convives, deux tables basses à dessus de marbre, et un lit à baldaquin en teck massif.

Elle toussote et Edna se réveille en sursaut.

« Oh ! bonjour, madame, bredouille celle-ci, tandis qu'elle se lève en hâte de son fauteuil. Je ne vous avais pas entendue arriver... Tante Banu s'est endormie après sa toilette du matin, aussi je...

— Ce n'est pas grave, dit sèchement Sera. Alors, tout va bien ? La nuit s'est bien passée ?

— À peu près, madame. Elle a fait sous elle, vers deux heures du matin. » En voyant l'expression de Sera, Edna se mord la langue. « Je vous demande pardon, madame. Je croyais que vous aimeriez être au courant. Il y a des familles qui veulent tout savoir concernant leur malade, vous comprenez. »

Sera regarde le visage foncé et osseux de l'infirmière, sa coiffe blanche aux bords effilochés, son uniforme élimé où l'on distingue encore les traces d'une tache brune, et elle est envahie de pitié et de remords. « Non, non, c'est bien. Nous aussi nous tenons à être au courant de tout. Et maintenant, Edna, si vous nous faisiez une bonne tasse de thé ? Je vais ranger un peu pendant que vous nous préparerez une tasse de Brook Bond. »

Elle est récompensée par un sourire inattendu, joyeux, aussi lumineux que le ciel au-dehors. « D'accord, madame. Je vais faire du thé *fattaa faat*, comment on dit chez les parsis. Banu voudra peut-être en boire un peu, elle aussi. »

Comme si elle savait qu'on parle d'elle, la vieille femme s'agite dans son lit. Pour la énième fois, Sera s'émerveille de la prescience de sa belle-mère. Au temps où elle vivait dans cette maison, elle était convaincue que Banu avait trois yeux surnuméraires vissés derrière la tête. Feroz et elle avaient beau être discrets quand ils avaient une discussion et Sera parler très bas quand ils se querellaient, Banu était toujours au courant de ce qui s'était passé dans leur chambre.

Un jour, elle avait tenté d'aborder le sujet avec Feroz. « Est-ce que tu as vu la façon dont ta mère me regarde après qu'il y a eu une dispute entre nous deux ? Comment le sait-elle ? Elle nous espionne ou quoi ? Je fais tout mon possible pour lui cacher nos différends, mais chaque fois qu'un problème s'élève entre nous, elle est au courant.

— C'est ta mauvaise période ?

— Quoi ?

— Tu as tes règles ? avait-il précisé. Parce que dans ces moments-là, tu deviens nerveuse et parano et tu t'imagines que tout le monde t'espionne, comme aujourd'hui, par exemple. Si ça continue, tu finiras par ressembler à ces imbéciles d'Américains qui croient aux ovnis et à ce genre de niaiseries. »

Davantage blessée qu'elle n'aurait dû l'être par la désinvolture avec laquelle il avait balayé ses inquiétudes, elle avait d'abord regardé son mari sans rien dire, avant de rétorquer : « Très bien, Feroz. Continue à te moquer de moi.

— Si tu tenais des propos sensés, je pourrais m'en dispenser, ma chère. À t'entendre, on dirait que ma mère n'a rien de mieux à faire que de passer son temps à t'épier. »

Quand Edna sort de la chambre pour aller dans la cuisine, Sera se retient de la suivre. Même après toutes ces années et bien que Banu soit désormais paralysée et totalement dépendante, elle se sent mal à l'aise chaque fois qu'elle se retrouve seule avec sa belle-mère. En outre, elle étouffe dans cette chambre, dans cet appartement. Les mauvais souvenirs qui remontent du passé glapissent à ses oreilles, comme les singes dans les arbres de Khandala. Il y a ici trop de fantômes, et bien qu'elle ait devant elle le corps inerte et à demi mort de cette vieille femme couchée dans son lit, la disparue à laquelle elle pense le plus souvent et qu'elle pleure encore aujourd'hui est la jeune femme qui gît, ensevelie dans cette maison. Avec quels espoirs elle était entrée, jeune mariée, dans la demeure de ses beaux-parents ! Avec quelle ferveur elle avait été courtisée et conquise par celui qui l'y avait installée ainsi qu'un objet précieux, une fragile porcelaine ! On aurait dit que quelqu'un avait accroché un soleil supplémentaire dans le ciel de

Bombay, tant il y avait alors de lumière et d'éclat. En ce temps-là, Feroz et Sera étaient resplendissants, pas vraiment jeunes, non, mais cela rendait leur bonheur encore plus éclatant. Parce qu'ils l'avaient durement gagné et qu'ils ne s'y attendaient pas. Ils s'étaient trouvés à un moment où ils ne l'espéraient plus ni l'un ni l'autre.

Elle entend l'infirmière qui pose les tasses sur le plan de travail. « Le thé est presque prêt, madame, chantonne Edna depuis la cuisine. Voilà une tasse de *chai garma-garam* qui arrive. »

De peur de réveiller l'Ogresse, Sera ne répond pas. Il ne faut pas réveiller le chat qui dort, pense-t-elle, puis elle se sent un peu coupable d'avoir comparé sa belle-mère à un chat. Elle apprécie cependant ce moment de tranquillité qui lui permet de ne pas sentir sur elle le regard inquisiteur de Banu. Bien qu'elle soit désormais impotente et à peine capable de parler, ses petits yeux perçants ont pour habitude de suivre Sera dans toute la chambre, surveillant le moindre de ses gestes, exactement comme au temps où elle vivait ici.

Rassurée de voir que Banu continue à dormir et que ses yeux fureteurs sont hermétiquement clos, Sera s'approche du lit sur la pointe des pieds. La paralytique a la bouche ouverte, elle respire bruyamment en émettant un ronflement sonore et guttural toutes les trois prises d'air. Un épais filet de salive lui sort de la bouche et se dépose sur son oreiller. Sera en a un haut-le-cœur. Malgré ses visites quotidiennes à sa belle-mère, elle n'a jamais pu surmonter la nausée, l'impression d'enfermement qui la saisit dès qu'elle pénètre dans cet appartement. Elle fixe Banu, examine cette femme insignifiante et ratatinée couchée dans un lit qui semble s'être modelé autour de son corps, et fouille tout au fond de son cœur pour y chercher un soupçon de pitié, sans rien trouver. Ou plutôt, elle en retire une corde interminable, pareille à celle qui sert à descendre les seaux au fond du puits, dans les temples du feu parsis. Cette corde est tissée d'amertume et de ressentiment. Elle la sent noire et calcinée entre ses mains, brûlée par une hargne bouillant à petit feu. Même après tout ce temps, elle, Sera Dubash, amie dévouée, mère aimante, patronne bienveillante, voisine serviable, généreuse protectrice des arts, ne peut pardonner à cette ombre de femme étendue devant elle. Elle en éprouve à la fois de la honte et une étrange euphorie.

Son regard se pose sur le grand portrait à l'huile de son beau-père, Freddy Dubash, accroché au-dessus du lit de Banu. Sur ce tableau, il a un air sérieux qui ne lui était pas habituel, mais Polly, son perroquet bien-aimé perché sur son épaule droite, arrache un sourire à Sera. Si, au début de son mariage, elle avait eu l'impression de se trouver plongée au fond d'une mine de charbon pleine de ténèbres, elle aurait pu dire que Freddy était pour elle la seule lumière, une lumière comparable à la lampe qui brille sur le casque d'un mineur. C'était grâce à lui qu'elle ne s'était pas complètement perdue.

Elle ne peut s'empêcher de sourire, comme toutes les fois qu'elle pense à son beau-père. Ce portrait lui rappelle le jour où elle avait fait sa connaissance – et celle de l'inévitable Polly, bien entendu. Elle fréquentait Feroz depuis trois mois, quand celui-ci l'avait emmenée chez ses parents, un dimanche après-midi. Freddy Dubash, l'un des avocats les plus réputés de Bombay, était entré dans la salle de séjour revêtu d'un peignoir de bain rouge, orné de broderies, un perroquet juché sur son épaule.

« Je suis Farokh Dubash, avait-il dit. Le père du jeune prodige. Mais tout le monde m'appelle Freddy.

— Enchantée, avait murmuré Sera.

— Feroz m'a dit que vous aimiez la musique classique. C'est vrai ?

— Depuis l'âge de sept ans, je vais aux concerts de Homi Bhabha, avec mon père. Il est très mélomane.

— Polly, nous avons une nouvelle amie, avait déclaré Freddy en s'adressant à son perroquet. Serre-lui la main. Allons, serre-lui la main. »

Et, effectivement, l'oiseau avait levé une patte décharnée et la lui avait tendue. Ne sachant trop quoi faire, Sera avait interrogé Feroz du regard. Il paraissait perplexe. « Mais oui, vas-y, serre la main de cet animal, avait-il fini par dire d'un ton résigné. Comme ça, ton initiation dans cette famille de fous sera complète. »

Banu, qui s'affairait pour cacher sa gêne, avait marmonné : « Tout de même, Freddy... » Mais déjà, Sera s'avançait vers le perroquet, la main tendue à hauteur de sa patte. « Enchanté », avait coassé Polly. Devant sa stupéfaction, ils avaient ri tous les trois. « C'est un petit numéro que mon mari a mis au point. Il lui a fallu plusieurs semaines pour dresser Polly à faire ça, avait expliqué Banu, d'une voix teintée d'embarras et de fierté.

— Des semaines, tu parles ! Il m'a suffi de quelques jours. Il faut dire que les perroquets sont des animaux d'une intelligence exceptionnelle. Bien plus intelligents que les chiens, si vous voulez mon avis, avait rétorqué Freddy.

— Mais bien sûr, papa. Tu as dressé Polly à faire ça en quelques heures, avait renchéri Feroz. En quelques minutes, même. N'oublions pas que ce maudit volatile est bien plus intelligent que ton fils. Pour tout dire, Polly est le fils que mon père aurait voulu avoir », avait-il ajouté à l'adresse de Sera, qui avait cru déceler un peu d'amertume chez son fiancé, pourtant souriant.

Sans même relever la remarque, Freddy avait dit à Sera : « Vous avez plu à Polly. Comme moi, il détecte un amateur de musique classique à des kilomètres. »

Pourquoi a-t-il fallu que Freddy meure avant l'Ogresse ? se demande Sera une fois de plus. Aujourd'hui encore, elle continue à penser que ce beau-père excentrique et généreux a été son sauveur, celui qui l'a arrachée à l'enfer qu'était devenue cette maison.

Comme si ses rêves la tourmentaient, Banu gémit dans son sommeil. L'espace d'une fraction de seconde, ses paupières s'ouvrent, mais elle a le regard vague et recommence aussitôt à ronfler. Sera sait pourtant qu'elle ne va pas tarder à se réveiller. Elle entend Edna approcher. Elle se retourne vivement, avec l'air de quelqu'un qu'on a pris en faute. Edna sera là dans un instant. Sera se penche sur la dormeuse, comme pour lui caresser le front. Elle jette un regard furtif autour d'elle, puis sa main change de trajectoire. Sa paume ouverte s'étrécit, si bien que son pouce et son index se referment comme les deux branches d'une pince à épiler.

Au moment même où Edna entre dans la chambre, Sera saisit entre ses deux doigts la joue molle, flasque et inerte de Banu, et la pince. Fort. Son cœur cogne dans sa poitrine. Elle s'attend à ce que la vieille femme se réveille en poussant un cri, tout en sachant que sa chair paralysée n'a pas pu sentir la punition. Perdue dans son monde de rêves délétères, Banu continue à dormir. Le remords et la honte que lui inspire son comportement puéril envahissent doucement les veines de Sera comme de la fumée grise. Pourtant, demain elle recommencera, elle le sait. C'est le seul moyen qu'elle possède pour venger modestement la jeune fille naïve et idéaliste qui gît dans le cimetière qu'est cet appartement.

Pour se racheter, elle ouvre son portefeuille et y prend un billet de cent roupies. « Tenez, Edna. Pour vos enfants. Achetez-leur du chocolat, quand vous rentrerez chez vous. »

6

Shyam, l'homme au visage grêlé par la variole qui habite de l'autre côté de l'égout à ciel ouvert, arrête Bhima au moment où elle va pénétrer dans sa cabane. « *Namaste, mausi*. La journée a été longue aujourd'hui. »

Bhima opine du chef. « Toutes les journées sont longues quand on travaille », réplique-t-elle. Puis se rappelant que Shyam est au chômage depuis deux mois, elle sourit d'un air un peu contrit, pour lui montrer que sa remarque n'était pas un reproche.

Mais Shyam ne se vexe pas. « *Hahji*, dit-il. Vous avez bien raison. Dites-moi, Bhima *mausi*, est-ce que vous viendrez à la réunion, demain après-midi ?

— Quelle réunion ? » l'interroge Bhima. Mais aussitôt elle se souvient. Il y a quelques jours, Bibi lui a dit qu'une réunion allait enfin avoir lieu avec un conseiller municipal influent qui devait inspecter le bidonville. Parmi leurs nombreuses requêtes, les habitants demandaient que la ville installe des points d'eau supplémentaires. « Ah ! oui, ça me revient maintenant, dit-elle. J'ai entendu parler de quelque chose, en effet. Mais je ne pourrai pas venir, Shyam. Il faut que j'aille chez ma patronne. Si je ne travaille pas, je ne mange pas. »

Shyam pince les lèvres et Bhima maudit son manque de tact. « Bien sûr, *mausi,* je comprends, fait-il sur un ton lourd d'ironie. Pour remplir ce ventre, on ferait tout et n'importe quoi. Mais l'amélioration de nos conditions de vie est également une cause qui mérite d'être défendue, vous ne trouvez pas ? Votre patronne peut certainement vous accorder quelques heures de liberté. »

Bhima se sent acculée. La sympathie qu'elle éprouvait jusque-là pour Shyam se mue en ressentiment. Elle est fatiguée, vidée, elle a hâte de se retrouver dans sa baraque et de refermer la porte sur le monde. Elle salive en pensant à la tasse de thé au lait, chaud et sucré, que Maya n'a sûrement pas oublié de préparer. Elle n'a pas envie de perdre davantage de temps avec un imbécile qui n'a rien à faire. « Ma patronne a besoin de moi, dit-elle sèchement. Quant au bidonville, c'est à vous, les hommes, de vous en occuper et de discuter avec ces messieurs de la municipalité. Je ne suis qu'une pauvre femme analphabète, tout juste bonne à hacher des oignons et manier un balai. Et à propos d'oignons, il faut que je prépare le dîner pour Maya et moi. Aussi, avec votre permission, je vais vous laisser. »

Elle a déjà une main sur sa porte quand le nom de Maya prononcé par Shyam l'immobilise. « Tiens », dit-il, et même dans la lumière déclinante du jour, elle voit que sa bouche est déformée par un frémissement cruel. « En parlant de Maya... ma Rehka est passée chez vous, dans la journée. Nous n'avions plus de sucre et ma femme l'a envoyée vous en emprunter. Nous avions remarqué que Maya n'allait plus à ses cours depuis quelque temps, par conséquent elle pensait qu'il y avait quelqu'un chez vous. »

Bhima sent les muscles de son ventre se nouer. Quelque chose se prépare et elle sait que ce n'est pas bon. « Qu'est-ce que Maya a à voir là-dedans ? demande-t-elle, sans chercher à atténuer la sécheresse de son ton.

— Calmez-vous, calmez-vous, *mausi*. (Tel un serpent, la voix de Shyam s'insinue dans l'obscurité grandissante.) Ce que je dis, ce que j'essaie de vous dire, c'est que ma petite Rehka est allée chez vous et qu'elle a trouvé votre Maya en train de vomir dans un coin, en se tenant le ventre. Et quand ma Rehka a voulu lui venir en aide, votre Maya lui a sauté dessus comme une vipère et elle l'a mise à la porte. Vous trouvez que c'est une façon de traiter les voisins ?

— Je vais lui dire deux mots. Elle a une grippe qui ne veut pas guérir, la pauvre petite.

— Ah, la grippe ? (Sa voix se fait encore plus doucereuse.) Drôle de grippe, pour durer si longtemps. Il y a des gens, dans le *basti*, qui disent qu'elle vomit depuis un mois ou deux. Mais avec les mouches, les rats et l'eau sale que nous avons, il ne faut pas s'en étonner, je suppose. »

Bhima se retient pour ne pas griffer son visage grêlé et, d'un ton calme et mesuré, elle déclare : « Envoyez-moi Rehka, Shyam. Je vais lui donner un peu de sucre. »

Son visage s'éclaire instantanément. Cette transformation rappelle à Bhima le cobra du temple de Mahalati, qui abaisse son capuchon dès que le grand prêtre dépose devant lui une coupe en argent remplie de lait.

« Je savais que je pouvais compter sur vous, Bhima *mausi*. J'ai bien l'intention de rembourser toutes mes dettes, dès que j'aurai trouvé du travail. La petite sera chez vous dans quelques minutes. »

Bhima attend que Rehka soit repartie avec sa demi-tasse de sucre pour parler à Maya. Son regard balaie la cabane. Elle s'aperçoit que le thé tant désiré n'est pas prêt. « Qu'as-tu fait aujourd'hui ? demande-t-elle, d'une voix dure qui est déjà un mauvais signe en soi.

— Rien, répond prudemment Maya.

— Rien. Tiens donc, la princesse au gros ventre a passé toute sa journée à se tourner les pouces. »

Le visage de Maya est aussi lisse que la table, mais ses yeux se mouillent. Pourtant Bhima n'est pas satisfaite.

« Est-ce que tu as entendu ce que cette pipelette de Shyam m'a dit à ton sujet ? siffle-t-elle.

— Laisse-moi tranquille, *ma*. Je ne me sens pas bien. »

La voix de Maya a la fragilité d'un pot d'argile. Bhima ouvre la bouche pour répliquer, puis la referme. La petite a véritablement l'air malade.

« C'est bon, bougonne-t-elle. Va t'allonger un peu pendant que je prépare le dîner. »

Comme si elle avait détecté un changement dans le ton de sa grand-mère, le regard de Maya s'illumine un peu. « Je peux t'aider, *ma*. Tu dois être fatiguée. »

Bhima trouve qu'elle ressemble à un chien qui

cherche à plaire. Méfiant quand on lui donne un coup de pied, il remue la queue dès qu'on s'arrête. « Dans ce cas, émince deux oignons. Et mets le riz à cuire. Je m'occupe des légumes. »

Accroupie devant le réchaud, à côté de Maya, Bhima entend l'estomac de sa petite-fille crier famine.

« Tu as mangé aujourd'hui? demande-t-elle sévèrement.

— Oui. Non. Enfin, j'ai essayé. À midi, j'ai eu terriblement envie d'un œuf dur. Mais il n'y avait pas d'œufs à la maison et je... je ne me suis pas senti le courage d'aller au magasin du bout de la rue. Alors j'ai mangé un *chapati*. Mais ça m'a seulement donné mal au cœur. »

Au souvenir de l'omelette que Serabai lui a préparée ce matin, Bhima est prise d'un remords cuisant. « Petite sotte, gronde-t-elle. Voilà que tu deviens paresseuse, maintenant. Tu ne peux même pas aller jusqu'au coin de la rue pour t'acheter un œuf? »

Tout à coup, sans aucune explication, Maya fond en larmes. « Aller jusqu'au coin de la rue? Des fois je voudrais pouvoir sortir d'ici et marcher jusqu'à ce que mes pieds se transforment en ailes. Aller quelque part où personne ne me connaît, où il n'y aurait pas une centaine d'yeux curieux pour me suivre. Tu ne sais pas ce que c'est que de rester assise ici toute la journée, la porte fermée, à écouter les bruits du monde extérieur, les portes qui claquent, les enfants qui s'amusent, les femmes qui bavardent, pendant que je me demande si elles ne disent pas du mal de moi. J'ai l'impression d'être en prison et alors je me dis : qui est mon geôlier ? C'est moi qui suis mon propre geôlier. Je ne sais pas ce qui est le plus noir, *ma-ma...* cette cabane sans électricité ou le voile de honte qui m'enveloppe. »

C'est la première fois que Bhima voit Maya pleurer depuis qu'elle est enceinte. Ces sanglots la frappent comme des poings, pourtant elle est contente. Qu'elle pleure donc. Qu'elle se repente de son inconduite. Bhima pose une assiette devant la jeune fille, en détournant résolument les yeux pour ne pas voir les larmes qui tombent dans le riz. « Mange, grommelle-t-elle. Dans ton état, il faut manger. »

Après le dîner, elle prend sa tabatière et fourre une boulette dans sa bouche. Elle la mâche lentement, tout en regardant sa petite fille.

« Écoute-moi. Les ragots commencent à courir. Et tu ne pourras pas toujours cacher ta honte. Bientôt, ton ventre ne rentrera plus dans ton *salwar khamez.* On a déjà trop attendu. Il faut qu'on t'emmène vite chez un médecin. »

À sa grande surprise, Maya ne proteste pas. « D'accord, dit-elle. À une seule condition... je veux que ce soit Serabai qui m'accompagne à l'hôpital, pas toi. »

Bhima s'étonne de se sentir aussi blessée d'être écartée de la sorte, mais elle ne veut surtout pas le montrer.

« Serabai est très occupée, elle a autre chose à faire que d'emmener une dévergondée chez le médecin pour se faire avorter. Je n'oserai jamais le lui demander. De toute manière, c'est une affaire qui ne regarde que nous. Pourquoi veux-tu y mêler cette pauvre femme ? Tu trouves qu'elle n'en a pas déjà assez fait pour toi ? »

Maya a l'air fatigué. « Moi, je le lui demanderai. Je sais qu'elle ne refusera pas. Je t'en supplie, *ma*. » Puis, devant l'air entêté de sa grand-mère, elle ajoute : « On s'occupera mieux de moi si je suis accompagnée par quelqu'un comme elle. Je voudrais que tout se passe le mieux possible. »

Bhima devient toute rouge. Elle se rappelle la fois où Gopal était resté sans soins dans un hôpital public, alors qu'il était gravement malade. Sera et Feroz Dubash étaient arrivés, pareils à des stars de cinéma, et grâce à leur intervention, on s'était aussitôt occupé de lui. Maya a raison. Riche, sûre d'elle et sachant s'exprimer, Serabai a l'art de faire s'ouvrir les portes, ainsi qu'un magicien. Bhima prend la décision de lui parler dès demain matin.

Pendant la nuit, étendue sur son mince matelas de coton, Bhima repasse dans sa tête sa conversation avec Shyam. Pour le moment, elle a réussi à ôter ses crocs au serpent, elle a acheté son silence avec une tasse de sucre. Mais jusqu'à quand ? Shyam n'est pas très futé. S'il a remarqué que Maya n'était pas dans son assiette, ce matin, la chose a sûrement attiré l'attention des commères aux yeux d'aigle, à la langue de vipère et aux dents tachés par le *paan*, qui peuplent la cité. Gardent-elles le silence par respect pour Bhima ? Dans ce cas, jusqu'à quand continueront-elles encore à se taire ? Ou alors, est-elle simplement la dernière à être au courant ? Les rumeurs sont peut-être déjà en train de courir à travers le *basti*, pareilles à des cerfs-volants noirs, et elle est simplement trop bête et trop ignorante pour s'en rendre compte. Dans le fond, elle n'a pas de véritables amis dans ce *basti*. Depuis qu'elle a quitté le *chawl* et l'appartement de deux pièces où elle vivait avec Gopal, pour descendre dans cet enfer actuel, elle s'est toujours comportée d'une façon qui semblait dire que sa place n'était pas ici. C'est une des raisons pour lesquelles elle n'a jamais envie d'assister à leurs stupides réunions avec tel ou tel conseiller municipal. Même avec cinq robinets supplémentaires, le bidonville restera un bidonville. Et elle a été habituée à mieux. Elle sait que son attitude distante suscite l'acrimonie de ses voisins, mais elle s'en moque. Il lui faut à tout prix se persuader que son séjour ici est provisoire, dans son propre intérêt, sinon dans celui de Maya. Quelquefois, quand elle enjambe un égout à ciel ouvert ou qu'elle chasse les mouches tandis qu'elle se tient accroupie pour faire ses besoins, elle a du mal à y croire. Mais elle s'était toujours accrochée à cet espoir, du moins jusqu'au soir où en rentrant chez elle, elle avait trouvé Maya recroquevillée par terre, à côté d'une mare de vomissures. Au bout de trois jours, comme la petite continuait à vomir elle l'avait traînée au dispensaire du Dr Premchand, pensant qu'il s'agissait d'un embarras gastrique ou d'un empoisonnement alimentaire. Au lieu de ça, elle avait appris que Maya attendait un enfant.

L'idée du bidonville lui rappelle son appartement du *chawl*, son royaume perdu, et elle éprouve une vieille et familière nostalgie de ce à quoi elle a dû renoncer.

Gopal. Chose curieuse, depuis qu'elle sait que Maya est enceinte, Bhima pense plus fréquemment à son mari. Elle croyait s'être accoutumée à la solitude de son existence, avoir atteint un stade de relative insensibilité, comme si un médecin lui avait fait respirer de l'éther. Mais la piqûre que lui a infligée la trahison de Maya a peut-être ravivé la souffrance de cette première trahison. Peut-être qu'elle a désormais besoin d'un homme pour naviguer dans les eaux boueuses que cette écervelée de Maya a ouvertes devant elles deux. Ou peut-être qu'il n'est pas vrai, contrairement à ce qu'on dit, que le temps guérit les blessures ; peut-être les blessures successives pénètrent-elles chaque fois plus profondément, jusqu'au jour où on s'aperçoit que la géographie même des os – le positionnement de la tête, la saillie des hanches, la rectitude des épaules – ainsi que l'éclat des yeux, le grain satiné de la peau, la netteté du sourire, tout cela s'est altéré sous le poids des malheurs.

Gopal. Si elle ferme les yeux un instant, elle entend encore tinter la sonnette de son vélo, le jour où il avait entrepris de lui faire une cour opiniâtre et singulière, alors qu'elle avait vingt ans et que la vie se déployait devant elle ainsi qu'un jardin plein de fleurs.

Elle l'avait vu pour la première fois la veille, au mariage de sa meilleure amie Sujata. Le lendemain, elle était allée attendre le bus numéro 5, comme tous les matins, pour se rendre chez sa patronne Dinu Shroff. Appuyée contre le poteau indiquant l'arrêt du bus, elle avait fermé ses yeux fatigués. Ils étaient rentrés si tard de la noce qu'elle avait à peine dormi cinq heures. Elle somnolait déjà depuis une bonne minute quand elle avait entendu le ding-ding d'une sonnette de bicyclette. « Réveillez-vous, réveillez-vous, disait une voix inconnue. Sinon les monstres du sommeil seront tentés de vous enlever. »

Bhima ouvrit les yeux et les referma aussitôt en voyant Gopal. C'était le cousin de Sujata, cet effronté qui lui avait lancé une œillade et l'avait invitée à danser hier, comme si elle était une fille de mauvaise famille. Ô *Bhagwan*! pria-t-elle, faites qu'il soit parti quand je rouvrirai les yeux.

Sa prière ne fut pas exaucée. Quand elle rouvrit les yeux, il était toujours là, perché sur son vélo, un grand sourire sur les lèvres. « *Namaste*. J'ai été obligé de vous réveiller. Si vous aviez continué à dormir, votre beauté aurait fait pâlir le soleil lui-même.

— Gardez vos plaisanteries pour vous, mar-monna-t-elle. Je ne suis pas d'humeur à les entendre.

— Pas d'humeur à plaisanter? C'est bien triste, ma Bhima. Dans ce cas, j'estime qu'il est de mon devoir de vous égayer. »

Comment connaissait-il son prénom? Avant qu'elle ait pu le lui demander, l'homme qui la pré-cédait dans la fille d'attente se retourna et lui dit : « Est-ce que ce chenapan vous importune, made-moiselle? »

Mais sans lui laisser le temps de répondre, Gopal répliqua : « Dites donc, vous, mêlez-vous de vos affaires, *yaar*. On ne doit pas intervenir sans raison valable entre un homme et sa fiancée. Ce sont des affaires de famille, compris ?

— Excusez-moi. Je cherchais simplement... marmonna l'autre, en se recroquevillant sous le regard sévère de Gopal.

— Vous cherchiez simplement à vous mêler de ce qui ne vous regarde pas. C'est l'ennui dans notre Bombay, il y a trop de gens qui se mêlent des affaires des autres », dit-il en adressant un clin d'œil à Bhima, tandis que l'homme, gêné, regardait ailleurs.

Elle aussi détourna les yeux et vit arriver un bus rouge. C'était le 5. Dans une minute à peine, elle serait débarrassée de cet enquiquineur.

Il était encore tôt et le bus était à moitié vide. Dans moins d'une heure, il serait tellement bondé que les passagers déborderaient par la porte ouverte et qu'il serait difficile de trouver une place pour poser son pied et y monter. Mais à cette heure-ci, Bhima avait l'embarras du choix et elle alla s'asseoir à l'avant, près de la fenêtre.

Elle venait de dénouer un coin de son sari, afin de prendre des pièces pour payer son ticket, quand elle sursauta violemment en voyant une main agripper un barreau de la fenêtre. Elle crut d'abord que quelqu'un cherchait à lui voler l'argent qu'elle tenait à la main. Mais non, c'était Gopal, une main sur le barreau et l'autre sur son guidon, qui pédalait comme un fou sur sa bicyclette, pour ne pas se laisser distancer par le bus.

« Imbécile, s'emporta-t-elle. Vous avez envie de vous faire tuer ?

85

« — *Mere saprono ke rani kab aayegi tu*? répondit-il en chantonnant. Reine de mes rêves, quand vous montrerez-vous? » Il avait une voix grave et sonore, et plus il pédalait à côté du bus, plus elle prenait de la puissance.

Espérant le décourager, Bhima alla s'asseoir au bord du couloir central. Mais à l'arrêt suivant, plusieurs personnes montèrent et elle dut reprendre sa place près de la fenêtre. Sans en avoir l'air, elle observait Gopal et remarquait l'habileté avec laquelle il se faufilait à travers la circulation démente de Bombay, sans jamais lâcher la barre de métal. S'il craignait que le bus ne freine brusquement au moment de s'arrêter et ne le fasse dégringoler de son vélo, cela n'apparaissait nullement dans l'assurance et l'aisance avec lesquelles il s'accrochait à son barreau.

Comme Gopal chantait toujours le même refrain, le voisin de Bhima s'écria : « *Arre, yaar,* tu n'en connais pas d'autres? Si tu veux charmer cette demoiselle, tu aurais intérêt à avoir plusieurs tubes à ton hit-parade. »

Gopal entonna obligeamment une autre romance, remplie cette fois de mots à double sens et de sous-entendus. Plusieurs passagers se prirent au jeu et lui suggérèrent des titres de chansons. Bhima était agacée. Ce Gopal exagérait. Ses doigts la démangeaient de tenir le balai dont elle se servait chez Dinubai. Armée de ce *jharro*, elle lui aurait fait passer ce sourire stupide.

L'irritation et l'embarras faillirent lui faire rater son arrêt. « Attendez, attendez! cria-t-elle au receveur. C'est ici que je descends. »

Elle comptait attendre que le bus soit reparti pour le sermonner et lui dire que ces *shenanigan* devaient cesser. Malheureusement elle le vit qui s'éloignait en pédalant à côté du bus. Il agita la main en signe d'adieu, à croire qu'il savait qu'elle le regardait. Quel lâche ! pensa-t-elle. Il se doutait que j'allais lui passer un savon et il s'est enfui.

Le lendemain il était encore là, sur son vélo. Mais cette fois il se trouvait de l'autre côté de la rue, trop loin pour qu'elle pût lui dire son fait. Chaque fois que le regard de Bhima, malgré tous les efforts, déviait dans sa direction, il s'étreignait le cœur d'un geste théâtral. Quel imbécile ! pensait-elle. Il mériterait d'avoir une crise cardiaque et de tomber de sa bicyclette. Mais aussitôt après elle s'en voulait d'avoir été aussi cruelle.

C'est avec soulagement qu'elle vit arriver l'autobus. Elle s'installa à sa place habituelle et, cinq secondes plus tard, la main s'accrochait au barreau de la fenêtre. Cette fois, elle ne sursauta pas, mais cette audace fit courir en elle un léger frémissement de surprise et d'agacement. Elle avait vraiment cru qu'il ne l'importunerait plus. « Reine de mes rêves, quand vous montrerez-vous ? » Toujours le même refrain, accompagné du même gymkhana entre les voitures. Les passagers du bus, dont beaucoup empruntaient quotidiennement cette ligne, riaient discrètement. « *Arre, bhenji,* lui lança son sauveur de la veille, depuis l'autre côté de l'allée. Pourquoi ne pas dire oui à votre homme et mettre un terme à ses souffrances ? Il risque sa vie pour vous. » Mais Bhima le toisa d'un air furieux et il se replongea dans son journal en s'insurgeant à mi-voix contre l'hypocrisie du beau sexe.

Gopal continua à se livrer à ce petit jeu tout au long des trois semaines suivantes. Certains jours il l'attendait en face de l'arrêt, puis pédalait comme un fou entre les quatre files de véhicules, pour rattraper le bus. D'autres fois, il l'accueillait par le ding-ding de sa sonnette et roulait en cercle devant l'arrêt, jusqu'à ce qu'elle en ait le tournis. Seule différence entre le premier jour de cette cour inhabituelle et les suivants, il ne lui adressait plus la parole. Mais le sourire effronté, les folles acrobaties qu'il exécutait sur son vélo en attendant l'arrivée du bus, ainsi que la joyeuse sérénade, ne variaient jamais. De même, il disparaissait toujours dès que le bus avait déposé Bhima à quelques rues de l'immeuble de sa patronne. Elle aurait bien aimé lui parler, lui demander des explications sur ce comportement insensé, mais la présence des autres usagers l'en empêchait.

Un jour qu'elle arrivait à l'arrêt de l'autobus, elle s'aperçut immédiatement que Gopal n'était pas là. Sa raison lui disait de pousser un soupir de soulagement, alors même qu'elle ressentait une légère déception, l'impression d'avoir été abandonnée. Apparemment, c'était pareil pour tous ceux qui attendaient avec elle. « Le jeune homme n'est pas là aujourd'hui, dit un monsieur d'un certain âge qui portait une *kurtah* et un *dhoti* blancs. Pourvu qu'il ne soit pas malade. »

En montant dans le bus, Bhima fut saisie d'une sorte d'accablement. Elle se surprit à penser que le trajet jusqu'à chez Dinubai allait lui paraître bien long, sans les facéties de Gopal pour la distraire. Elle regardait les barreaux de la fenêtre avec quelque chose qui ressemblait à de la mélancolie, regrettant de ne pas voir la main brune hérissée de gros poils noirs qui s'y accrochait habituellement. Au moment où le bus repartait en bringuebalant, elle se retourna – pour apercevoir Gopal qui pédalait énergiquement afin de le rattraper. Une minute plus tard, la main se posait triomphalement sur les barreaux. « Bonjour, ma reine, dit la voix familière. Ce matin, je ne me suis pas réveillé et j'ai failli vous manquer.

— Regardez, c'est notre jeune héros ! Il a réussi à se présenter à l'appel », s'écria le monsieur en blanc, et tout le monde applaudit.

Cette ovation agaça Bhima. Quels imbéciles ! pensait-elle. Ils l'encouragent dans sa folie. Malgré tout, elle ne parvenait pas à chasser le sentiment de satisfaction qui s'était emparé d'elle à la vue de Gopal pédalant à côté du bus.

Mais quinze jours plus tard, Gopal disparut. Tous les matins, en arrivant à l'arrêt, Bhima le cherchait des yeux, à la fois alarmée et pleine d'espoir à l'idée d'entendre tinter la sonnette et de le voir la regarder de son air effronté, en débitant un répertoire de chansons toujours plus varié. En montant dans le bus, elle ne pouvait s'empêcher de se retourner, pensant que la bicyclette familière allait peut-être apparaître. Quelquefois, en voyant dans la rue un garçon qui lui ressemblait, son cœur s'accélérait, avant de reprendre son rythme habituel, quand elle se rendait compte qu'elle s'était trompée et, alors, elle s'en voulait d'avoir été si bête.

Certains jours, quand elle était sûre que personne ne la regardait, elle posait la main sur les barreaux en imaginant y sentir encore la chaleur de celle de Gopal.

Mais Gopal ne se montrait toujours pas. Elle l'avait découragé par sa froideur, son inflexibilité, et l'intérêt qu'il lui portait s'était mué en indifférence. Il devait être en train de courtiser une autre fille, dans un autre quartier, avec une autre chanson. Rien que d'y penser, elle se mettait à hacher les oignons avec une telle énergie que Dinubai s'en étonnait et lui demandait si elle se sentait bien. Elle relevait la tête et posait sur sa patronne des yeux brillants de larmes. « Tout va bien, *bai*, disait-elle. Ces oignons sont *garma-garam*, voilà tout. Ils me font pleurer. »

Mais Bhima avait tort de s'inquiéter. Un jour, Sujata et Sushil, son mari, arrivèrent chez elle, porteurs d'une demande en mariage. Bien que Gopal fût le cousin de Sujata, ce fut principalement Sushil qui servit de porte-parole. « Gopal n'a pas de parents à Bombay pour le représenter, expliqua-t-il à Prithviraj, le père de Bhima. Sa mère habite à la campagne et son père – que Dieu ait son âme – est mort. C'est donc à moi de faire la demande au nom du frère aîné de Gopal. Mais nous pouvons nous porter garants de sa bonne réputation, ainsi que de son ardeur au travail. Il a un emploi stable dans une usine et il gagne bien sa vie. Votre Bhima ne manquera de rien, *ji*. Ah ! j'oubliais. Gopal m'a bien dit de préciser qu'il ne s'attendait pas à ce qu'elle ait une dot et que, de toute manière, il n'en voulait pas. »

Prithviraj s'efforça de ne pas montrer sa satisfaction. « Je vais consulter ma famille et je vous donnerai ma réponse dans quelques jours. Mais je peux déjà vous dire ceci : le seul fait que cette proposition émane d'une famille aussi honorable me prédispose en sa faveur. Après tout, Sujata a grandi sous nos yeux. Je prie pour que ma Bhima trouve un mari aussi méritant que vous, Sushil. »

Le mariage fut célébré un mois plus tard, dans une simplicité contrastant radicalement avec le faste qui avait entouré les noces de Sujata, peu de temps auparavant. Pendant la cérémonie, Gopal avait semblé éteint et mal à l'aise. On ne reconnaissait plus le garçon espiègle qui avait courtisé Bhima avec tant d'obstination. Mais dès qu'ils se retrouvèrent pour la première fois seuls tous les deux, dès qu'il eut soulevé le *pallov* du sari qui voilait son visage et qu'ils se furent assis au bord de leur lit, l'ancien Gopal réapparut. Ses yeux plantés dans les siens, un sourire en coin sur les lèvres, il commença à siffloter la chanson par laquelle il l'avait abordée, tout au début. « Reine de mes rêves, quand te montreras-tu ? » Encouragé par son rire, il siffla de plus belle pour finir par fredonner carrément, tout en lui taquinant le menton et en lui chatouillant le ventre.

« Arrête, chuchota-t-elle, incapable de garder son sérieux. Tu es complètement fou. »

Gopal se redressa d'un bond et se mit debout sur le lit. Il leva les bras en l'air, tel un boxeur victorieux. « Oui, je suis fou, un chef de famille fou, déclara-t-il en baissant la voix, de manière que la parentèle qui, à coup sûr, écoutait à la porte, ne puisse pas l'entendre. Mais, oh ma Bhima! nous allons beaucoup nous amuser jusqu'à la fin de nos jours. Attends et tu verras, femme, je vais te traiter comme la reine que tu es. »

Au souvenir de sa nuit de noces, de cette promesse trahie, Bhima s'agite dans son lit. Elle sait qu'elle devrait essayer de dormir mais sa pensée s'enfièvre, à mesure qu'elle remonte en accéléré par les couloirs encombrés du passé. Maya ronfle doucement à côté d'elle, en murmurant de temps à autre dans son sommeil, ce qui déclenche chez Bhima une réaction devenue instinctive depuis qu'elle sait que sa petite-fille est enceinte – elle est à la fois exaspérée et prise d'un besoin irrépressible de la protéger. En l'entendant ainsi marmonner, elle a envie de l'étouffer sous un oreiller autant que de la prendre dans ses bras pour la bercer toute la nuit. Elle voudrait préserver l'innocence qui lui permet de dormir du sommeil de l'enfance et elle voudrait pouvoir détruire cette innocence, en même temps que le bébé qui grandit dans le sein de Maya et qui a détruit la paix de son âme. Il lui arrive d'être épouvantée par la facilité avec laquelle ces deux pulsions cohabitent dans son cœur, par le fait qu'elle en est arrivée à aimer et à haïr Maya, par l'intrusion de la peur dans l'amour. Épouvantée de se sentir désormais trahie par sa propre chair et son propre sang.

Tu devrais pourtant être accoutumée aux trahisons, ma pauvre vieille, se dit-elle. Toi plus que tout autre. Pourquoi cette fille de rien du tout devrait-elle se sentir envers toi plus de devoirs que ton mari ? Pense à ce qu'il t'a fait. Il t'a volé ta vie, n'est-ce pas ? Et tu lui as pardonné, n'est-ce pas ? Non, pas pardonné, mais tu as accepté. Alors pourquoi ne pas en faire autant avec cette pauvre petite sotte ?

Dans la pénombre, Bhima plisse les yeux pour tâcher de distinguer la forme de Maya, et elle répond elle-même à sa question. La trahison de Gopal appartient au passé ; c'est quelque chose qu'elle peut plier et ranger dans un coin, de même qu'on met de côté un sari de mariée. Mais Maya, c'est le présent (autrefois, elle était aussi l'avenir, mais mieux vaut faire une croix là-dessus). Un point rouge, palpitant de vie et d'énergie, grandit dans son ventre. Sans la bénédiction d'un prêtre, conçu sous le voile de la honte, refusé par le monde, cet être qui se développe dans le corps de Maya a le pouvoir de les anéantir toutes les deux. Mais avant qu'il en soit capable, avant qu'il puisse clamer publiquement ses griefs et brandir son petit poing, elles doivent l'anéantir les premières.

Un corbeau solitaire croasse et Bhima bougonne. Il doit être trois heures. Il faudra bientôt qu'elle se lève et elle n'a même pas dormi une heure. Bientôt ce sera l'aube.

7

On est samedi matin et Bhima est encore en retard. Bien qu'elle soit enceinte, Dinaz s'est levée de bonne heure afin d'aider sa mère à préparer le petit déjeuner. Elle sait à quel point elle déteste hacher les oignons et le *cilantro*, et puisque ces deux ingrédients sont indispensables à la confection du mets favori de Viraf, l'*akuri* – des œufs brouillés avec des piments, des oignons, de l'ail et diverses autres épices –, elle s'est chargée de cette besogne désagréable. Sera regarde sa fille à la dérobée et, comme toujours, elle s'émerveille de la voir. Ne serait-ce que pour cela, elle ne peut regretter son mariage avec Feroz, qui a donné un si beau fruit. C'est curieux, songe-t-elle, Feroz et moi avions tant de défauts, et voyez ce que nous avons fabriqué ensemble : une des personnes les plus charmantes que je connaisse, et je le penserais même si ce n'était pas mon seul enfant. C'est quelque chose qui pousse à croire à l'évolution, à Dieu, aux miracles ou à je ne sais quoi d'autre. À la permanence de l'esprit humain, peut-être.

Sera jette un coup d'œil à la pendule. Elle craint que ce manque de ponctualité ne devienne une habitude chez Bhima. Je ne peux pas l'accepter, se dit-elle. Je sais qu'elle a des soucis à cause de

Maya et de plein d'autres choses, mais elle a aussi des obligations envers moi, après tout. Elle croit soudain entendre Feroz lui dire : « Tu traites cette femme comme si elle faisait partie de la famille. Les domestiques doivent rester à leur place, crois-moi. Un de ces jours, je rentrerai à la maison pour te trouver en train de servir Bhima. »

Comme si elle avait lu dans les pensées de sa mère, Dinaz lève la main pour lui cacher la pendule. « Je t'en prie, maman, cesse de regarder l'heure. On est samedi et qu'est-ce que ça peut faire, pour une fois, si Bhima est en retard ? C'est un être humain, elle aussi. »

Sera est toujours amusée de constater que dès qu'il est question de Bhima, Dinaz adopte automatiquement la position qu'elle-même prenait autrefois face à Feroz. Et que, curieusement, c'est elle qui défend aujourd'hui le point de vue de son mari. « Si ce n'était qu'une fois, il n'y aurait rien à dire. Mais ça devient un peu trop fréquent. À quoi bon avoir une bonne si je dois tout faire moi-même ? »

Si elle s'attendait à ce que sa fille compatisse à son malheur, elle est aussitôt déçue. Dinaz lui tapote le dos. « Faire un peu de ménage n'a jamais tué personne, chantonne-t-elle. Et puis, c'est bon pour ton arthrite, ça entretient la souplesse des articulations. De toute manière, Bhima est plus vieille que toi ; elle a davantage besoin de se reposer. »

Sera sourit malgré elle. Il lui arrive d'oublier qu'avant d'entreprendre des études de gestion, sur l'insistance de son père, Dinaz avait suivi des cours pour devenir assistante sociale et que, malgré sa réussite professionnelle, elle a conservé son sens de l'égalité, sa soif de justice. Et Bhima a toujours été son cheval de bataille. Toute petite, déjà, Dinaz ne supportait pas qu'on dise du mal d'elle. « Cette femme est en train de bourrer le crâne de notre enfant, sous ton nez, avait un jour tonné Feroz. Et toi, tu es trop sûre de toi ou trop bête pour t'en apercevoir. Dinaz est plus gentille avec Bhima qu'avec son propre père. » Sera s'était mordu la langue pour ne pas répliquer – ce qui était évident – que Dinaz passait plus de temps avec Bhima qu'avec lui et que celle-ci lui témoignait plus d'affection que lui.

Viraf entre dans la cuisine, encore en pyjama. De lui-même, il prend trois assiettes et les dispose sur la table. « Bhima, Bhima, Bhima, je n'entends plus que ça, ces jours-ci, marmonne-t-il. C'est le nom qui revient le plus souvent dans cette maison depuis quelque temps, je le jure.

— Et alors, quel mal y a-t-il ? demande aussitôt Dinaz. Cette pauvre femme a des ennuis.

— Je ne pensais pas que j'allais devoir manger mon chapeau en guise de petit déjeuner, ce matin. Non, il n'y a aucun mal à parler des malheurs de Bhima, ma chère. Ce qui m'ennuie, c'est qu'on n'arrête pas d'en parler et qu'on n'a toujours rien fait.

— Et qu'est-ce que tu proposes de faire, monsieur l'Organisateur ? » demande Dinaz, avec un sourire qui adoucit ses propos.

Viraf ne lui rend pas son sourire. « Ce qu'il faut faire est évident. Il faut que Maya avorte et plus tôt ce sera fait, mieux ce sera pour elle. Je m'étonne simplement que nous attendions si longtemps, voilà tout. »

Bien qu'elle sache que son gendre a de bonnes intentions, qu'il prend à cœur les intérêts de Bhima, ce « nous » et la désinvolture avec laquelle il a parlé d'avortement irritent un peu Sera. C'est bien les hommes. Comme si on pouvait se débarrasser d'un enfant aussi facilement qu'on défèque, se dit-elle, en rougissant de la crudité de ses pensées.

Viraf parle dans le vide que ses paroles ont créé. « Bon, d'après votre silence, je conclus que ma proposition est approuvée à l'unanimité, ironise-t-il. Mais j'ai peur que nous n'ayons plus le temps de prendre des gants et de tourner autour du pot, mesdames. Il faut voir la chose de façon pratique. Maya s'est fait engrosser. Si nous restons les bras croisés, nous ne ferons que prolonger cette triste situation. Je ne vois pas d'autre solution que l'avortement.

— Tu as raison, reconnaît Dinaz, tout en répartissant l'*akuri* dans leurs trois assiettes. Je sais bien que tu as raison, chéri. Dis, maman, dois-je en garder une part pour Bhima ?

— Elle jeûne ce samedi, lui rappelle Sera. (Et, en voyant le regard interrogateur de son gendre, elle ajoute :) C'est la fête d'un saint quelconque.

— En parlant de Bhima, dit Viraf, elle a intérêt à arriver très vite si elle veut que je la dépose au marché. Il n'est pas question que je sois en retard pour mon match à cause d'elle. »

Les deux femmes sourient. Elles savent que Viraf est un fanatique de cricket. Tous les samedis, il endosse sa tenue blanche et prend sa voiture pour aller faire une partie avec de vieux amis, dans une équipe à laquelle il appartient depuis sa première année de faculté. « Tu ferais bien de prévenir tes partenaires, dit Dinaz. Quand le bébé sera là, plus de cricket. »

Viraf prend un air si dépité qu'elles éclatent de rire toutes les deux. « Seigneur, regarde-le, se moque Dinaz. On croirait que je lui ai dit qu'il ne pourra jamais plus ni boire ni manger.

— Le cricket est le sel de la vie, rétorque Viraf d'un ton emphatique. Ce n'est pas un jeu, c'est un mode de vie. Le sport le plus élégant, le plus gracieux qui existe. De toute manière, si jamais c'est un garçon, je l'emmènerai avec moi, dès qu'il saura marcher.

— Formidable. Nous allons donc avoir une nouvelle génération de sportifs obsessionnels sur les bras. Non merci, *baba*. Mon fils sera un intellectuel et un amoureux des livres.

— Prends garde à ce que tu dis, femme. Je ne te laisserai pas en faire une femmelette, plaisante Viraf. Si c'était possible, je demanderais aux médecins d'implanter une puce dans ton ventre de manière que mon fils naisse avec une balle de cricket dans la main, sois-en sûre. »

Dinaz se tourne vers sa mère. « Tu as vu comme il est merveilleux, ton gendre bien-aimé ? Il parle de m'implanter des puces dans le ventre comme si j'étais une vache.

— Mes enfants, mes enfants, dit en souriant Sera qui s'apprête à se lever de table. Cessez de dire des bêtises.

— Attends, reste là, l'arrête Dinaz. Il faut que cette affaire de Bhima soit réglée dès aujourd'hui. Chéri, ajoute-t-elle en se tournant vers son mari, pourrais-tu téléphoner à Rusi en rentrant du cricket ? Je sais qu'il n'est pas gynécologue, mais il pourra certainement nous recommander quelqu'un.

— Bhima peut très bien emmener Maya à l'hôpital public, rétorque automatiquement Sera.

— Voyons, maman. Tu sais que les médecins des hôpitaux publics sont de vrais bouchers. De plus, quand ils verront arriver une fille enceinte qui n'est pas mariée... » Dinaz frémit.

Viraf fait la grimace. « D'accord, d'accord, je vais téléphoner à Rusi. Et maintenant, est-ce qu'on ne pourrait pas changer de sujet, s'il vous plaît ? Cette discussion est en train de me couper l'appétit. »

Les deux femmes échangent un bref regard. « Viraf a raison. Le petit déjeuner est un moment mal choisi pour parler de ce genre de choses, dit Sera, avec un sourire pour son gendre.

— Sans compter que c'est déprimant de parler d'avortement alors que Dinaz est – que nous sommes enceintes, répond-il. Vois-tu, on dirait que chaque fois que j'ai envie, tout naturellement, de me réjouir de notre bonheur, je suis obligé de penser au malheur de Maya. »

Dinaz pose aussitôt sa fourchette et se penche vers son mari pour lui plaquer un baiser sur la joue. « Excuse-moi, *janu*. C'est pareil pour moi. Pardon d'avoir manqué de tact. »

Viraf avance la main gauche sur la table et enroule son index autour de l'index droit de sa femme. Ils restent ainsi liés pendant tout le petit déjeuner et, en les voyant, Sera éprouve une joie si aiguë et si violente qu'elle en a presque mal à la poitrine. Ça valait la peine, songe-t-elle. Toute cette vie de misère avec Feroz valait la peine d'être vécue puisqu'elle a abouti à cet instant. Ma fille a l'existence que je n'ai pas eue. Et c'est grâce à moi. Oui, grâce à moi. Pauvre vieille idiote que je suis.

Sera connaît des millions d'histoires de brus maltraitées qui sont devenues à leur tour des belles-mères tyranniques. C'est une sorte de bizutage, se dit-elle. Mais même aujourd'hui les cicatrices laissées par l'époque où elle vivait chez Banu Dubash sont encore trop fraîches pour qu'elle s'immisce maintenant dans la vie de ses enfants. Depuis le jour où Viraf et Dinaz se sont installés chez elle, après la mort de Feroz, elle a fait tout son possible pour ne pas empiéter sur leur intimité. Elle leur a laissé de l'espace. Et elle a toujours tenu sa langue. Il y a eu des moments où ça n'a pas été facile, en particulier quand Viraf et Dinaz se querellaient. Alors, l'envie d'intervenir, de dire une parole conciliatrice, était forte. Curieusement, elle n'a pas de difficulté à pardonner à Viraf, à passer sur ses excentricités. Mais l'envie de prendre Dinaz à part, de lui murmurer qu'elle a tort, de lui rappeler qu'une femme soumise gouverne son mari, de la presser de retourner dans sa chambre et de se raccommoder avec lui, est si forte dans ces moments-là, qu'elle doit pratiquement s'asseoir sur ses mains et se cadenasser la bouche pour se retenir de donner son avis. C'est la promesse qu'elle a faite à sa fille quand ils ont proposé de venir vivre chez elle.

« Je ferai en sorte que vous ne soyez pas encombrés d'une belle-mère abusive, avait-elle dit.

— Oh! maman, nous n'avons aucune inquiétude là-dessus », avait répondu Dinaz.

Sera avait secoué la tête d'impatience. « Je sais de quoi je parle, *deekra*. Vous n'êtes pas mariés depuis très longtemps. Votre couple en est encore au stade de la construction. Je sais qu'aujourd'hui tout semble possible et même facile, mais je peux te dire qu'il n'est pas simple de vivre avec une tierce personne, surtout si elle appartient à une autre génération. J'en sais quelque chose. »

Le premier incident qui l'avait opposée à Banu s'était produit moins de deux semaines après leur retour de voyage de noces.

« Feroz, *deekra*, peux-tu venir une minute ? » appela celle-ci depuis sa chambre, en entendant son fils rentrer de son travail. Il étreignit le bras de Sera, venue lui ouvrir, puis il alla retrouver sa mère.

Une demi-heure plus tard, quand il entra dans leur chambre, il paraissait embarrassé.

« Je... maman avait quelque chose d'important à me dire.

— C'est à cause de ma cuisine ? Je n'ai pas assez salé le poulet ? Papa se plaignait toujours que je...

— Non, non, il ne s'agit pas du tout de ça. Vois-tu, maman a remarqué que c'était ta mauvaise période.

— Ma mauvaise période ?

— Tes règles. Que tu avais tes règles, soupirat-il. Et... chez nous, quand elles ont leurs règles,

101

les femmes restent à l'écart. Elles ne touchent pas à la nourriture, elles se servent d'ustensiles à part, ce genre de choses. »

Elle le regarda avec des yeux incrédules. « Tu plaisantes, Feroz, j'espère ? »

Il eut l'air agacé. « Je sais que tu dois trouver ça vieux jeu, toi qui es une fille moderne. » Il parlait sur un ton emprunté et Sera ne put s'empêcher de penser qu'il répétait ce que venait de dire sa mère. « Mais c'est le règlement dans cette maison. Un règlement instauré par maman. Et étant donné que nous habitons chez elle, nous devons nous y soumettre. » Il la regardait avec un air suppliant. « Par conséquent, pour notre paix à tous, fais ce qu'elle demande. C'est pour ton bien, après tout. Quand une femme perd du sang, elle s'affaiblit. Cette coutume a seulement pour but de lui conserver ses forces. »

Voici donc mon mari moderne, tout juste rentré de l'étranger, songea-t-elle. Cadre supérieur chez Tata. Soudain, elle repensa à la réflexion qu'une collègue avait faite : « Devant sa mère, un parsi se transforme en petite souris. »

« Je t'en supplie, Feroz, c'est ridicule. Je croyais qu'il n'y avait que ces pauvres femmes arriérées de l'Udwada pour s'isoler pendant cette période. Nous sommes à Bombay, *janu*. Et il faut vivre avec son temps, après tout. »

Il soupira de nouveau, plus fort cette fois. « Écoute, Sera, je suis si fatigué, ce soir. J'ai eu une longue journée, au bureau. Fais ce que maman te demande, d'accord, chérie ? C'est une vieille dame très têtue, tu comprends ? À quoi bon la contrarier pour si peu ? Je voudrais tellement que nous soyons une famille heureuse et unie. Dis oui, je t'en prie. »

Ce fut la vision de cette famille heureuse et unie qui lui fit refouler ses réticences et dire oui, non sans demander malgré tout : « Qu'est-ce que ça implique, au juste ?

— Ah! mon Dieu, je n'en sais rien. J'imagine que ça signifie simplement que tu devras manger dans ta chambre, par exemple. Merci, Sera, de ne pas me mettre dans une situation embarrassante face à mes parents. »

Elle trouva curieux de se faire servir son repas dans sa chambre, mais elle s'efforça de ravaler son amertume quand la rumeur des conversations lui parvint de la salle à manger. Pour ne pas entendre le bruit de leurs voix, elle alluma la radio et mangea sans appétit. Feroz se dépêcha de venir la retrouver en lui disant qu'il était désolé et qu'elle lui avait manqué. Cette nuit-là, il la garda dans ses bras jusqu'à l'aube. Sera s'émerveillait que leurs deux corps fussent déjà si familiers l'un avec l'autre. Apprendre à connaître le corps de Feroz lui avait permis de mieux connaître le sien – ses désirs et ses exigences, ses muscles frémissants et ses nerfs à fleur de peau, ses points sensibles et les endroits atones. « Ne va pas au bureau aujourd'hui, lui murmura-t-elle le lendemain matin. Si on passait la journée ensemble, rien que nous deux ? »

Il rit en s'arrachant de ses bras à regret. « Dieu sait que ça me plairait beaucoup. Mais j'ai déjà pris plusieurs jours de congé pour notre voyage de noces, tu comprends? De plus, j'ai un rendez-vous important dans l'après-midi. »

Elle sortit sur le balcon pour lui dire au revoir de la main, ainsi que Banu qui se tenait loin d'elle, bien à l'écart. Encore mortifiée par les événements de la veille, elle resta là, longtemps après que la voiture de son mari eut disparu et que Banu fut rentrée à l'intérieur de l'appartement. Elle entendit le cri strident du marchand de bananes poussant sa charrette; elle vit deux enfants lancer un cerf-volant depuis la terrasse de l'immeuble d'en face. C'est alors qu'elle se demanda si elle ne devait pas parler à sa belle-mère de sa discussion avec Feroz, si elle ne devait pas tenter de la raisonner. Elle savait que beaucoup de femmes parsies entretenaient cette même superstition concernant les règles, mais jusqu'à présent aucune d'elles n'avait interféré dans sa vie. Étant la fille d'un scientifique, elle trouvait humiliant de se soumettre à ce genre de préjugés. Ce n'est pas ainsi que j'ai été élevée, maman Banu, aurait-elle aimé lui dire. Et si c'est un règlement imprescriptible dans cette maison, vous auriez dû me prévenir avant que j'y entre.

Le soleil lui cuisait le visage; elle transpirait. Elle entendait le disque qu'avait mis Freddy Dubash, ainsi que les notes perçantes et gutturales poussées par Polly. Son estomac gargouilleur lui rappela qu'elle n'avait encore rien mangé. Était-elle censée demander son petit déjeuner ou retourner dans sa chambre pour attendre qu'on lui apporte sa pitance, telle une détenue dans sa cellule? À cette idée humiliante, elle s'empourpra et décida de regagner sa chambre.

104

En traversant le salon, elle passa devant Banu qui priait, assise sur le canapé, un livre de prières entre les mains et la tête recouverte d'un *mathubanu* blanc. « *Kem na mazda* », l'entendit-elle marmonner.

Tout à coup, il y eut un effroyable hurlement. « Va-t'en, va-t'en ! criait Banu. *Acchut*. Fille impure qui a souillé cette pièce pendant que je priais. Toutes mes prières sont gâchées par ta présence impure. Ton papa et ta maman ne t'ont donc rien appris, fille malpropre ? »

Sera la regarda, abasourdie. Il lui fallut une bonne minute pour comprendre que ces propos hystériques s'adressaient à elle. La créature furibonde qui se trouvait devant elle n'avait rien de commun avec la femme discrète, désireuse de plaire, qui l'avait encouragée à épouser son fils et l'avait accueillie chez elle à peine quelques semaines plus tôt. « Je... je... » bredouilla-t-elle.

Freddy Dubash sortit en trombe de la salle à manger. « Qu'est-ce qui se passe ? Quelqu'un est tombé ?

— Oh, Freddy, tu es là, Dieu merci ! dit Banu sur un ton mélodramatique. Aide-moi, chéri. Aide-moi. »

Freddy semblait extrêmement déconcerté. « Que se passe-t-il, Banu. Parle. C'est ton cœur ?

— Non, non. Pas du tout. C'est seulement qu'il va falloir purifier toute la maison. Sera a traversé la pièce pendant que je priais, et elle a ses règles. Elle a fait intrusion dans mes prières sans prendre le temps de réfléchir une seconde. »

Sera rougit. Avant qu'elle eût pu dire quoi que

ce fût, Freddy s'emporta : « Toi et tes superstitions *vhem* et *dhakhara* ! Quelle folle tu es ! Tu harcèles cette pauvre enfant, tu lui fais peur inutilement. » Sa colère montait. « Et pire que tout, tu m'as gâché tout mon plaisir. J'étais en train d'écouter un disque de Mozart que je viens d'acheter, et à cause de tes *fara* hystériques, j'ai raté le plus beau passage. » Sur ce, il repartit d'un pas furieux, non sans avoir jeté un regard compatissant à Sera.

Banu plissa les paupières et considéra sa belle-fille avec un air venimeux. « Tu vois ce que tu as fait ? Tu as vu dans quel état tu as mis mon Freddy, dit-elle en prenant soin de parler bas pour que celui-ci ne l'entende pas. C'est pour ça que tu t'es installée dans ma maison ? Pour semer la zizanie entre mon mari et moi ? »

Sera sentit la tête lui tourner comme si elle avait bu quatre bières d'affilée. Elle s'approcha de Banu et mit la main sur la sienne. « Maman Banu, je ne comprends pas ce qui s'est passé...

— Elle m'a touchée ! hurla Banu. Elle m'a touchée avec ses mains impures, elle l'a fait exprès ! Oh, mon Dieu ! qui est cette *daakan* qui est entrée dans ma maison pour faire le malheur de mes vieux jours ? »

Cette fois, ce fut Gulab, la bonne des Dubash, qui intervint. Ayant compris de quoi il retournait au premier coup d'œil, elle entraîna Sera vers sa chambre, en lui disant avec autorité : « Restez là un moment, mon petit. Attendez, je vais la calmer. »

Sera se jeta sur son lit. Banu l'aurait-elle agressée physiquement qu'elle n'aurait pu lui faire plus mal. Elle essayait malgré tout de se persuader qu'elle était simplement victime d'une mauvaise plaisanterie, qu'on lui imposait une cérémonie initiatique cruelle mais inoffensive, organisée par Feroz pour son entrée dans la famille. Que d'un instant à l'autre, Freddy et Banu viendraient la trouver pour lui avouer, avec un sourire penaud, le rôle qu'ils avaient joué dans cette farce stupide. Mais en même temps qu'elle tâchait de se rassurer, elle se rappela une chose que sa mère lui avait dite à l'époque de ses fiançailles : « Ce matin, j'ai rencontré Amy Smith. Tu te souviens d'elle, ton professeur de sixième. Elle a habité un certain temps dans le même immeuble que les Dubash. Je lui ai annoncé la bonne nouvelle et elle est très heureuse que tu te maries enfin. Pourtant elle a fait une remarque qui m'a troublée, *beta*. Elle a dit que Banu Dubash était un peu bizarre et j'ai eu l'impression qu'elle ne l'aimait pas beaucoup. »

À l'époque, Sera avait balayé la remarque de sa mère avec la même indifférence qu'elle aurait chassé un cil tombé sur sa joue. « Tous les parsis sont bizarres et excentriques, maman, c'est bien connu, avait-elle répliqué en riant. »

Mais sa mère s'était entêtée. « On devrait peut-être se renseigner discrètement. Tu sais que miss Smith a beaucoup d'affection pour toi. Elle n'aurait pas dit ça sans raison.

— Je t'en prie, maman. Ne me mets pas dans l'embarras. C'est Feroz que j'épouse, pas sa mère. Et puis Banu est tellement gentille avec moi. Encore l'autre jour, elle m'a dit qu'en me voyant elle avait tout de suite pensé que j'étais la femme qu'il fallait à son fils.

— Tu verras, *deekra,* avait dit Sera en souriant. On n'épouse pas seulement un homme. C'est avec toute une famille qu'on se marie. »

Aujourd'hui, encore sous le choc de ce qu'elle venait de vivre, la mise en garde de sa mère lui était revenue avec la force d'un train lancé à toute vitesse. Faites que Feroz rentre de bonne heure ce soir, priait-elle. Faites que je n'aie pas commis une erreur en l'épousant.

Une heure plus tard, Freddy Dubash frappait à sa porte, avec une assiette d'œufs brouillés. « Le petit déjeuner a du retard, pardon, mon enfant. » Mais quand elle leva vers lui ses yeux noyés de larmes, il détourna les siens. « Pardon également pour ce qui vient de se passer. Pour cette histoire de règles – je ne sais pas quoi dire, ma mère était comme ça aussi. Elle a gâché la vie de Banu. Et dire que maintenant elle se conduit de la même façon avec toi ! Je pense qu'il vaudrait mieux que tu ne te trouves pas sur son chemin pendant cette période, *deekra.* »

Elle occupa donc le reste de la journée à lire et à arpenter sa chambre. Jamais le temps ne lui avait paru aussi long. À un moment donné, alors qu'elle passait devant la glace, elle fut saisie de voir dans ses yeux une expression affolée d'animal pris au piège. Il y a seulement quelques mois, j'avais une bonne situation, une existence agréable, et je pouvais aller et venir à ma guise. Aujourd'hui, je n'ose pas sortir de ma chambre à cause des croyances ridicules d'une femme superstitieuse, se dit-elle en clignant des paupières, comme si elle pouvait chasser ainsi l'incroyable réalité dans laquelle elle se trouvait enfermée.

Quand elle lui avait annoncé qu'elle allait donner sa démission de la Bombay House, Aban, sa meilleure amie s'était récriée : « Voyons, *yaar*, à notre époque une femme doit avoir son indépendance financière. » Mais influencée par Feroz qui affirmait avoir largement les moyens de subvenir aux besoins de sa femme, elle n'avait pas tenu compte de cet avertissement, soupçonnant Aban d'être simplement jalouse. Aujourd'hui elle se disait que son amie avait eu raison. Aujourd'hui elle regrettait le temps où elle se demandait chaque matin comment elle allait s'habiller, elle regrettait l'espèce d'ivresse qui la prenait quand elle était emportée dans le flot des employés dégorgés par les trains du matin, la complicité tissée par les blagues et les potins circulant de bureau en bureau, telles des notes de service officieuses, la satisfaction d'accomplir une tâche qui lui valait les compliments de Mr Madan. Jamais encore elle n'avait senti peser sur elle la chape lourde et oppressante qui l'écrasait en ce moment, tandis qu'elle attendait dans sa chambre le retour de son mari.

Le soir, comme sa mère venait lui ouvrir, Feroz s'étonna. « Que se passe-t-il, maman ? Où est Sera ? »

Banu poussa un soupir, avant de déclarer d'une voix forte : « Ne me le demande pas. Surtout ne me le demande pas. Mais si tu souhaitais la mort de ta mère, tu aurais mieux fait de me conduire à la tour du silence, le jour de ton mariage. Ainsi,

tu m'aurais épargné cette mort lente et doulou-
reuse. J'aurais préféré être déchiquetée par les
vautours. »

Sera pensait que Feroz allait éclater de rire en
entendant ces pleurnicheries. Elle attendait qu'il
remette sa mère à sa place par quelques mots
bien sentis, un peu comme il le faisait au bureau
avec ses subordonnés. Ou, à défaut, qu'il vienne la
retrouver dans leur chambre pour la prendre dans
ses bras et qu'ils en ressortent ensemble en val-
sant, sous le regard ahuri de Banu.

« Allons dans ta chambre, maman, répondit
Feroz. Tu vas tout me raconter. »

Au bout d'une heure, quand il était venu la
rejoindre, il avait un masque sur le visage.

« Bonsoir, dit-il. Qu'est-ce que tu as fait de beau
aujourd'hui ? »

Elle n'en revenait pas. Ce que j'ai fait
aujourd'hui ? eut-elle envie de répondre. J'ai écrit
un nouveau chapitre du *Ramayana*. J'ai composé
une symphonie pendant le déjeuner. J'ai inventé
un procédé pour expédier dans la lune les
belles-mères qui se mêlent de ce qui ne les regarde
pas. Au lieu de ça, elle se contenta de murmurer :
« Rien. »

Il eut un vague sourire. « Maman m'a dit qu'il y
avait eu des étincelles, aujourd'hui. C'est ma faute.
J'avais oublié de te prévenir de ne pas t'approcher
d'elle quand elle priait. »

Devant tant d'hypocrisie, Sera prit la mouche.
« Résumons : je ne suis pas autorisée à entrer dans
le salon quand ta mère prie. Je ne dois pas aller
dans la salle à manger pour les repas. Ni dans la

cuisine pour cuisiner. Si j'ai bien compris, je dois rester prisonnière dans cette chambre tout le temps de mes règles, c'est bien ça ?

— Ce n'est pas la peine de dramatiser, Sera...

— Je dramatise ? Moi ? Mon cher Feroz, ta mère aurait eu le premier prix de tragédie pour sa prestation de ce matin.

— Parle moins fort, femme.

— Emmène-moi.

— Quoi ?

— Emmène-moi faire un tour. À Chowpatty. N'importe où. J'ai envie de manger du *bhel*. J'ai besoin de sortir d'ici, de changer d'air.

— Sois raisonnable, Sera. Maman a préparé le dîner. Qu'est-ce qu'elle va penser si...

— Avant, tu m'emmenais toujours manger du *bhel*, Feroz. Même si ta mère avait préparé le dîner.

— C'était différent.

— Qu'est-ce qui était différent ? »

Il la regarda sans rien dire, mais la réponse était inscrite dans ses yeux : la différence, c'était que, avant, il voulait la conquérir et se comportait de manière qu'elle le préfère à tout autre, tandis que maintenant, son but étant atteint, il n'avait plus besoin de faire bonne impression. Elle détourna la tête pour qu'il ne voie pas à quel point elle était déçue. Car, en réalité, elle n'était pas tant déçue par son comportement que par sa personne, par l'être tellement banal, tellement ordinaire qui s'était révélé.

Il lui prit le menton et attira son visage vers le sien, en disant : « Regarde-moi. » Puis, sur un ton insistant : « Ne sois pas comme ça, Sera. Je te l'ai dit, je suis désolé. Mets-toi à ma place, je t'en prie. Je ne voudrais pas que maman pense que je suis devenu son ennemi uniquement parce que je me suis marié. Tiens, j'ai une idée. Vendredi, je rentrerai un peu plus tôt du bureau et nous sortirons, seuls tous les deux. Et maintenant, s'il te plaît, essaie de faire un effort. »

Quatre jours plus tard, elle alla rejoindre Banu dans la cuisine, après avoir pris sa douche. « Ça y est, maman, annonça-t-elle avec une gaieté un peu forcée. C'est fini. Aujourd'hui c'est moi qui vais préparer le déjeuner. »

Après l'avoir examinée, Banu recula d'un pas, en disant d'une voix étranglée : « Est-ce que tu t'es lavé les cheveux ?

— Les cheveux ? » Sera ne comprenait pas. « Non. Je les laverai demain, donc...

— Donc tu es toujours impure. Tu le resteras tant que tu ne te seras pas lavée de la tête aux pieds. Et c'est dans cet état que tu es entrée dans ma cuisine toute propre. »

Sera éclata de rire. Elle rit à en avoir les larmes aux yeux. Elle entendait des sons sortir de sa bouche, des sons dont elle-même n'aurait su dire si c'étaient des sanglots ou des rires. En voyant du coin de l'œil Gulab, les mains enduites de farine, qui la regardait avec inquiétude, son hilarité redoubla. Elle doit croire que je suis devenue folle. Oh mon Dieu ! oui, pensa-t-elle, je deviens folle, et sur ce, elle rit encore plus fort.

« Quelle honte ! » La main de Banu s'abattit sur

sa joue. « Se moquer de sa vieille belle-mère. Dans quelle famille as-tu été élevée pour avoir si peu de respect ? »

La gifle avait fait son effet. Le rire hystérique qui s'apprêtait à sortir de la bouche de Sera se changea en bile. « Vous m'avez giflée », s'indigna-t-elle en se frottant la joue de son index et en parlant plus fort qu'elle ne l'aurait voulu, tellement elle était saisie.

« Menteuse. Je me suis seulement fâchée pour que tu te calmes. Gulab, tu es témoin, dit Banu à la bonne. Est-ce que je l'ai touchée ? »

Après les avoir regardées à tour de rôle, la bonne secoua la tête. « Je n'ai rien vu, *baiji*. J'étais occupée à préparer mes *chapati*.

— Tu vois ! Même Gulab dit que je ne t'ai rien fait. Méchante fille qui accuse sa belle-mère de la frapper. Nous ne sommes pas de ces gens des bidonvilles qui se conduisent comme des animaux. »

Sera recula, épouvantée par ce qu'elle lisait dans le regard de sa belle-mère. Les yeux de Banu s'étaient agrandis démesurément, ils brillaient d'une lueur de folie glaçante. Puis elle y vit une expression de satisfaction qui lui fit comprendre que quoi qu'elle dise ou fasse, elle serait perdante. Toute résistance était vaine. Alors même qu'elle avait encore sur la joue en feu la marque des doigts de Banu, celle-ci cherchait à lui faire croire que la douleur qu'elle ressentait était une illusion née de son imagination. Sera avait l'impression d'être en butte à quelque chose d'insidieux, d'être l'objet d'une agression à la fois physique et psychologique. Voilà donc le mal, songeait-elle.

Jusqu'ici, elle avait toujours cru que le mal était réservé aux choses de grande envergure – les guerres, les camps de concentration, les chambres à gaz, la partition des nations. Tout à coup, elle prenait conscience que le mal avait un côté domestique et que sa banalité même lui servait de couverture. Un bref coup d'œil à la figure impassible de Gulab lui fit comprendre aussitôt que la servante savait depuis longtemps ce qu'elle était seulement en train de découvrir.

« Excusez-moi, maman, bredouilla-t-elle. Je... je retourne dans ma chambre. »

Un peu plus tard, quand Gulab arriva avec son déjeuner, elle la renvoya. « Mangez, mon petit, lui dit la servante en lui caressant le dos. Vous vous faites du mal pour rien. Dans une famille, il faut s'attendre à ce qu'il y ait quelquefois de petits accrochages. »

Sera aurait aimé lui parler de la tendresse et de la bienveillance dans lesquelles elle avait été élevée. Mes parents ne m'ont jamais battue, pas même une seule fois, et jamais je n'ai été enfermée dans ma chambre, avait-elle eu envie de lui dire. Mais, trop fière pour se confier à une domestique, elle s'était contentée de murmurer : « Tout va bien. C'est juste que je n'ai pas faim. »

À quatre heures de l'après-midi, Banu sortit pour aller au temple du feu. « J'en aurais peut-être pour longtemps, aujourd'hui, cria-t-elle à Freddy depuis l'entrée. Il faut que je consulte Dastur Homjee au sujet de ce que je dois faire pour purifier la cuisine, maintenant qu'elle a été souillée par des cheveux malpropres. »

Quelques minutes plus tard, Sera entendit frapper à sa porte.

C'était Freddy. Il n'avait pas son perroquet sur l'épaule. En voyant les cheveux en désordre et les yeux rougis de sa belle-fille, il s'arrêta au seuil de la chambre. « Viens, dit-il à mi-voix. Allons écouter de la musique dans le salon. »

Son air implorant ne lui permit pas de refuser. « D'accord. Laissez-moi seulement le temps de m'arranger un peu. »

Quand elle arriva dans le salon, il avait déjà allumé la stéréo.

« J'ai mis la *Sonate au clair de lune*. Je me suis dit qu'une belle musique méditative s'imposait. Elle nous permettra de nous évader de cette maison et d'imaginer que nous nous trouvons dans des lieux où le clair de lune danse sur l'eau. »

Sera eut un sourire parcimonieux et s'assit sur le canapé, à côté de lui. Au bout de quelques minutes, elle sentit la musique pénétrer en elle, et elle se détendit. Les yeux fermés, elle se perdit dans un monde sombre et orange, où rien ne faisait intrusion excepté le son divin d'un unique piano.

« Quand j'étais jeune, le piano était mon instrument préféré », dit-elle en modulant sa voix de façon qu'elle n'empiète pas sur la musique. Bien qu'elle eût gardé les yeux fermés, elle se rendait compte que Freddy s'agitait. « Mais aujourd'hui, poursuivit-elle, j'adore la tonalité grave du violoncelle, une tonalité douce, mélancolique, lointaine. D'une certaine façon, il me semble que c'est ce qui ressemble le plus à la vie. Solitaire. J'ai toujours pensé que si notre cœur pouvait chanter, cela ferait penser à du violoncelle. Est-ce que ça vous paraît stupide ? »

Freddy laissa échapper un bruit étouffé, qui lui fit rouvrir soudain les yeux. Elle se tourna légèrement vers lui pour s'apercevoir avec stupéfaction qu'il pleurait. « Papa Freddy, qu'est-ce qu'il y a ? s'écria-t-elle. Est-ce que j'ai dit quelque chose qui... »

Il lui fit face et elle remarqua pour la première fois que la peau de son cou était flasque et que les années commençaient à voiler ses yeux d'une mince pellicule. Elle fut bouleversée de le voir joindre, dans un geste de supplication, ses mains couleur caramel, sillonnées de rides et parsemées de taches de vieillesse. « Pardonne-moi, disait Freddy, les joues ruisselantes de larmes. Pardonne-moi, ma chère enfant, de ne pas avoir parlé plus tôt. »

Elle le regarda sans comprendre. « Mais non, papa Freddy. Je vous demandais seulement quel était votre instrument préféré...

— C'est d'elle qu'il s'agit, dit-il, les dents serrées, en montrant la chambre de Banu d'un mouvement du menton. La première fois que tu es venue ici, quand tu songeais à épouser Feroz, j'aurais dû te mettre en garde contre son... son caractère. Te dire qu'il lui arrive d'être très méchante. Et aussi pour Feroz. Rappelle-toi, ce jour-là nous avions parlé de musique et où tu avais joué avec Polly. Dès cet instant, j'ai voulu que tu sois ma fille. J'avais une telle envie de voir quelqu'un de neuf entrer dans cette maison. Quelqu'un qui m'aurait un peu ressemblé. Et justement, tu appartenais à une excellente famille, avec un père mélomane, cultivé et intelligent. *Bas*, j'ai préféré me taire. Je ne sais pourquoi, je me disais qu'une fois que tu serais là, elle s'améliorerait. Mais je me suis trompé, je le vois maintenant. Gulab m'a raconté ce qui s'est passé ce matin. Pardonne-moi, *deekra*, pour ce péché dont je me suis rendu coupable. »

De ce déluge de mots, Sera n'avait retenu qu'une seule chose. « Et pour Feroz. Vous dites que vous auriez dû m'avertir au sujet de Feroz ? »

Freddy soupira. « Oh ! ce n'est rien. Fondamentalement, c'est un brave garçon. Mais il lui arrive de se mettre en colère, comme sa mère. Ou alors il ressemble à ma mère à moi, je ne sais pas. Ma mère – Dieu ait son âme – était une terreur. Elle a rendu Banu très malheureuse, tu comprends ? Quand j'étais petit, je l'appelais en secret Madame Piment.

— Et... vous dites... que Feroz lui ressemble ? »

Freddy la regarda longuement, avec dans les yeux une expression de pitié et de tristesse. « Feroz a un sale caractère. Si Dieu veut, tu n'auras jamais à en faire l'expérience. Quand il était enfant, je le sermonnais pendant des heures et des heures pour qu'il apprenne à se maîtriser. Mais comment dire, *beta* ? Le sang est le plus fort. Quand on a quelque chose dans le sang, il est bien difficile de s'en débarrasser, n'est-ce pas ? Je croyais qu'il aurait compris la leçon quand Gulnaz est partie. Mais il est comme sa mère : il parle d'abord et réfléchit ensuite.

— Qui est Gulnaz ? » demanda Sera, qui voulait et ne voulait pas savoir, tout à la fois.

Les yeux de Freddy errèrent à travers la pièce avant de revenir se poser sur le visage défait de Sera. Soudain, il avança la main pour lui caresser la tête. « Ne te tourmente pas, mon petit. J'ai l'impression que mes paroles t'ont fait vieillir de dix ou quinze ans. » Il poussa un profond soupir et reprit : « Gulnaz était sa petite amie. Ils étaient même fiancés. Ses parents étaient de Jamshedpur, de braves gens sans prétention. Aujourd'hui encore je ne sais toujours pas ce qui s'est réellement passé. Mais un dimanche, alors que nous étions en train de déjeuner, Gulnaz est arrivée à l'improviste. Devant Banu et moi, elle a ôté sa bague de fiançailles et l'a jetée sur la table. Elle l'a jetée avec tant de violence, Sera, que la bague a rebondi avant de retomber dans le *dhansak* de Feroz. Elle a dit qu'elle ne pouvait plus supporter ses sautes d'humeur et qu'on lui avait raconté tellement d'histoires sur Banu qu'elle s'était rendu compte qu'elle ne devait pas entrer dans cette famille. Banu lui a aussitôt demandé de quoi il s'agissait, mais Feroz lui a coupé la parole en disant à Gulnaz de cesser d'insulter sa famille et de sortir de la maison. Voilà comment ça s'est passé. S'il l'a revue par la suite, je n'en ai rien su. »

Le disque s'était arrêté depuis déjà plusieurs minutes et Freddy se leva pour en choisir un autre, laissant Sera assise sur le canapé, dans un silence pétrifié. « Que dis-tu de ça ? fit-il. Le New York Philharmonie, sous la direction de notre Zubin Mehta. »

Elle hocha la tête machinalement, en proie à des pensées contradictoires et confuses. Feroz avec une autre. Une autre à qui il devait tenir suffisamment pour vouloir l'épouser. Une femme à qui il avait offert une bague de fiançailles. Ce n'étaient donc que mensonges, quand il lui disait que jamais une femme ne l'avait fasciné comme elle, Sera ; qu'il n'avait jamais connu l'amour avant qu'elle n'apparaisse dans sa vie ? Que conclure, alors, de la cour ardente, obstinée, qu'il lui avait faite – était-ce seulement l'ultime tentative, l'occasion de la dernière chance, pour un homme plus tout jeune qui ne voulait pas finir ses jours dans la solitude ? N'importe quelle autre jeune fille parsie dotée d'un tant soit peu de beauté n'aurait-elle pas pu tout aussi bien attirer son regard ? À moins qu'il ne l'eût choisie précisément parce qu'elle avait vingt-huit ans et commençait à dégager un parfum de laissée-pour-compte ? Avait-il détecté chez elle quelque chose – une faille, une vulnérabilité, une faiblesse – qu'il pourrait exploiter ? Et, de son côté, s'était-elle volontairement aveuglée sur ses défauts ? S'était-elle sentie flattée à cause du désir manifeste qu'elle avait éveillé en lui ?

Comme s'il avait deviné le trouble dans lequel il l'avait plongée, Freddy reprit : « Une chose dont je suis sûr, Sera, c'est que mon Feroz vous aime. Ces regards qu'il vous lançait, au dîner, la façon qu'il a de se redresser avec fierté quand vous entrez dans une pièce – seul un père remarque ces choses. On ne pouvait rien reprocher à Gulnaz, mais avec elle il n'était jamais comme ça. »

Elle lui adressa un sourire reconnaissant, mais son expression restait dubitative. « Merci, papa Freddy. Feroz est un bon... » Elle s'étrangla sur les mots et s'écria d'une voix hachée par l'émotion et le désespoir : « Feroz est ma vie désormais ! »

Banu rentra à la maison à six heures et demie, avec des cendres provenant du temple du feu serrées dans un mouchoir brodé. Freddy et Sera écoutaient toujours de la musique dans le salon, tandis que s'accumulaient les ombres du soir. Elle s'empressa d'allumer la lampe, détruisant l'atmosphère intime et crépusculaire dont ils s'étaient entourés. Ce brusque passage à la lumière les fit cligner des yeux et Sera remarqua que les paupières de Banu se plissaient légèrement, en même temps qu'elle découvrait le tableau que présentaient le beau-père et sa bru, un tableau tout imprégné de l'entente et de l'affection qui, à l'évidence, les unissaient. « Seigneur ! on dirait deux hiboux moroses, lança-t-elle en entrant dans la pièce d'un pas décidé. Ou devrais-je dire un couple de pigeons amoureux ? » Devant le regard offusqué de Freddy, elle s'empressa d'ajouter : « Amoureux de votre Mozart, bien entendu. »

Elle s'approcha pour lui déposer sur le front une petite pincée de cendres prélevée dans le mouchoir. « Dastur Homjee t'envoie ses *salaam*. Il a dit que ça fait bien deux ou trois mois qu'il ne t'a pas vu à l'*agyari*. » Elle prit ensuite une autre pincée que Sera pensait lui être destinée, mais elle s'en alla, laissant sa belle-fille assise sur le canapé avec le sentiment d'être une idiote et une exclue.

« Allez, levez-vous tous les deux, lança-t-elle par-dessus son épaule. Arrêtez cette musique funèbre. Feroz va bientôt rentrer. »

Sera attendit quelques jours avant de questionner Feroz au sujet de Gulnaz. Ils étaient allés dîner dans un nouveau restaurant chinois de Colaba et, ensuite, elle avait voulu faire un tour du côté de la porte de l'Inde. « Tu veux qu'on aille prendre un thé au Sea Lounge du Taj ? lui proposa-t-il aussitôt.

— Non, je pensais juste que ce serait agréable de se promener un peu au bord de la mer. Histoire de prendre l'air.

— D'accord, dit-il en lui pinçant le coude. Comme tu voudras, ma chérie. »

Après cette semaine tendue, elle se sentait revivre en se retrouvant seule avec Feroz dans un lieu public. Tandis qu'ils remontaient l'Apollo Bunder, dans un silence amical, elle se sentit plus proche de lui que tous ces derniers jours. Aussi fut-elle surprise, épouvantée même, de s'entendre demander : « Pourquoi ne m'as-tu jamais parlé de Gulnaz ? »

Il se raidit. « Qui t'a parlé d'elle ? Maman ?

— Non. En fait, c'est ton père, répondit-elle en hésitant.

— J'aurais dû m'en douter. Monsieur Grande-Gueule lui-même », soupira-t-il, d'un air excédé.

Elle se sentit obligée de prendre la défense de son beau-père. « Il ne pensait pas à mal et, de toute manière, c'est quelque chose que tu aurais dû me dire. Pourquoi me l'avoir caché ? »

Il s'arrêta net, obligeant un couple d'adolescents qui arrivaient en face à se séparer pour les contourner. Au passage, le garçon fusilla Feroz du regard en marmonnant : « Quelle impolitesse, *yaar* ! » Feroz affecta de ne pas avoir entendu et posa sur Sera un regard dénué d'expression. « Si je ne t'en ai pas parlé, ma chère, dit-il, en crachant chaque mot comme s'ils étaient coincés entre ses dents, c'est parce que, franchement, ça ne te regardait pas. »

Atteinte par son mépris comme par un coup de poing, elle sentit une douleur à l'estomac et dit d'une petite voix : « Je suis ta femme, tout de même.

— Exact. Tu es ma femme. Maintenant. Aujourd'hui. À l'époque, tu ne l'étais pas. Et ce que j'ai fait à l'époque ne regarde que moi. Tu n'as pas à t'en mêler, d'accord ? »

Elle regarda la mer, immense et insondable, à l'image du chagrin qui montait en elle. Elle refoula ses larmes d'un battement de paupières en se demandant s'il n'avait pas raison, après tout, si elle n'avait pas enfreint, sans le savoir, une règle implicite du code conjugal. Était-ce vrai que les anciennes amours de Feroz ne la regardaient pas ? Était-il déplacé de sa part de le questionner à ce sujet ?

C'est alors qu'elle se rappela la façon dont il l'avait rabrouée la veille, quand elle était entrée dans la salle de bains alors qu'il se brossait les dents ; sa façon d'éteindre la lumière pour enfiler son pyjama. En somme, il lui dissimulait son passé de la même manière qu'il lui cachait son corps.

« Viens, rentrons, dit-il brusquement. Il se fait tard. »

L'idée de se retrouver dans l'appartement, sous les yeux fureteurs de Banu qui épiaient ses moindres faits et gestes, fit trembler sa voix. « C'est samedi demain, supplia-t-elle. J'ai besoin de marcher encore un peu, s'il te plaît. Je ne suis pas encore prête pour rentrer. »

Il eut un soupir d'impatience. « Très bien. J'ai travaillé toute la journée, mais si ma femme a envie de marcher, nous marcherons. »

Au même moment, elle vit un jeune couple de musulmans qui arrivaient dans leur direction. L'homme avait un visage rasé de frais, doré par la lumière des lampadaires ; celui de sa femme disparaissait sous la *burqa* noire qui l'enveloppait de la tête aux pieds, si bien que seuls ses yeux étaient visibles derrière le grillage. Ordinairement ce spectacle lui aurait donné la nausée. Elle aurait eu des pensées peu charitables à l'encontre de ce mari qui obligeait son épouse à se déplacer dans une prison de tissu, sans tenir aucun compte des statistiques montrant que la tuberculose sévissait davantage parmi les femmes qui gardaient la figure voilée à longueur de journée. Mais ce soir-là, elle remarqua que l'index de la femme pointait hors du vêtement noir et qu'il était passé dans le doigt de son mari. Ils marchaient ainsi, leurs deux mains unies dans ce geste de tendresse, apportant la preuve que le voile n'était qu'un simulacre et laissant deviner quelque chose de plus profond et de plus durable que les conventions humaines. Voyant cela, Sera fut saisie d'une immense détresse et se sentit envahie d'une jalousie féroce et soudaine. « Feroz », commença-t-elle, prise de l'envie de tout lui dire – que certaines notes de la *Sonate au clair de lune* lui crevaient le cœur, comme lorsqu'on souffle dans un sac en papier pour le faire éclater ;

que son âme était aussi profonde et infinie que l'océan qui grondait sur leur gauche; que la vue des deux jeunes musulmans l'avait emplie d'une émotion composée autant de joie et que de tristesse; et que, par-dessus tout, elle ne voulait pas que leur union ressemble à la mer morte des mariages qu'elle voyait autour d'elle, qu'elle aspirait à quelque chose de plus beau, de plus intense, à un mariage fait de soie et de velours et non d'une étoffe grossière, un mariage tissé de nuages, de poussière d'étoiles, de terre rouge, d'écume de mer, de clair de lune, de sonates, de livres, d'expositions de peinture, de passion, de bonté, de tristesse, d'extase et de doigts sortis de dessous une *burqa* pour se joindre à d'autres. Elle se tourna vers lui, enfiévrée par le désir. « Feroz, répéta-t-elle, je... je t'aime vraiment. »

Il se produisit alors deux choses. Feroz posa sur elle un regard tendre et humide. « Moi aussi, je t'aime, Sera, dit-il d'une voix émue. Pardonne-moi de m'être comporté aussi stupidement. » Et tout en lui étant reconnaissante de ces paroles, elle eut conscience d'avoir été lâche, de s'être trahie. Elle se dit qu'elle avait choisi la facilité, qu'elle avait laissé la vapeur s'échapper de la chaudière de ses sentiments. Ce n'est pas du tout « Je t'aime » qu'elle avait voulu dire, mais « J'aime la vie », une constatation aussi crue et vraie qu'une radiographie. Cependant, quelque part, tout au fond d'elle-même, une porte s'était refermée en claquant, car si elle avait dit ce qu'elle souhaitait vraiment lui dire, Feroz n'aurait pas compris. Une sensation de solitude déferla sur elle tel un vent glacé, et elle frissonna.

« Tu as froid ? demanda-t-il d'un ton plein de sollicitude. Viens, allons boire un bon thé bien chaud au Taj. »

Comme il la prenait par la main pour traverser la rue, elle s'en voulut terriblement de ces pensées traîtresses, hypocrites, qui battaient des ailes dans sa tête ainsi que des chauves-souris. Pourquoi n'aurais-tu pas dû lui dire je t'aime ? C'est la vérité, après tout. Même si ce n'est pas exactement ce que tu voulais lui dire à ce moment-là, ça reste vrai, non ? Malgré tout, l'impression glacée de s'être trahie demeurait.

Le serveur les installa à une table et Sera regarda les eaux sombres de la mer d'Oman par la fenêtre. « Je crois que je vais plutôt prendre une bière, *janu*, dit-elle.

— Une Kingfisher et un sherry, commanda Feroz. Et apportez-nous aussi des noix de cajou. »

8

Assise à côté de Viraf dans la voiture climatisée, Bhima sourit. Elle affectionne ce rituel du samedi matin et se félicite de ne pas avoir à prendre l'autobus bondé et bringuebalant de la BEST pour aller au bazar. Elle n'a plus l'âge d'affronter la bousculade qui se produit inévitablement dès qu'un bus rouge s'approche de l'arrêt. La semaine dernière, Serabai lui a raconté que l'une de ses lointaines parentes, une femme de soixante-huit ans, avait eu le poignet fracturé dans une mêlée, au moment où la foule déchaînée se ruait pour monter à bord. « Je suis sûre qu'ils s'en prennent de préférence aux parsis, avait marmonné Sera. Tout le monde sait que nous avons des os aussi friables que des biscuits sablés. »

Dans le temps, au moins, les femmes n'avaient pas besoin de jouer des coudes quand un bus apparaissait, tel un animal mythique. Mais dans le Bombay d'aujourd'hui, c'était chacun pour soi, et les fragiles, les faibles, les jeunes et les vieux embarquaient dans des véhicules pleins à craquer à leurs risques et périls. Bhima ne reconnaissait plus sa ville – on y avait lâché quelque chose de ricanant, de méchant. On voyait partout des signes de cette sauvagerie inédite : les enfants du bidonville attachaient des pétards à la queue des chiens errants et applaudissaient en poussant des cris de joie quand les pauvres bêtes terrorisées se mettaient à tourner en rond en courant ; des étudiants appartenant à des familles aisées entraient dans une fureur noire s'ils surprenaient un petit mendiant de cinq ans en train de barbouiller les vitres de leur Honda ou de leur BWV rutilante. Serabai, qui lisait le journal tous les jours, racontait à Bhima des choses horribles : un ouvrier syndiqué battu à mort pour avoir osé organiser une manifestation afin d'obtenir une augmentation de deux roupies ; le fils d'un homme politique déclaré innocent par un tribunal, alors qu'il avait écrasé trois enfants miséreux en se rendant à une soirée ; un vieux couple parsi assassiné dans son lit par une domestique qu'il employait depuis quarante ans ; de jeunes nationalistes hindous qui avaient écrit un message de félicitations avec leur propre sang, à l'occasion de la réussite d'un essai nucléaire effectué par l'Inde. On aurait dit que la ville de Bombay, saisie de démence, était déchirée entre la faim et l'avidité, le pouvoir et l'impuissance, la richesse et la pauvreté.

Chaque fois qu'elle attendait l'autobus, Bhima sentait elle aussi cette agressivité parcourir ses veines comme de la boue. Au moment où le monstre rouge apparaissait dans un nuage de fumée, elle examinait les gens alentour, le cœur battant, essayant de repérer ceux qui paraissaient les plus vulnérables et qu'elle pourrait écarter d'un coup de coude. Dès que le bus arrivait, la queue se disloquait. D'autres personnes accouraient de partout pour tenter de sauter sur la plateforme avant même que le véhicule se fût arrêté. Un jour, un vieil homme qui avait un pied à l'intérieur et l'autre encore à terre avait été traîné sur une centaine de mètres par le bus aussitôt reparti, et il avait fallu que des passagers crient au chauffeur de s'arrêter. Mais, voyant que le malheureux ne parvenait pas à se hisser à l'intérieur, tant il tremblait sur ses jambes, le receveur l'avait toisé depuis son perchoir, en lui demandant d'un ton impatienté : « Alors, vous montez ou pas ? » Comme le pauvre vieux restait figé sur place, à essayer de retrouver son souffle, il avait tiré sur la sonnette en faisant claquer sa langue et le bus s'était remis en route, abandonnant l'homme au beau milieu de la chaussée, tel un colis sans adresse.

« La climatisation n'est pas trop forte ? » demande Viraf, et bien qu'elle ait un peu froid, Bhima fait signe que non. Viraf a facilement trop chaud, elle le sait.

Elle regarde les rues défiler. La ville est tellement plus belle vue à travers les vitres teintées d'une voiture climatisée. Même les gaz d'échappement des autobus et des camions qui les frôlent ne peuvent lui brûler les yeux ou la gorge et elle a l'impression d'avoir vaincu son vieil ennemi, le soleil. Mieux vaut avoir un peu froid plutôt que de sentir le soleil vous ronger les yeux et la peau.

Viraf a mis une cassette, de la musique de l'Occident que Bhima n'aime ni ne comprend. Elle se demande pourquoi il passe toujours des chansons anglaises et jamais des airs tirés de ces films hindis dont raffolent ses voisins du *basti*. Elle jette un regard furtif vers l'homme assis à côté d'elle, dans sa tenue de cricket, et il lui paraît aussi étranger que les *feranga* à la peau blanche qu'elle croise quand elle va faire des courses à Colaba avec Serabai. Sa patronne lui a expliqué pourquoi ces gens ont des cheveux jaunes et un teint de la couleur des murs d'hôpital – leur corps manque d'une substance quelconque et ils sont obligés de venir dans des pays chauds comme l'Inde pour que leur peau fonce. Ils lui font de la peine et, un jour, en voyant leurs cheveux longs et leurs habits loqueteux, elle a voulu leur donner de l'argent, mais Sera a ri en disant qu'il ne fallait pas les plaindre parce que, en réalité, ils sont très fiers de leur teint pâle. Elle s'apprêtait à lui demander comment on pouvait être fier alors qu'on manque de quelque chose dans son corps, quand Sera lui a dit qu'ils n'avaient pas besoin de son argent et qu'ils venaient de pays bien plus riches qu'elle ne pouvait l'imaginer. Mais Bhima a la certitude que Sera se trompe, étant donné qu'il suffit à n'importe quel imbécile de voir leurs cheveux crasseux, leurs chemises élimées et leurs pantalons troués pour comprendre que ces créatures décolorées et dépenaillées sont dans la misère.

Viraf la regarde avec curiosité. « Tu as entendu ce que je viens de dire ? » demande-t-il.

Se sentant prise en faute, elle sursaute. « Oh ! pardon, *baba* Viraf. C'était juste que...

— Ce n'est pas grave. Je te demandais simplement des nouvelles de Maya. »

Elle s'empourpre, gênée d'avoir à parler de la situation de Maya avec un homme, même si cet homme est Viraf. Mais avant qu'elle ait pu dire un mot, il vole à son secours. « Écoute-moi, Bhima. Ce n'est pas une chose agréable, je le sais. Mais il faut la régler. J'ai un ami médecin. Dès que je serai rentré chez moi, après mon match, je lui téléphonerai pour qu'il me recommande un docteur qui pratique... un docteur qui... enfin, tu comprends... quelqu'un qui pourra aider Maya à se débarrasser de l'enfant. Il est temps de s'en occuper, tu ne crois pas ? »

Au lieu d'éprouver de la gratitude, ainsi qu'elle le devrait, Bhima constate avec stupéfaction qu'elle en veut terriblement à Viraf à cause de ce qu'il vient de dire. C'est facile pour lui de parler de se débarrasser de l'enfant de Maya. Après tout Dinaz et lui vont avoir un enfant à eux, un enfant qui ne saura jamais ce que c'est que d'être condamné à mort par des adultes. Un enfant qui sera accueilli à bras ouverts. Qui ne sera jamais une honte et un déshonneur pour ses parents. L'espace d'un instant, Bhima se sent la proie d'une fureur aveuglante, si totale qu'elle englobe Maya, Dinaz et Viraf. Tous ces jeunes gens, tous ces enfants à naître. Elle est lasse de tout ça – lasse de ce cycle sans fin de vie et de mort, lasse d'avoir placé ses espoirs dans la génération à venir, lasse et épouvantée à l'idée d'avoir encore d'autres êtres à aimer, sachant pertinemment que chacun d'eux finira un jour par la blesser, par la meurtrir, par lui briser le cœur avec ses mensonges, ses tromperies, ses trahisons, ses défaillances, bref, son humanité. Bhima n'a plus rien à offrir, plus d'amour à prodiguer. C'est pourquoi elle refuse de donner ses restes aux chiens errants du bidonville, qui remuent la queue et posent sur elle un regard plein d'espoir quand elle sort de sa cabane. Elle ne peut supporter de voir ces animaux au poil crotté, estropiés, malades, avec leur empressement déchirant et la soif de tendresse qui se lit dans leurs yeux.

Gopal. Leurs deux enfants, Amit et Pooja. Et, plus tard, son gendre Raju. Elle les a tous aimés, ensemble et séparément, tous l'ont abandonnée, de leur plein gré ou parce qu'ils avaient perdu la bataille contre la mort. Mais le résultat est le même – elle est restée en rade, alors que les autres voguaient vers ce qu'elle imaginait être de verts pâturages.

Elle cligne des yeux et se force à réintégrer le présent. Elle a honte d'être jalouse du bonheur de Dinaz et de Viraf. Elle a vu grandir Dinaz et se souvient de l'enfant merveilleuse qu'elle était, si gaie, si affectueuse. Un miracle qu'un être pareil ait pu s'épanouir dans l'ombre de la lugubre montagne qu'était son père. Depuis le jour où elle a touché son premier salaire, Dinaz glisse chaque mois un billet de dix ou vingt roupies dans la main de Bhima. Et Viraf *baba* – si ouvert, si malicieux, si chaleureux. Pour se punir de ses pensées peu charitables, Bhima enfonce son pouce droit dans la paume de sa main gauche jusqu'à ce que la douleur la fasse grimacer.

« Vous avez raison, Viraf *baba*, répond-elle. C'est exactement ce que je disais à Maya, hier soir encore. »

Viraf lui lance un bref regard. Il agite la main dans l'espace qui les sépare, comme s'il cherchait à la rassurer, puis il la repose sur le volant. « Je vais parler à cet ami dès aujourd'hui », dit-il à mi-voix.

Il la dépose devant le marché et, s'apercevant qu'il a attendu de la voir traverser la rue sans encombre pour repartir, elle sourit. Quel garçon attentionné, ce Viraf *baba*. Par certains côtés, il lui rappelle Amit – la même courtoisie, la même sollicitude. Amit. Son seul fils. Où est-il aujourd'hui ? Lui arrive-t-il de penser à sa mère ? Est-ce qu'elle lui manque ainsi qu'il lui manque, à elle, en ce moment ?

Accaparée par ses pensées, elle manque de buter dans un *hathgadi* arrêté au milieu du trottoir. Elle pousse un juron à l'instant où le brancard de la charrette lui entre dans la hanche gauche, déclenchant une douleur fulgurante à travers son corps maigre. Un homme d'une vingtaine d'années dort à poings fermés sur le véhicule. Bhima s'étonne qu'il puisse dormir malgré le tintamarre et la cohue. Depuis qu'elle sait que Maya est enceinte, elle a un sommeil si perturbé que même les coui-nements des souris qui cavalcadent à travers sa cabane, la nuit, peuvent la tenir éveillée. Tandis qu'elle se frictionne le flanc en se demandant si elle va réveiller le jeune homme pour lui dire de déplacer son engin, elle remarque une protubé-rance sous son pantalon de pyjama blanc. « *Saala badmaash*, marmonne-t-elle, en détournant aussi-tôt les yeux. Espèce de sac à vin sans vergogne, couché comme ça en plein jour, comme si la ville lui appartenait. Ces gens n'ont aucune pudeur. »

Une voix familière la tire de son irritation. « *Arre*,

mausi, venez par ici. J'ai mis mes plus beaux légumes de côté rien que pour vous.

— J'arrive, répond-elle en agitant la main. Mais il faut d'abord que je trouve ce bon à rien de Rajeev.

— Il était ici il y a à peine une minute. Il vous cherchait, *mausi*. »

Et comme par miracle, Rajeev apparaît, un énorme panier d'osier en équilibre sur la tête. C'est un homme d'une cinquantaine d'années, grand et voûté, avec une moustache en guidon de vélo. Il rappelle à Bhima les coolies du Rajasthan qui peuplaient la gare Victoria, quand elle allait y prendre le train, autrefois, pour se rendre dans le village natal de Gopal. Gopal portait toujours lui-même leurs paquets, mais cela n'empêchait pas les coolies de les suivre telle une meute de chiens affamés, mendiant la faveur de les décharger de leurs sacs en rabattant sur le prix de leurs services à chaque pas que faisaient Gopal et Bhima.

« Où étais-tu passé ? bougonne Bhima. (C'est sa façon habituelle de lui dire bonjour.) Tu t'imagines que j'ai du temps à perdre à t'attendre ? Je suis pressée.

— *Ae*, Bhima *mausi*, calmez-vous, calmez-vous, dit Rajeev avec un sourire conciliant qui laisse voir les traces rougeâtres du *paan* qu'il vient de se fourrer dans la bouche. Pourquoi êtes-vous si pressée ? Votre *bai* est gentille ; elle ne vous grondera pas pour quelques minutes de retard. »

Mais Bhima se dirige déjà vers la marchande de légumes qui l'a appelée tout à l'heure. Pour accéder à son étal, il faut qu'elle passe devant Parvati, une vieille toute frêle qui vient chaque matin au marché et y reste jusqu'à ce qu'elle ait vendu la totalité de son stock constitué de six choux-fleurs racornis. Elle est installée à même le trottoir, sur un drap de coton crasseux, et elle hèle le chaland de sa petite voix nasillarde. Depuis qu'elle la connaît, Bhima lui a toujours vu sur le cou une excroissance grosse comme une orange. Un jour, alors que Parvati s'était assoupie sur le trottoir, Bhima avait remarqué qu'elle la tripotait machinalement. Comme tous les samedis, Bhima détourne la tête. Voir Parvati et ses misérables légumes l'emplit d'une insupportable tristesse. Elle sait par les ragots qui courent dans le marché qu'elle n'a ni mari ni enfants. Elle sait aussi que les autres marchands s'efforcent de l'aider et lui donnent chaque soir des fruits trop mûrs ou des légumes gâtés qu'ils n'ont pu vendre. Malgré tout, Bhima se demande comment cette femme parvient à survivre avec un aussi faible revenu. Et pourquoi n'a-t-elle pas davantage de marchandise ? Pourquoi ne se procure-t-elle pas des choux-fleurs de meilleure qualité, de façon qu'elle, Bhima, puisse lui en acheter ? Ses choux-fleurs sont si rabougris et si petits que même si elle les prenait tous les six, ils ne suffiraient pas pour nourrir les Dubash. En même temps qu'elle se pose la question, Bhima y répond : la pauvre femme vit au jour le jour, et son maigre bénéfice ne lui permet pas de se constituer des stocks plus importants.

Quand Amit et Pooja étaient petits, elle les emmenait tous les samedis à la plage, avec Gopal, et elle achetait des ballons en forme d'animaux à un Pachtoune d'Afghanistan. Quelque chose dans la dignité naturelle de cet homme grand et maigre, le soin discret qu'il mettait pour façonner ses ballons, tout cela brisait le cœur de Bhima. Quand d'autres *balloonwalla* essayaient d'attirer les enfants par leurs contorsions ostentatoires et leurs doigts agiles qui transformaient le caoutchouc en éléphants ou en chiens, elle les chassait et attendait que le Pachtoune arrive. Pendant qu'elle le regardait travailler, un petit sourire pensif sur les lèvres, elle avait envie de lui poser des questions – Pourquoi avait-il quitté son pays de montagnes dont le relief même semblait sculpté dans sa figure parcheminée et ravagée ? Avait-il eu du mal à s'acclimater au bruit et à la pollution de Bombay ? Ne regrettait-il pas l'air pur de son pays natal ? Mais avant tout, elle aurait aimé savoir s'il parvenait à gagner sa vie en vendant ces morceaux de caoutchouc rouges et blancs remplis d'air. Ses gains ne pouvaient apparemment suffire pour nourrir un seul Pachtoune grand et maigre, et moins encore une famille entière. Mais la timidité, l'embarras lui paralysaient la langue, si bien que le plus grand mystère de Bombay – Pourquoi toute une catégorie d'habitants (entre autres les *balloonwalla*, les chiffonniers et ceux qui retiraient les bouchons de cire obstruant les oreilles) s'accrochaient-ils bec et ongles à l'espoir que leur faisait miroiter la grande métropole ? Comment arrivaient-ils à vivre de leur pathétique métier ? –, ce mystère, elle n'avait jamais réussi à l'élucider.

Bhima enjambe une peau de banane et s'arrête devant l'étal de sa marchande de légumes attitrée.

Quelques pas derrière elle, Rajeev s'accroupit, descend le panier qu'il a sur la tête et le pose sur le trottoir. Sans se préoccuper de la femme qui lui crie : « *Ae, mausi*, je vous ai déjà mis de côté mes plus beaux légumes », Bhima fait son choix parmi la marchandise colorée et disposée avec art. Elle achète six kilos de gombos, saisissant délicatement les tendres petites capsules. Elle examine les *brinjal* violettes et fronce le nez en constatant qu'elles portent des meurtrissures, si bien que la marchande se décide à fouiller derrière ses cageots en grommelant et sort quatre autres aubergines fermes et luisantes. Elle tâte les gousses d'ail pour repérer les plus charnues. Elle tripote les bouquets de persil et en ôte les brins jaunis. Elle demande qu'on lui découpe un quartier de potiron parce que le morceau déjà tranché est couvert de mouches. À mesure que la femme pèse les légumes sur sa vieille balance – les poids hexagonaux d'un côté, la marchandise de l'autre – et les met dans des sacs de plastique rose, Rajeev les prend et les enfourne dans son panier.

Bhima se redresse et sort un billet d'un coin de son sari. Elle attend sa monnaie, mais l'autre la regarde sans réagir. « Ça fait le compte, *mausi*, finit-elle par dire. Je vous ai fait un bon prix aujourd'hui. Je vous ai vendu des légumes tout frais du jour et vous les auriez payés plus cher partout ailleurs. »

Un autre jour, Bhima aurait discuté, elle aurait bataillé jusqu'à ce qu'on lui rende quelques pièces. Ici, le marchandage est une vieille tradition. Et puis, contrairement à la plupart des domestiques qui font les courses pour leur patronne, Bhima s'efforce de ne pas faire perdre un seul *paise* à Serabai. Elle y met un point d'honneur. Serabai a confiance en elle et l'envoie au marché toute seule. Il lui paraît donc normal de dépenser son argent avec autant de parcimonie que si c'était le sien.

Mais aujourd'hui elle est fatiguée et a d'autres soucis en tête. Et ses ennuis l'ont rendue plus attentive aux malheurs d'autrui. Pour la première fois, elle remarque les cernes noirs qui entourent les yeux de la marchande, ses cheveux grisonnants, le petit trou dans la manche du corsage de son sari. Aujourd'hui elle n'arrive pas à voir en elle une adversaire, quelqu'un avec qui elle doit batailler. Les quelques roupies qu'elle pourrait économiser en discutant lui paraissent soudain dérisoires. « C'est bon », dit-elle tout à coup. Puis, à Rajeev : « Allons-y. Il me faut encore des pommes de terre et des oignons. » Et elle s'en va en sentant dans son dos le regard stupéfait de la marchande.

Avec l'homme qui vend des pommes de terre et des oignons, elle est loin de se montrer aussi accommodante. Ce *baniya* de petite taille qui porte des lunettes et officie dans une échoppe exiguë lui témoigne moins de respect que ses autres fournisseurs. Depuis qu'elle l'a surpris à tricher sur le poids, elle se méfie de lui. Si elle pouvait agir à sa guise, elle ne serait pas cliente chez lui, mais Serabai apprécie ses produits et tient à ce que Bhima s'approvisionne dans sa boutique. Elle lui lance un regard bougon et dit d'un ton sec : « Cinq kilos de pommes de terre. Et arrangez-vous pour qu'il n'y en ait pas de pourries. La semaine dernière, il y en avait deux qui étaient tellement abîmées qu'on a dû les jeter. »

Au lieu d'avoir l'air repentant, l'homme ricane. « Tout est pourri à Bombay. L'air est pourri, les hommes politiques sont pourris, les transports publics sont pourris. Pourquoi quelques-unes de mes pommes de terre ne seraient-elles pas pourries, elles aussi ? » Il rit, montrant des dents tachées de brun. Son commis, un adolescent maladif affublé de longs bras maigres, hoche la tête d'admiration. « Bien dit, patron, bien dit, fait-il en lançant un regard hostile à Bhima.

— Tu as entendu ça ? demande Bhima à Rajeev, assez fort pour que le marchand l'entende. Ces *badmaashi* qu'il faut supporter, même pour dépenser de l'argent durement gagné. J'ai bien envie d'aller porter ma clientèle ailleurs. »

L'homme devient soudain agressif. « Ce n'est pas votre argent que vous dépensez, c'est celui de votre patronne. Et maintenant, arrêtez de me faire perdre mon temps. »

Bhima accuse le coup. Mais avant qu'elle ait pu réagir, Rajeev s'approche du boutiquier, l'air menaçant. « Faites attention à ce que vous dites. Vous n'êtes pas le seul, ici, à vendre des pommes de terre et des oignons. Je peux m'arranger pour que mes clients ne remettent jamais les pieds chez vous. »

Tout à coup, Bhima n'a plus qu'une envie : en finir avec tout ça. Elle doit encore aller à la halle aux poissons et elle frémit à l'idée de patauger sur le sol malodorant, sale et glissant, en veillant à ce qu'un aileron ou une écaille de poisson n'entre

138

pas dans ses *chappals* en caoutchouc. Elle déteste le brouhaha du marché couvert, les cris perçants et insistants des vendeurs qui cherchent à attirer la clientèle. Elle déteste voir le regard stupide, vitreux, des poissons morts et sentir dans sa main les pièces gluantes que lui tendent les commerçants en rendant la monnaie. Alors que Rajeev se dispute avec le mercanti, elle prend de l'argent dans son sari et le dépose sur le monceau de pommes de terre. « Voilà, lance-t-elle. Maintenant rendez-moi ma monnaie et laissez-moi partir. »

Elle attend que Rajeev ait fini de placer les sacs dans son panier. D'ordinaire le petit commis l'aide à le soulever pour qu'il puisse le monter sur sa tête, mais aujourd'hui il reste les bras croisés et le regarde, impassible, qui peine à se redresser. Le couffin est déjà bien rempli et le porteur vacille avant de trouver son équilibre. En le voyant chanceler sous le poids, Bhima est envahie par la pitié. Elle détourne les yeux, furieuse contre elle-même de cette sensiblerie inaccoutumée. Elle a bien assez de soucis personnels sans s'encombrer de ceux des autres, sans ressentir la souffrance de tous les marchands de légumes et de tous les porteurs qu'elle rencontre. Gopal lui disait souvent qu'elle avait trop bon cœur, que cela finirait par lui jouer des tours, et la suite de l'histoire n'avait-elle pas apporté la preuve que son mari était un devin ? N'avait-il pas eu mille fois raison ? Comble d'ironie, c'est Gopal lui-même qui avait purgé son cœur de toute compassion en y infusant à la place une froideur dure comme du béton.

« Où va-t-on maintenant, *mausi* ? » demande

Rajeev. Bhima montre du doigt le marché aux poissons.

Les courses terminées, Rajeev dépose le panier plein à ras bord aux pieds de Bhima et annonce qu'il va chercher un taxi. Tel est leur rituel hebdomadaire. Mais aujourd'hui, en pensant à l'ardeur avec laquelle il a pris sa défense, elle dit : « *Chalo*. Mais d'abord, on va aller boire une tasse de thé bien chaud. Aujourd'hui, tu en as eu lourd à porter. »

Rajeev la regarde, intrigué, et hoche la tête. « Ce serait une bonne idée, *mausi*. Merci beaucoup. »

Ils se dirigent vers une buvette et dégustent lentement le liquide marron clair qu'on leur a servi dans de petits verres. Le tenancier, un homme massif et ventripotent, assis devant l'entrée, est en train de plonger des pommes pimentées nappées de pâte à beignet dans une énorme bassine à friture. L'odeur des *battatawada* fait saliver Bhima. Elle calcule rapidement ce qu'il lui restera de l'argent remis par Serabai une fois qu'elle aura payé le taxi, et conclut qu'elle peut se permettre une petite gâterie pour elle et Rajeev. « Deux *battatawada* dans du pain, avec du chutney », lance-t-elle, et quand on les lui apporte sur un morceau de journal, elle en tend un à Rajeev sans dire un mot. Le porteur lui adresse un sourire rayonnant. « Merci beaucoup », dit-il en attaquant son casse-croûte. Bhima aimerait bien lui en offrir un autre, mais elle a conscience que c'est l'argent de Serabai qu'elle est en train de dépenser. Alors, elle cesse de manger et fait mine d'être rassasiée. « Il est énorme

140

ce *battatawada*. Je n'arrive pas à le finir. Tu le veux, Rajeev ? » Le sandwich s'échappe de ses mains avant qu'elle ait refermé la bouche.

Rajeev va ensuite chercher un taxi et s'assoit à côté du chauffeur, tandis qu'elle s'installe à l'arrière, avec le panier calé contre elle, sur la banquette. Maintenant qu'il a le ventre plein, Rajeev est tout réjoui ; il a envie de parler et se retourne souvent vers Bhima pour faire des commentaires. Mais comme elle n'est pas d'humeur à bavarder, il se rabat bientôt sur le chauffeur de taxi. À l'abri derrière l'écran protecteur que forment ces deux voix masculines, Bhima a tout le loisir de se perdre dans ses pensées et de regarder ce qui se passe au-dehors. Elle se penche au-dessus du panier et remonte la vitre de droite pour ne pas respirer la fumée crachée par le pot d'échappement de l'autobus qui roule dans la file voisine. Elle avait fermé la fenêtre de gauche dès qu'elle était montée dans le taxi. Du coup, il fait une chaleur insupportable dans l'habitacle. Mais elle préfère encore avoir trop chaud plutôt que sentir ses poumons se contracter sous l'assaut des gaz nocifs. Tandis qu'elle contemple le monde extérieur par la fenêtre, elle songe avec regret à la voiture climatisée de Viraf, à la caresse de l'air frais sur sa peau.

Bombay défile derrière la vitre, vite et sans bruit, comme a défilé la plus grande partie de sa vie.

9

Sera Dubash se réveille en poussant un grognement. Elle regarde le réveil et, en constatant qu'il n'est que quatre heures, elle se sent infiniment soulagée. Elle peut dormir encore au moins une heure. Un bref ressentiment la saisit à l'idée de devoir se lever si tôt aujourd'hui. Dans la matinée, elle doit aller trouver Bhima et Maya à l'arrêt de l'autobus proche du *basti*. Il a été convenu que Bhima irait travailler pendant qu'elle conduirait Maya chez le médecin. Avant-hier, quand la servante lui a annoncé que Maya voulait que ce soit elle qui l'accompagne à la clinique, elle s'est sentie flattée. Mais maintenant, tandis qu'elle contemple l'obscurité depuis son lit, c'est plutôt de l'irritation qu'elle éprouve. Elle ne s'attendait pas à toutes ces complications le jour où elle avait proposé de payer les études de Maya. Régler une facture tous les trimestres est une chose ; accompagner une jeune fille chez un médecin pour déloger de son ventre un enfant illégitime en est une autre.

Mais ce n'est pas pour Maya que tu le fais, se dit-elle. Tu le fais pour cette pauvre Bhima. Cette pensée est aussitôt suivie d'une vague douleur sous l'épaule. C'est une douleur fantôme, bien sûr, une douleur psychosomatique, mais ça ne l'empêche pas d'avoir mal. Le coup violent à la suite duquel elle avait eu mal au bras pendant plusieurs semaines remonte pourtant à de nombreuses années. Mais que sait-on de ces choses, en définitive? Le corps est peut-être sillonné par un réseau de mémoire propre, semblable à ces lignes invisibles dont parlent les acupuncteurs chinois. Le corps ne pardonne peut-être jamais rien; chaque cellule, chaque muscle, chaque fragment d'os se souvient peut-être de toutes les agressions qu'il a subies. Il est possible que les douleurs soient enregistrées dans la moelle de nos os et que chacune des atteintes dont ils ont été victimes vogue dans le flux sanguin ainsi qu'un caillou noir et dur. Après tout, le corps, de même que Dieu, a des voies mystérieuses.

Adolescente, déjà, Sera était fascinée par ce paradoxe – le fait que ce corps que nous occupons, qui nous enveloppe ainsi qu'un manteau depuis l'instant de la naissance – avant la naissance, même – demeure pour nous un inconnu. Pourtant, presque tout ce que nous faisons a son bien-être pour objet : nous nous lavons quotidiennement, nous nous brossons les dents, nous nous peignons les cheveux et nous coupons les ongles; nous accomplissons des travaux éreintants afin de le nourrir et de le vêtir; nous nous donnons beaucoup de mal pour le protéger de la douleur, de la violence et des agressions. Or, notre corps reste un mystère, un livre non lu. Sera méditait sur cette contradiction, comme sur une énigme : malgré le souci omniprésent que nous avons de notre corps, nous n'avons jamais vu nos reins, nous serions incapables de reconnaître notre foie parmi plusieurs autres, nous n'avons jamais été mis face à notre cœur ni à notre cerveau. Nous en savons davantage sur les profondeurs de l'océan, nous connaissons mieux les confins de l'espace que nos organes, nos muscles et notre squelette. Par conséquent, pourquoi n'y aurait-il pas de douleurs fantômes ? Peut-être toutes les douleurs sont-elles réelles, peut-être chaque coup reçu jadis perdure-t-il éternellement sous une forme différente et le corps est-il une entité hypersensible et vindicative, un registre, un entrepôt où sont emmagasinées les blessures et les humiliations passées.

Mais dans ce cas, le corps devrait également se souvenir de chaque bienfait, de chaque baiser, de chaque témoignage de compassion. C'est là que réside le salut, sans aucun doute, le seul espoir – le fait que la joie et l'amour sont eux aussi imbriqués dans le tissu de notre corps, dans chacun de nos muscles, dans le noyau de chaque cellule.

La brume bleutée du temps se déchire et Sera se rappelle la blessure et le baume, le bourreau et la guérisseuse : Feroz et Bhima.

À l'époque, elle n'habitait plus chez Banu.

Lorsque le premier coup s'abattit, elle ne savait déjà plus ce qui avait déclenché la querelle. Elle était hypnotisée par le visage de Feroz – la veine furibonde qui palpitait à son front, ses yeux qui lui sortaient de la tête, son teint virant au brun rougeâtre. Puis, du coin de l'œil, elle vit le chandelier en bronze danser furieusement dans sa main, avant de s'écraser sur son bras, le bras qu'elle avait levé pour se protéger de sa fureur. Une douleur violente, amère, la parcourut tout entière et un cri de bête, suraigu, s'échappa de ses lèvres avant qu'elle ait pu réussir à les refermer. Elle tomba sur son côté du lit, en tenant son bras meurtri, mais Feroz la frappait maintenant sur le dos, avec ses poings cette fois. Elle crut s'évanouir de douleur, mais les coups s'arrêtèrent aussi subitement qu'ils avaient commencé, comme si quelqu'un avait pressé le bouton actionnant les mains de Feroz.

D'habitude, une fois tari le flot de sa colère, il la considérait avec perplexité. Puis venaient les larmes, les excuses et les reproches qu'il s'adressait à lui-même. Il sanglotait en la suppliant de lui pardonner ; il se frappait le visage ou l'arrière du crâne. Mais ce jour-là, Feroz se contenta de la regarder sans bouger et, quand elle réussit enfin à relever la tête et le vit à travers les lentilles déformantes de ses larmes, l'expression de dégoût qui se lisait sur son visage lui glaça le cœur. Il la regardait comme s'il la haïssait, comme si la seule vue de son corps meurtri et recroquevillé lui donnait la nausée. « Cette fois, tu es allée trop loin, sifflait-il. Cette fois, tu l'as bien mérité. Ton maudit orgueil, ton arrogance... Tu n'es pas une femme, mais un véritable fléau, est-ce que tu le sais ? »

Ils étaient mariés depuis assez longtemps pour qu'elle juge plus prudent de ne pas répliquer. Feroz était comme possédé quand la colère le prenait et, à la moindre provocation, les furies qui l'habitaient pouvaient se mettre à tourbillonner encore plus vite, à la manière d'un nuage de poussière en formation. Par conséquent, elle détourna les yeux, encore heureuse de se dire que Dinaz était au parc avec Bhima, que son enfant n'avait pas eu à assister à cette scène qui trahissait leur couple désuni. Et puisqu'elle dressait l'inventaire des privilèges dont elle était comblée, elle devrait probablement se féliciter d'avoir une peau qui cicatrisait vite, si bien qu'elle n'avait pas à endurer l'humiliation des femmes qui portaient sur elles les marques de la brutalité de leur mari, comme une vitrine que tout le monde est autorisé à contempler.

Mais cette fois-là, les hématomes ne se résorbèrent pas. Trois jours après, elle avait toujours le bras noir et bleu, et si enflé qu'elle arrivait à peine à le lever au-dessus de sa tête pour enfiler son corsage, le matin. Le seul fait de nouer son *kasti*, le cordon sacré composé de soixante-douze brins de laine que les parsis s'enroulent autour de la taille, la faisait souffrir. Il y avait aussi sa lèvre supérieure, qu'elle s'était cognée contre le lit en tombant à genoux. Mais elle s'en moquait. Elle avait envie de rester couchée toute la journée, de laisser la torpeur envahir son esprit de la même façon que la douleur s'emparait de son corps. Elle se levait juste le temps d'envoyer Dinaz au jardin d'enfants pour se remettre tout de suite au lit, où elle restait jusqu'à ce que vienne l'heure de son retour.

Le lendemain du jour où il l'avait battue, Feroz entra dans la chambre en lui annonçant qu'il partait en voyage d'affaires à Pune. Elle comprit que c'était un prétexte pour s'absenter de la maison, mais ça lui était égal. Elle était contente qu'il s'en aille. De cette façon il n'y aurait personne pour lui lancer un regard méprisant quand elle partait se coucher dès neuf heures ou pour lui conseiller de se secouer, sous peine de finir comme l'une de ces vieilles parsies de Grant Road; personne pour critiquer son aspect, sa démarche ou son odeur; personne pour prétendre que les bleus qui la couvraient étaient imaginaires, qu'elle les entretenait à dessein de manière à faire honte à son mari. Pourtant, malgré le soulagement d'avoir la maison rien qu'à elle, son cœur bondissait dès que le téléphone sonnait ou que le facteur frappait à la porte. Elle attendait que Feroz lui demande pardon par lettre ou par téléphone, qu'il prenne acte de sa souffrance, qu'il s'informe de l'état de son corps douloureux. Mais le soir, quand il appelait, c'était uniquement pour souhaiter une bonne nuit à sa fille. Cette fois, il n'y aurait pas de regrets. Cette fois le processus habituel – celui où au déchaînement de la violence succédaient des torrents de larmes, des paroles de regrets, des mots tendres, des baisers et des promesses de ne plus jamais recommencer – ne suivrait pas son cours. Cette fois il y avait uniquement la sécheresse du silence et de l'éloignement. Elle souffrait terriblement de l'absence du cycle coutumier de la dispute et de la réconciliation. Il lui semblait qu'une phase de leur vie conjugale venait de prendre fin et qu'elle ne pouvait même plus espérer avoir la satisfaction d'être reconquise. L'indifférence de Feroz la faisait souffrir autant que son bras meurtri.

Le quatrième jour, Bhima arriva avec un petit paquet sur lequel Sera posa un regard indifférent, avant de regagner sa chambre. Quelques minutes plus tard, elle alla la trouver avec une assiette de toasts dans les mains, en disant : « Allons, *bai,* levez-vous. Vous allez vous rendre encore plus malade à rester couchée comme ça. Et aujourd'hui Bhima va vous remettre d'aplomb. Ce soir, toutes ces taches noires que vous avez sur les bras auront disparu en même temps que le soleil, je vous le promets. »

Sera eut un pauvre sourire. Elle était trop lasse pour se préoccuper de ce que disait Bhima. Elle n'avait même pas réagi en l'entendant piler quelque chose dans la cuisine. Toutefois, en la voyant revenir avec le réchaud, elle leva la tête et s'écria : « Bhima, pourquoi est-ce que tu amènes ce machin dans ma chambre ?

— Chut, chut ! *bai.* Laissez-moi faire. C'est un remède de la mère de mon Gopal, un remède de son village. Un jour où nous étions allés lui rendre visite, une bande de vauriens venait justement de battre et de violer une fille du pays. La malheureuse était dans un tel état, *bai,* qu'on se demandait de quelle couleur était sa peau. Le docteur lui-même ne savait plus quoi faire. Alors ma belle-mère est repartie chez elle prendre des feuilles séchées et de l'huile chaude pour lui en enduire tout le corps. Croyez-moi ou non, mais dès le lendemain matin, la fille avait une peau de nouveau-né. »

Sera n'eut pas la force de protester. Elle s'allongea sur son lit pendant que Bhima préparait une mixture composée d'une pincée de poudre marron foncé mélangée à de l'huile, qu'elle fit chauffer pendant quelques minutes. Ensuite elle la versa dans ses mains rêches et calleuses pour en frictionner les bras de Sera.

148

Sera avait eu un mouvement de recul. Jamais encore Bhima ne l'avait touchée. Elle chercha dans sa tête un prétexte pour refuser et s'aperçut qu'elle ne trouvait pas une seule raison valable d'empêcher les mains de Bhima de se poser sur elle. La fraîcheur piquante de l'onguent la réveilla. Les mains maigres mais vigoureuses de Bhima ne lui massaient que le bras, pourtant elle sentait tout son corps soupirer d'aise. Elle sentait la vie recommencer à palpiter dans ses veines, sans pouvoir dire si cette impression bienfaisante était due à l'huile ou simplement au fait qu'un être humain la touchait avec tendresse et sollicitude. Même quand elle faisait l'amour avec Feroz, elle n'avait jamais eu cette impression de générosité, d'acte désintéressé. C'est qu'il y a toujours des conditions au plaisir des sens : il faut tenir compte des demandes de l'autre, si bien que même lorsque Feroz s'appliquait à la faire jouir, elle ne perdait jamais conscience de son corps frémissant, de l'attention avec laquelle il l'observait et de la façon dont il espérait voir sa performance reflétée dans la réponse qu'elle y apportait. Car, en définitive, l'acte sexuel est fondamentalement égoïste, les attentes et les exigences de chacun des deux partenaires étant intimement imbriquées. Mais avec Bhima, il n'y avait rien de tel. Sera n'avait qu'à écouter son corps se détendre, regarder le dard et le venin quitter les meurtrissures de sa chair, jusqu'à ce que celles-ci paraissent aussi inoffensives que des papillons noirs posés sur son bras.

Elle faillit pousser un gémissement désappointé quand Bhima interrompit un instant son massage pour préparer encore un peu de baume. Ensuite, celle-ci la retourna délicatement sur le ventre et lui déboutonna sa chemise de nuit. « Pauvre Sera-bai, murmurait-elle. Tous ces fardeaux qui pèsent sur ce pauvre corps. Tous ces malheurs. Il faut vous en débarrasser, les donner au diable, oui, donnez-les, ne les transportez plus partout avec vous. » Tandis que ses mains se promenaient en cercle sur le dos lisse de Sera – pétrissant les muscles noués, martelant les points douloureux de ses doigts qui couraient le long de chaque vertèbre, comme sur les touches d'un piano –, Bhima ne cessait de lui parler en employant des mots et un langage que Sera avait du mal à comprendre. En même temps que son corps se détendait sous ces mains exper-tes, elle se sentait partir, remonter dans le temps et, un moment, elle redevenait une jeune mariée à califourchon sur les genoux de son mari qui la balançait d'avant en arrière sur un rythme lascif, alors que l'instant d'après, elle se retrouvait petite fille, blottie dans les bras de sa mère qui la berçait pour l'endormir, au cours d'une nuit étouffante et agitée, puis elle était à la fois plus âgée et plus jeune – un petit poisson flottant dans un univers de ténèbres tiède et liquide, une créature informe, translucide et molle, pareille à celle qu'elle était présentement. Et Bhima continuait à lui parler avec des mots qui s'envolaient de sa bouche aussi vite que des moineaux à la tombée du jour, sa lan-gue s'activant avec autant d'agilité que ses mains, si bien qu'il n'y avait plus qu'un mélange indis-tinct de paroles et de cadences, de langage et de mouvement. Maintenant Sera se dissolvait, emportée dans le courant sous-marin d'une mémoire primitive, noyée dans un flot de sensations, à mesure que les anciennes blessures et les plaies nouvelles exorcisées de son corps la laissaient avec l'impression d'être aussi neuve et resplendissante qu'au jour de sa naissance. Chose paradoxale, alors que la douleur refluait, elle se mit à pleurer, comme si – maintenant que la souffrance n'occupait plus son corps – il y avait enfin de la place pour les larmes. Des larmes qui ruisselaient sur ses joues pour se déposer sur l'oreiller, et si Bhima avait remarqué les mouvements convulsifs qui agitaient son dos, elle feignit de n'avoir rien vu. D'ailleurs, elle-même semblait en proie à une transe, et ses étranges murmures continuaient à couvrir les pleurs silencieux de Sera, laquelle lui en était reconnaissante.

La dernière chose dont elle eut conscience avant de sombrer dans le sommeil fut l'odeur de l'huile qui imprégnait la chambre. Elle lui rappelait celle de l'appartement de ses grands-parents et, en pensant à sa grand-mère – une femme robuste et bourrue, qui avait une poitrine en forme de coussin contre laquelle elle pressait sa petite-fille –, elle sourit.

À son réveil, quelques heures plus tard, les bleus qui couvraient son bras avaient commencé à se résorber. Si, auparavant, ils faisaient penser à une carte du monde, ils se réduisaient désormais aux dimensions du Brésil. En n'importe quelle autre circonstance, elle s'en serait étonnée, mais après la curieuse rêverie où l'avait plongée le massage de Bhima, rien ne semblait impossible. Elle se leva, glissa les pieds dans ses savates en caoutchouc et se rendit à la cuisine. Subitement, elle se sentit intimidée par la femme penchée au-dessus de l'évier, en train de récurer les casseroles avec la même énergie qu'elle avait mise à lui frictionner le dos un peu plus tôt. Elle aurait voulu la remercier de sa bonté, lui dire combien la vie lui avait semblé chaude et merveilleuse au moment où elle s'était insinuée de nouveau dans ses veines, lui dire combien elle avait eu froid au cœur après sa querelle avec Feroz – ce cœur que Bhima avait réchauffé, comme si elle l'avait pris dans ses mains brunes pour le frictionner jusqu'à ce que le sang recommence à y circuler. Mais quand Bhima releva la tête pour la regarder, un embarras soudain l'empêcha de parler. Elle s'était faite depuis longtemps à l'idée que Bhima était la seule à savoir que les poings de Feroz survolaient régulièrement le désert de son corps, ainsi que des vautours, qu'elle en savait bien plus que n'importe qui sur l'étrange couple qu'ils formaient. Mais désormais, elle avait l'impression que Bhima voyait en elle comme à travers un microscope, que d'une certaine façon, elle avait pénétré plus profondément en elle que Feroz ne le pourrait jamais. « Ça va mieux ? » demanda Bhima en souriant.

En réponse, Sera leva le bras pour lui montrer que les marques s'étaient estompées.

« Demain matin, il n'y aura plus de traces de... plus de traces du tout, » déclara Bhima avec un bref hochement de tête.

Sera sentit le rouge lui monter au visage à cause de ce que Bhima n'avait pas dit. Pas de traces de la brutalité de Feroz, voilà ce qu'elle avait failli dire. Mortifiée, elle détourna la tête, si bien qu'elle ne vit pas que Bhima avait abandonné sa vaisselle et s'approchait d'elle en s'essuyant les mains sur son tablier. « Serabai, murmura-t-elle. Vous êtes bien plus savante que moi, vous avez de l'instruction et moi je suis illettrée. Mais écoutez-moi, *bai* : il ne faut plus accepter qu'il vous traite ainsi. Parlez-en à quelqu'un. Parlez-en à votre père... il viendra lui casser la figure. Vous essayez de cacher votre humiliation, *bai,* je le sais, pourtant ce n'est pas vous qui devez avoir honte, c'est lui. »

Les yeux de Sera s'emplirent de larmes. Elle se sentait toute nue sous le regard radiographique de Bhima, mais le soulagement qu'elle ressentit en entendant quelqu'un dire tout haut que Feroz la maltraitait fut immense. « Est-ce que... est-ce que Gopal ne te bat jamais ?

— Me battre ? *Arre,* si jamais cet imbécile portait la main sur moi, je lui ferais un peu de *jadoo* et ses mains se transformeraient en colonnes de bois. » Puis, devant le saisissement de Sera, elle sourit. « Non, *bai.* Grâce à Dieu, mon Gopal n'est pas comme les autres hommes. Il préférerait se couper les deux mains plutôt que de me faire souffrir. »

Étendue dans son lit, ce matin, Sera se souvient de l'assurance avec laquelle Bhima avait prononcé ces mots – « Il préférerait se couper les deux mains plutôt que de me faire souffrir » – et elle a un sourire amer. Le temps a donné tort à Bhima, lui a ravi la confiance qu'elle avait dans son mari, la laissant brisée et meurtrie. Elles avaient beaucoup de points communs, Bhima et elle. En dépit de leurs destins différents – dictés par le hasard de la naissance, pense-t-elle aujourd'hui –, elles ont toutes deux connu la douleur de voir la fin de leur couple. Gopal était un brave homme ; pourtant, telle une vipère, il avait frappé Bhima, en lui dérobant la chose la plus brillante, la plus scintillante de sa vie.

Enfin, rien ne sert de pleurer sur le passé, se dit Sera, tandis qu'elle se lève et arrête la sonnerie du réveil. Mieux vaut s'occuper de l'avenir, ce qu'elle va faire en emmenant Maya à la clinique. Assise au bord de son lit, elle récite cinq Yatha Ahu Vahiriyos. Ensuite elle baise la petite image du Seigneur Zoroastre, qui trône sur la table de nuit, dans un cadre en plastique. Elle se dirige sans bruit vers la salle de bains, pour ne pas réveiller les enfants, qui dorment dans la chambre voisine. De penser à sa fille lui rappelle à quel point Bhima en était gâteuse quand Dinaz était petite. Bhima a rendu de grands services à toute notre famille, se dit-elle. Puisque c'est maintenant elle qui a besoin de mon aide, comment pourrais-je la lui refuser ?

10

Encore heureux que je n'aie pas à aller les chercher au bidonville, se dit Sera en montant dans le
taxi. Dieu merci ! elle a eu la présence d'esprit de
dire à Bhima de l'attendre à l'arrêt de l'autobus.
Ensuite elle continuera en taxi avec Maya, jusqu'à
la clinique du Dr Mistry, tandis que Bhima se ren-
dra à son travail. De nombreuses années se sont
écoulées depuis, et pourtant Sera frémit toujours
au souvenir de son incursion dans le *basti*.

Bhima avait attrapé la typhoïde. Ne pouvant
venir travailler, elle avait envoyé une voisine prévenir qu'elle était malade et Sera avait tout de
suite compris que c'était grave. Sachant qu'il ne
fallait pas plaisanter avec cette maladie, elle avait
décidé de rendre visite à Bhima et à Maya.

Bien que son immeuble ne fut qu'à un quart
d'heure à pied du *basti*, Sera avait eu l'impression
de pénétrer dans un autre monde. C'était une
chose de passer en voiture devant les bidonvilles
qui avaient éclos partout dans la ville, c'en était
une autre de parcourir les étroites ruelles conduisant à l'intérieur de cette cité tentaculaire, de voir
ses chaussures vernies éclaboussées par l'eau
boueuse qui formaient des mares stagnant sur le

sol, en réprimant un haut-le-cœur à cause de l'épouvantable odeur de merde et de Dieu sait quoi d'autre, en détournant les yeux, à cause des hommes qui urinaient dans les caniveaux courant devant les habitations. Et les mouches, lourdes comme le remords. Et les chiens errants à l'échine couverte de plaies et de marques dues à la gale. Et les enfants qui piaillaient comme des poussins, tandis que leur mère les frappait du plat de la main. Sera avait bien failli rebrousser chemin, pour fuir cet univers horrifiant et regagner un monde où régnaient le confort et la santé. Mais le souci qu'elle se faisait pour Bhima l'avait obligée à continuer.

À mesure qu'elle avançait, plusieurs personnes – des enfants surexcités qui sautaient à cloche-pied, des femmes piquées par la curiosité et quelques hommes parmi les plus hardis – lui avaient emboîté le pas, accentuant l'impression qu'elle avait d'être une étrangère, une extraterrestre tombée d'une autre planète. C'était une escorte joyeuse, remuante, et le murmure incessant des voix l'avait suivie tel un essaim d'abeilles. Mais nul ne lui avait adressé la parole, si ce n'est pour lui indiquer le chemin de la baraque de Bhima – « Prenez à gauche, madame » et « Non, *bai*, par ici. » Elle savait que les habitants du bidonville croisaient quotidiennement dans la rue des bourgeois aisés et bien vêtus et que beaucoup d'entre eux travaillaient chez des gens comme elle. Ils connaissaient le monde auquel elle appartenait ; ce qui leur semblait insolite c'était qu'une personne issue de ce monde pénètre dans le leur.

Mais le pire – en y repensant, elle rougit encore aujourd'hui – fut l'accueil que Bhima lui avait réservé.

Sera comprit au premier regard que la vie de sa servante ne tenait plus qu'à un fil. Son visage naturellement émacié était devenu squelettique et ses yeux brillaient de la fièvre qui la dévorait. Elle réussit cependant à se lever pour faire à Sera les honneurs de son humble logis. Après avoir farfouillé dans ses affaires, elle en sortit un billet de cinq roupies et demanda à Maya d'aller acheter un Mangola – elle savait que c'était la boisson favorite de Sera – pour leur visiteuse. De leur propre chef, des voisins apportèrent une vieille chaise en bois, en insistant pour qu'elle s'y installe. Comme elle protestait en disant qu'elle pouvait très bien s'asseoir par terre, ils éclatèrent de rire, comme si elle leur racontait une bonne blague. Quand Maya revint avec le Mangola, Sera lui offrit d'en boire quelques gorgées, mais l'enfant refusa en détournant la tête, bien qu'elle mourût d'envie d'accepter. Trônant sur l'unique siège de la maison, entourée de gens accroupis et d'enfants qui la regardaient boire avec de grands yeux avides, elle sentit la tristesse et la culpabilité l'envahir. Avec chaque gorgée de ce jus de mangue sucré et épais, elle avait l'impression d'avaler un caillot de sang. À plusieurs reprises, elle feignit de ne plus avoir soif, à la grande consternation de Bhima. La générosité des pauvres, elle nous fait honte à nous autres riches, pensa-t-elle. Ils devraient nous haïr et ils nous traitent comme des princes. En pensant à la façon dont elle-même traitait Bhima – qu'elle n'autorisait pas à s'asseoir sur ses sièges et obligeait à manger dans de la vaisselle à part – elle était pleine de honte. Mais elle savait que si elle tentait de changer quoi que ce fût à ces habitudes, Feroz en aurait une attaque. Pourtant, devant le visage creusé et fiévreux de Bhima et sa générosité spontanée, elle prit une grande décision et déclara : « Tu vas venir chez moi et tu y resteras jusqu'à ce que tu ailles mieux. Inutile de discuter, Bhima. Tu n'es pas en mesure de prendre soin de toi et encore moins de Maya. C'est évident. Prends les affaires dont tu auras besoin et partons. »

Fidèle à sa promesse, elle s'était occupée de Bhima et l'avait emmenée dès le lendemain chez leur médecin de famille, le bon docteur Porus.

Aujourd'hui, tandis que ces souvenirs défilent dans sa tête, Sera n'en tire aucun réconfort ni aucune fierté. Elle se rappelle au contraire que Bhima, pourtant si malade, couchait sur un mince matelas installé sur le balcon. L'idée de lui donner le lit de quelqu'un de sa famille lui faisait horreur. La petite Maya dormait à côté de sa grand-mère, sur un simple drap. À l'époque, elle avait rejeté la responsabilité sur son mari, elle s'était dit qu'il n'accepterait jamais qu'il en fût autrement. Mais à la vérité, cet arrangement lui convenait, à elle aussi. Les odeurs et les images qu'elle gardait de son incursion dans le bidonville étaient trop fraîches dans sa mémoire, ils lui collaient encore aux cheveux et à la peau. Chaque fois qu'elle y pensait, elle avait un mouvement de recul face à Bhima, comme si elle incarnait tout ce que le *basti*

avait de répugnant. Longtemps, elle s'était émerveillée de la propreté et de la netteté de Bhima.
Mais en cette occasion, chaque fois qu'elle avait
dû lui donner ses médicaments, elle s'était arrangée pour les lui déposer dans la paume, sans du
tout la toucher. D'autre part, elle avait veillé à ce
que Dinaz ne soit jamais en contact avec elle. C'est
parce qu'elle a de la fièvre, se disait-elle, mais à la
vérité, elle voulait également tenir sa fille éloignée
de la patine de crasse qu'elle voyait désormais dès
qu'elle portait les yeux sur sa servante.

Sera pousse un soupir si profond que le chauffeur de taxi la regarde dans son rétroviseur. Elle
a beau se raisonner, jamais elle ne pourra surmonter ses préjugés de bourgeoise. Ce qui ne l'a
jamais empêchée de venir en aide à Bhima et à
sa famille. Aujourd'hui, c'est Maya qui a besoin
d'elle. Quel soulagement ce sera quand cette histoire sordide qui a bouleversé Bhima sera terminée ! Hier encore, elle a dû se mordre la langue au
moins à cinq reprises parce que Bhima, qui pensait
à autre chose, avait été maladroite.

Quand Sera arrive à l'arrêt du bus, elles sont
déjà là qui l'attendent. Elle les voit la première,
deux silhouettes séparées par près d'un demi-
siècle, mais indubitablement liées par le sang et la
vie. Elles ne se parlent pas, pourtant leurs corps
s'appuient inconsciemment l'un sur l'autre dans
une attitude intime et familière. Elle sent sa gorge
se serrer de tendresse pour Maya. Cela fait un bon
moment qu'elle ne l'avait pas vue, car depuis
quelques mois – en gros depuis le début de cette

histoire, calcule Sera – la jeune fille ne va plus s'occuper de Banu. Étant donné que l'infirmière de jour souhaitait partir à quinze heures, Sera avait embauché Maya pour assurer le relais en attendant l'arrivée de la garde de nuit, à vingt heures. C'était pour Maya un travail facile – elle n'avait qu'à aller chez Banu après ses cours, pour lui préparer son thé puis son dîner. Sera n'aurait eu aucun mal à trouver quelqu'un d'autre, pour beaucoup moins cher, mais Maya faisant pratiquement partie de la famille, c'est de bon cœur qu'elle la payait davantage, en se disant qu'elle devait se sentir déplacée parmi ses camarades d'études plus aisés. Peu d'entre eux, sans nul doute, étaient des orphelins élevés par une grand-mère femme de ménage. Si ces quelques roupies supplémentaires pouvaient lui permettre de mieux s'habiller et d'acquérir un peu d'assurance, ce n'était pas de l'argent dépensé en vain.

« Arrêtez-vous un peu après l'arrêt du bus, dit Sera au chauffeur. *Bas*, oui, là. »

Au moment où elle descend du taxi, les deux femmes la voient et s'approchent. Sera est peinée de constater que Maya ne la regarde pas et préfère contempler le sol. Malgré elle, elle se sent piquée et cet accueil bien peu chaleureux fait retomber l'élan de tendresse qu'elle éprouvait il y a à peine un instant. « Bonjour, Maya, dit-elle sèchement. Comment vas-tu ?

— Bien », répond Maya d'une voix funèbre. Toutefois, sentant la réprobation muette de Sera, elle lève enfin la tête. Mais son visage semble s'être changé en pierre et son regard est aussi morne que son ton.

Les yeux gris et las de Bhima passent anxieusement de l'une à l'autre. « Elle n'a pas le moral, ce matin, explique-t-elle. Elle s'est réveillée tout abattue. » Il y a dans son expression une prière muette qui implore Sera de comprendre et de pardonner.

Sera regrette soudain que Bhima ne les accompagne pas à l'hôpital. Elle n'a plus envie de prendre en charge cette étrangère renfrognée. La Maya qu'elle connaît, qu'elle a abritée sous son aile et à qui elle a permis de faire des études, est plus aérienne, plus jeune, que cette fille lourde et maussade qui est là, devant elle. Elle se retient de lui rappeler que c'est elle qui lui a demandé de l'emmener chez le médecin, et pas le contraire. Elle se sent aussi un peu coupable – n'a-t-elle pas conspiré avec Viraf et Bhima pour obliger Maya à se faire avorter contre son gré ? On ne lui a jamais demandé son avis, après tout. Mais à cet instant, ses yeux se posent sur la physionomie vieillie et usée de Bhima et elle prend sur elle. Cette petite est tout simplement trop jeune et trop naïve pour savoir ce qui l'attendrait si elle avait un enfant hors mariage. Elle ne se doute pas de la cruauté – digne d'une bande de vautours – avec laquelle la société fondrait sur elle pour la déchiqueter. Oui, il faut à tout prix se débarrasser d'abord de ce bébé et, dans quelque temps, elle pourra peut-être avoir une conversation sérieuse avec Maya et la convaincre qu'elle doit absolument retourner à la faculté. Elle l'aidera, s'il le faut, à s'inscrire dans un autre établissement, afin qu'elle puisse repartir du bon pied.

Mais cette fois, lui dira-t-elle, plus d'amoureux, plus d'aventures. Ne pense qu'à tes études. Souviens-toi, sans instruction, tu n'es rien. Dans cette ville, il y a des licenciés en droit et des docteurs en philosophie qui crèvent de faim. Un diplôme de fin d'études secondaires ne permet même pas de trouver du travail comme *channawalla*. C'est le même sermon qu'elle avait adressé à Dinaz des années auparavant. Mais avec Maya, elle y ajoutera une menace supplémentaire : si tu n'as pas au moins une licence, tu passeras ta vie à balayer chez les autres et à laver leur linge sale. Est-ce ça que tu veux, cette vie qu'ont eue ta grand-mère et ta mère ?

À la pensée de cette mère disparue, Sera sent son cœur s'attendrir un peu. Elle regarde Maya à la dérobée, mais celle-ci a une expression aussi vide qu'un mur nu. Sera soupire. Elle est tentée de dire à Bhima qu'elle a changé d'avis, qu'elle veut qu'elle les accompagne à l'hôpital, mais elle se retient. Bhima a trop à faire à la maison pour pouvoir venir avec elles. Malgré l'intervention du médecin ami de Viraf, Dieu sait combien de temps il faudra attendre à l'hôpital. Pour rien au monde elle ne voudrait rentrer ce soir chez elle en ne trouvant pas le ménage fait. « J'ai laissé les clés aux voisins, dit-elle à Bhima. Ils t'ouvriront la porte. »

Maya pose sur Sera un regard incisif et un rire aussi fielleux que des amandes amères lui échappe. « Elle aurait pu t'apporter ses clés, dit-elle à sa grand-mère, comme si Sera n'était pas là. Elle aurait pu te les donner. Mais elle fait davantage confiance à ses voisins. »

Sera est choquée de cette insolence. Mais non, ce n'est pas exactement ça. C'est le ton hostile de Maya qui l'a choquée. Ça, et – il faut le dire – son ingratitude. Mais avant qu'elle ait pu réagir, Bhima prend la parole. « Fille stupide et ignorante que tu es, s'emporte-t-elle. De quoi te mêles-tu ? Est-ce que ça te regarde ce que Serabai fait de ses clés ? C'est sa maison, non ? Voyons d'abord si tu réussis un jour à avoir une grande maison à toi et alors tu feras ce que tu voudras avec tes clés. En attendant, ferme-la, c'est compris ? »

Tant de rancœur de si bon matin ! Sera se demande ce qui l'a déclenchée. Ce doit être cette grossesse, pense-t-elle. Ce bébé non désiré qui pousse dans le ventre de Maya a conscience de sa mort imminente et il ne veut pas quitter ce monde sans combat et sans y laisser sa marque funeste. La pensée du bébé mort la fait frissonner. Plus vite cette journée finira, mieux ça vaudra pour tout le monde, songe-t-elle. Elle n'a jamais vu Maya si rageuse, si agressive, si vulgaire – si peuple, en somme. Quant à Bhima, depuis qu'elle sait que sa petite-fille est enceinte, on ne la reconnaît plus – apathique et indifférente un instant, fébrile et susceptible le suivant. Cette affaire a également des répercussions dans la famille Dubash, si bien que l'enfant qui pousse en Maya, ainsi qu'une mauvaise herbe, assombrit la joie qu'ils devraient ressentir tous les trois à l'idée de celui qui s'épanouit dans le ventre de Dinaz. D'ailleurs, maintenant qu'elle y pense, Sera se souvient d'avoir remarqué une certaine réserve chez sa fille, depuis quelques semaines, et elle suppose que c'est par égard pour la tristesse de Bhima qu'elle se retient d'exprimer son allégresse. Certes, les trois premiers mois de sa grossesse ont été atroces. Elle a eu des nausées, elle était fatiguée, irritable, et les deux époux se querellaient comme deux corbeaux se disputant une charogne. Mais à mesure que les nausées et la fatigue se sont estompées, elle a retrouvé sa bonne humeur. Toutefois le bébé de Maya jette une ombre sur leur bonheur. C'est dur de rentrer à la maison les bras chargés de vêtements pour le futur nouveau-né, de décider d'une couleur pour repeindre le vieux berceau en bois qui a été celui de Dinaz, de choisir l'obstétricien et l'hôpital, tout cela sous le regard triste mais attentif de Bhima. Comme si on recevait les invités d'une noce dans un salon mortuaire.

Mais bon. S'il faut qu'il y ait des funérailles, si le bébé qui est dans le ventre de Maya doit être mis à mort – Sera grimace à ce mot –, il n'y a pas de temps à perdre. Mieux vaut ne pas perdre trop de temps. « On te déposera au carrefour suivant, Bhima, dit Sera d'un ton sec en se réinstallant dans le taxi. Tu n'auras qu'à continuer à pied. Maya et moi garderons le taxi pour aller à l'hôpital. Et maintenant, dépêchons-nous. »

Maya hésite quelques fractions de secondes avant de monter dans la voiture. Mais Sera feint de ne pas s'en apercevoir.

11

Le Dr Mehta est un homme grand et voûté, avec des yeux tristes, des paupières tombantes et une façon déconcertante de ne pas regarder Maya quand il parle d'elle. C'est à Sera qu'il pose ses questions.

« Comme se sent-elle ? »

Sera jette un regard à Maya, qui semble très intéressée par un endroit précis de ses pieds. « Bien, finit-elle par dire. Mais nous nous sentirons tous mieux quand...

— Bien sûr, bien sûr, coupe le médecin en se levant. Ne vous inquiétez pas, Mrs Dubash. Nous allons très vite régler ce petit problème. Suivez-moi, s'il vous plaît, ajoute-t-il en s'adressant enfin à Maya, directement. C'est par ici. »

Maya se lève à son tour et se tourne vers Sera. Pour la première fois, elle a l'air terrorisée. Elle écarquille les yeux et un voile de transpiration recouvre sa lèvre supérieure. De compassion, le cœur de Sera se serre. Elle avance la main pour réconforter la jeune fille, qui la saisit et la serre contre elle. « Venez avec moi, chuchote-t-elle impérieusement. Ne me laissez pas toute seule là-bas. »

Sera la regarde, horrifiée. L'idée d'assister à

l'éradication du fœtus lui est insupportable. Un flot de dégoût lui remonte dans la gorge. Tu me mets dans une situation impossible, pense-t-elle. Je n'avais pas prévu de m'impliquer à ce point.

Avant qu'elle ait pu dire un mot, le Dr Mehta vient à son secours. « Allons, ma fille, dit-il à Maya. Seul le personnel médical est autorisé à entrer dans la salle d'opération. Les familles doivent rester dans la salle d'attente. Il n'y a pas de quoi avoir peur. Nous allons extraire ce bébé plus vite qu'on arrache une dent. »

La comparaison les fait tiquer toutes les deux et elles échangent un regard. « Ne t'inquiète pas, dit Sera en tapotant le bras droit de Maya. Je ne serai pas loin. »

Sera va s'asseoir dans la salle d'attente et prend un vieux magazine. Les deux femmes qui sont déjà là ne cherchent pas à rencontrer son regard. Elles approchent de la cinquantaine et d'après leur sari élégant et leurs bijoux, il est clair qu'elles ont de l'argent. Sera s'interroge sur la raison de leur présence en ces lieux. Leur fille, probablement. Il n'y a pas de limite à ce que l'argent permet d'acheter, se dit-elle. Aussi bien des draps de soie qu'un avortement dans une jolie clinique privée inondée de soleil. Mais n'est-elle pas dans le même cas ? Elle aussi est là parce qu'elle a de l'argent. Et c'est grâce à l'ami de Viraf qu'elle a pu obtenir ce rendez-vous. Que se serait-il passé si Maya avait dû aller dans un hôpital public ? Sera a entendu dire que certains médecins faisaient des plaisanteries graveleuses sur les patientes dont ils s'occupaient et que, sous prétexte de les examiner, ils introduisaient la main dans leurs parties génitales pour leur seule satisfaction, la plupart d'entre ces femmes étant trop ignorantes pour comprendre ce qui leur arrivait et trop pauvres pour porter plainte, au cas où elles auraient compris. Sera frémit d'imaginer Maya dans ce genre d'endroit.

Elle regarde sa montre et s'aperçoit qu'elle a oublié de regarder à quelle heure on a emmené Maya. Elle n'a pas la moindre idée du temps nécessaire à ce genre d'intervention, ni – et elle est prise d'une soudaine inquiétude – de l'état dans lequel sera Maya après. Elle s'en veut de ne pas avoir posé davantage de questions, mais en revoyant dans sa tête la figure longue et les yeux tristes du Dr Mehta, elle se dit que ce n'est sûrement pas un homme qui aime à donner beaucoup d'explications.

En pensant au docteur Mehta, elle songe à l'expression de Maya quand celui-ci l'a emmenée dans la salle d'opération. Elle paraissait si petite, tellement terrorisée. Elle ressemblait un peu à l'orpheline qui était arrivée chez elle avec Bhima, il y a de ça presque dix ans. Les jeunes d'aujourd'hui ! soupire Sera. Maya est encore une enfant et la voilà enceinte. Grâce à Dieu, tout sera bientôt terminé. En dépit du malaise qu'elle éprouve de se trouver dans cet endroit, elle ne doute pas un seul instant que la solution adoptée soit la bonne. Pour que Maya ait une chance de s'en sortir, c'est ici, dans cette clinique élégante, que doit prendre fin l'histoire de ce bébé.

Elle a dû s'assoupir un peu, puisqu'elle voit soudain surgir devant elle une infirmière revêtue d'un uniforme amidonné, qui l'appelle à voix basse : « Mrs Dubash. La patiente vous attend. »

Maya semble pâle et menue, dans son lit d'hôpital. En voyant Sera, ses yeux s'emplissent de larmes. « Voilà, dit-elle aussitôt. Vous pouvez tous être contents, maintenant. Mon bébé est mort. »

Sera pince les lèvres. Elle sent monter une colère qu'elle essaye de refouler, avant qu'elle ne débouche sur des paroles qu'elle regrettera par la suite. Maya vient de subir un choc. Sois gentille avec elle, se raisonne-t-elle et, quand elle parle, c'est d'une voix exempte d'animosité. « Malheureusement, il n'y avait pas d'autre possibilité, Maya. Mais je comprends que tu sois triste. Dis-moi, mon petit, comment te sens-tu, physiquement ?

— Je ne sais pas, sanglote Maya. J'ai très mal. Mais l'infirmière a dit qu'on allait me donner des cachets pour calmer la douleur. Elle a dit que je serais rétablie dans deux ou trois jours. »

Le Dr Mehta s'avance et fait signe à Sera de sortir de la chambre avec lui. Il a les yeux encore plus battus et plus mélancoliques que tout à l'heure. « Elle a beaucoup saigné. Ça arrive quelquefois. Il est possible qu'elle ait des contractions et qu'elle soit très fatiguée pendant quelques jours. Si vous pensez que sa famille a les moyens de l'acheter, je lui prescrirai un remontant.

— Oui, s'il vous plaît, dit-elle aussitôt. Ne vous inquiétez pas pour le prix, docteur. Je désire que cette petite ait ce qu'il y a de mieux. »

Le Dr Mehta a un vague sourire et Sera s'émerveille de la transformation qui s'opère sur son visage.

« Bien. Bien. Écoutez-moi, Mrs Dubash. Nous allons la garder pendant encore quelques heures avant de la laisser partir. Si vous avez envie... si vous avez des courses ou autre chose à faire, vous pouvez revenir la chercher dans un petit moment. Allez donc déjeuner. »

Dans l'après-midi, Sera retourne à la clinique avec un *salwar khamez* pour Maya. Elle a acheté également le fortifiant prescrit par le Dr Mehta, ainsi qu'un ananas, des bananes et des oranges. La petite va avoir besoin de s'alimenter convenablement pendant quelque temps. Elle donnera aussi de l'argent à Bhima pour qu'elle se procure chaque jour du lait de coco qui aidera l'abdomen de Maya à se remettre de l'intervention.

Maya l'attend, assise bien droite sur son lit. Ses cheveux sont impeccablement coiffés et elle fait penser à un paquet emballé dans du papier kraft, prêt à être expédié. « On y va ? » demande Sera, et Maya descend de son lit en poussant un petit gémissement.

Dans la rue, Sera constate qu'elle marche avec précaution, et une pitié soudaine l'envahit. « Tu as mal ? » demande-t-elle, mais Maya garde un visage inexpressif et se contente de hausser les épaules.

« Allons chez moi, tu veux bien ? Je dirai à Bhima de partir de bonne heure et elle te ramènera à la maison », annonce Sera, tout en cherchant un taxi des yeux.

La physionomie inerte de Maya s'anime brusquement. « Non, Serabai. Je voudrais... Je... déposez-moi plutôt à l'arrêt du bus, près du *basti*. Je suis fatiguée. Je préfère aller me reposer à la maison en attendant ma grand-mère.

— Sois raisonnable, Maya. Comment pourras-tu marcher jusque chez toi ? Je vois bien que tu souffres. » S'il te plaît, prie-t-elle intérieurement, ne me demande pas de te raccompagner dans le bidonville.

« Tout ira bien, Serabai. Ne vous inquiétez pas. J'ai hâte de rentrer chez moi et de me coucher, voilà tout. S'il vous plaît. »

Sera sent quelque chose se desserrer en elle. Elle exhale un soupir. Elle en a assez d'avoir à s'occuper de cette petite entêtée. Elle en a assez de lutter, de prendre sur elle, face à l'obstination et à l'impolitesse de Maya. Ce serait tellement plus facile et plus agréable de jeter l'éponge.

« Très bien. Puisque c'est ce que tu veux. Je dirai à Bhima de partir dès que je serai rentrée. »

Un taxi s'approche au ralenti et elle lui fait signe de s'arrêter. Maya se colle contre la portière et regarde résolument par la fenêtre. Le trajet s'effectue dans le plus grand silence.

SECONDE PARTIE

12

Ça fait déjà deux mois et la petite refuse toujours de renaître à la vie, songe Bhima. En effet, Maya reste assise dans la cabane jour après jour, telle une grosse statue d'une divinité quelconque. Mais contrairement à un dieu, elle n'a l'air ni furieux, ni vengeur, ni joyeux. Elle ne grimace pas comme Kali, ni ne sourit avec grâce comme Krishna. Non, elle conserve un visage de pierre, à croire que le médecin n'a pas seulement supprimé le bébé, à croire qu'il lui a aussi extirpé les entrailles et extrait le cœur, de même que Bhima retire l'intérieur fibreux des potirons rouges que Serabai mélange à son *daal*. Ce qui fait rire, danser, espérer, aimer et prier les êtres humains, tout ce qui différencie la jeunesse de la vieillesse, la vie de la mort, Maya l'a perdu. Et ne pouvant ni le voler, ni l'emprunter, ni l'acheter pour le donner à sa petite-fille, Bhima ressent terriblement le poids de sa pauvreté, de son âge et de son ignorance. Si j'étais allée à l'école, pense-t-elle, je saurais quoi faire. Je trouverais un remède dans les livres. Je saurais à qui m'adresser – un médecin, un prêtre ou un professeur. Mais comment pourrais-je guérir un mal que je ne peux même pas nommer ?

Peu de temps après l'avortement, elle avait

supplié Maya de retourner à la faculté, mais la jeune fille l'avait envoyée paître avec une telle férocité que ses paroles s'étaient changées en feuilles sèches dans sa bouche. Même chose quand elle lui avait suggéré de chercher un emploi à temps partiel. Il faut dire qu'elle n'y avait pas mis autant d'insistance que pour la pousser à reprendre ses études. De toute manière, il n'était plus question qu'elle retourne chez Banu. Edna, la nouvelle infirmière de jour engagée par Serabai peu après le début de la grossesse de Maya, avait accepté de rester plus tard que la précédente. Par conséquent, à l'idée que Maya devrait travailler chez des étrangers, Bhima sentait son estomac se nouer. Avec Serabai, elle pouvait se persuader sans peine qu'elles donnaient un simple coup de main à quelqu'un de leur famille. Mais elle ne supportait pas de penser que sa petite-fille allait devoir trimer comme elle. C'était justement pour ne pas connaître un tel sort que Maya faisait des études – pour qu'elle puisse se construire une existence différente de la sienne.

Ce soir, Bhima étouffe dans l'atmosphère de la baraque obscure, rendue encore plus pesante par la maussaderie de Maya. « Tu as pris un bain aujourd'hui ? » demande-t-elle, et elle est contente de voir une expression indignée paraître sur le visage de sa petite-fille, qui opine de la tête. Tout n'est donc pas perdu. Maya n'a pas encore atteint le stade où rien ne peut plus vous vexer.

Ce timide espoir l'incite à passer à l'action. Elle éteint le réchaud qu'elle venait juste d'allumer et dit : « Habille-toi ! On va à la mer. On mangera du *panipuri* ou du *bhel*. Ce soir on ne dîne pas à la maison. »

Maya la regarde un instant, puis une lumière naît dans ses yeux. En la voyant se lever prestement, Bhima se sent un peu coupable. Il y a longtemps qu'elle aurait dû y penser. À rester seule toute la journée dans cet endroit misérable, il n'est pas étonnant que Maya se soit changée en pierre. Bhima se maudit d'être vieille au point d'avoir oublié ce dont a absolument besoin une adolescente : de l'air, un changement de cadre, de la compagnie, l'occasion de s'habiller de neuf et de se passer un peu de khôl sur les paupières. Elle a fini par devenir une machine qui n'existe que pour travailler afin de recevoir un salaire, une machine qui a seulement besoin d'eau et de nourriture en quantité suffisante pour lubrifier et faire fonctionner ses rouages. Elle s'adresse des reproches. Comment une machine pourrait-elle savoir ce que pense et ce dont a besoin une jeune fille ? Comment pourrais-tu savoir ce que ressent un jeune cœur palpitant de vie et de désir ? Ne t'étonne donc pas si la pauvre enfant reste toute la journée à la maison, à se dessécher ainsi qu'un grain de raisin.

Elles vont jusqu'à la mer, dans un silence cordial. En approchant de l'eau elles entendent le bruit de l'océan qui bat les rochers, et la légère brume qui s'est levée leur caresse les joues en signe de bienvenue. Maya sourit, un sourire soudain et spontané qui rappelle à Bhima la fillette de sept ans qu'elle avait ramenée de Delhi. « La mer parle », dit-elle, et en voyant l'expression joyeuse,

175

candide, de sa petite-fille, elle sent l'espoir monter en elle comme la brume de mer.

« C'est ce que disait ton grand-père, poursuit-elle. Nous venions souvent ici, quand ta maman et ton oncle Amit étaient petits. »

Maya prend un air songeur, comme chaque fois que Bhima évoque cette famille qu'elles ont perdue. « Raconte-moi, dit-elle. Parle-moi de cette époque. »

Bhima fronce les sourcils, ainsi qu'elle le fait machinalement dès qu'elle repense au passé. Elle opère un tri parmi ses souvenirs, de même qu'elle trie le riz chez Serabai, ôtant les petites pierres pour ne garder que les beaux grains satinés. « On venait ici le samedi. Tous les quatre. Quand ta maman était petite, Gopal la portait. Il n'était pas comme ces maris qui comptent sur leur femme pour tout faire. Non, ton grand-père n'était pas comme ça.

— Et maman, elle était comment ? Quand elle était petite, je veux dire. » Maya a une voix haletante, et, en sentant son impatience, Bhima a le cœur qui vacille un peu.

« Ta maman ? » Elle rit. « Ta maman était comme toi quand tu étais petite – maigre comme un fil de fer, mais solide comme pas deux. Et intelligente, aussi. À peine née, elle savait déjà ce qu'elle voulait. Je me souviens que si je ne lui retirais pas le sein dès qu'elle avait fini de téter, elle me mordait. Elle n'avait pas encore de dents, mais avec ses petites gencives, *ae Bhagwan*, elle arrivait à mordre. En voilà une qui a commencé à se battre dès le jour de sa naissance. »

176

Elles rient. Mais Bhima s'aperçoit que Maya est un peu essoufflée et elle l'entraîne vers le muret de ciment qui court le long de la mer. « On va s'asseoir un peu, dit-elle. Mes jambes commencent à se fatiguer. » En réalité, elle s'inquiète pour Maya. Ce n'est pas normal qu'une fille de dix-sept ans soit essoufflée après une aussi courte marche. C'est le signe que quelque chose ne va pas et elle décide de demander à Serabai de lui conseiller un bon fortifiant. Peu importe ce que ça coûtera, Maya en prendra au moins pendant un mois. Rien ne sera trop cher pour elle, pense-t-elle, et la bouffée de tendresse qui la secoue serait assez puissante pour la faire basculer du muret et tomber dans la mer.

Subitement, elle a envie de tout raconter à Maya. En quelque sorte, c'est son héritage, ce patrimoine de souvenirs que Bhima transporte partout avec elle dans un sac invisible. Le moment est peut-être venu de le lui léguer, avant que le temps ne lui fasse perdre toute sa valeur.

« Ici, autrefois, il y avait un marchand de ballons. Un vieil Afghan. Un Pachtoune. Il était grand et plein de dignité. Les enfants l'adoraient. Pour eux, il donnait à ses ballons des formes extraordinaires. Gopal aimait causer avec lui; il lui demandait comment marchait son petit commerce, où il habitait... mais moi, je ne lui parlais jamais. Je ne sais pas pourquoi, mais c'était comme ça. Aujourd'hui, je le regrette. J'aurais eu tant de questions à lui poser.

— Quelles questions? » chuchote Maya. Ses yeux brillent par anticipation, comme chaque fois que Bhima lui jette quelques miettes de ses souvenirs.

177

« Par exemple, comment il arrivait à vivre si loin de son pays, si sa famille lui manquait, où était sa femme. Parce que je savais qu'il était seul à Bombay. Je le voyais dans ses yeux, tu comprends. Ils renfermaient autant de solitude que la mer. Je le voyais dans ses yeux et pourtant je me taisais. »

Maya se méprend sur ce qu'elle vient de dire. Elle lui pose la main sur l'épaule. « Ce n'est pas grave. Je suis sûre que ce Pachtoune n'était pas malheureux.

— Non, ce n'est pas ce que je voulais dire, rétorque Bhima en secouant la tête dans un mouvement d'impatience. C'est vrai, je m'inquiétais pour lui, mais ce n'est pas pour ça que je regrette de ne pas l'avoir interrogé. » Elle baisse la voix et murmure : « Il me semble qu'il aurait pu m'aider, vois-tu... m'aider à affronter ce qui allait m'arriver à moi, plus tard. Il connaissait le secret, tu comprends ? Le secret de la solitude. Comment vivre avec, comment s'en envelopper, tout en continuant à être capable de fabriquer de belles choses pleines de couleurs, comme il le faisait avec ses ballons. Il aurait pu me le dire, si seulement je le lui avais demandé. »

Elles se regardent un moment, avec une sorte de véhémence. Puis Maya se met à pleurer. « Pardonne-moi, *ma*. Pardonne-moi d'être un fardeau supplémentaire dans ta vie. Je sais ce que tu as vécu et jamais je n'aurais voulu que... »

Les autres personnes assises sur le muret les regardent avec une curiosité non dissimulée et tendent l'oreille sans aucune pudeur. Bhima fusille du regard le jeune homme qui est à côté de Maya, dont elle prend la main, pour qu'elle se lève. « Partons, marmonne-t-elle. Il y a ici trop de gens qui ont des oreilles d'éléphant. »

Tout en marchant, Bhima garde la main de Maya dans la sienne. La douceur de sa peau ne manque jamais de l'émerveiller. C'est pour elle un sujet de fierté, cette main. Parce qu'elle a payé cette douceur de sa propre sueur. Elle se rappelle ses mains à elle, quand elle avait dix-sept ans ; des mains dures, calleuses, car elle avait été placée comme domestique depuis l'enfance. Abîmées par toutes ces années à manier des balais rêches et piquants, à les plonger dans la cendre pour récupérer poêles et marmites jusqu'à ce qu'elles reluisent. Maya a échappé à ce destin. Jusqu'à présent. Bhima fait courir son doigt dans le creux de la paume de sa petite-fille, avec l'impression de caresser du velours.

« Arrête, *ma*, dit Maya en riant à travers ses larmes. Ça chatouille.

— Tu as toujours été chatouilleuse, toi. Depuis toujours. Il suffisait que je te regarde et tu commençais à te tortiller comme un ver. Au début, quand je t'ai ramenée de Delhi, je t'emmenais avec moi chez Serabai. Tu étais tellement intimidée, terrorisée même, que c'était le seul moyen d'arriver à te faire sourire. Serabai te chatouillait et alors tu souriais.

— *Ma*, dit soudain Maya, tu ne m'as jamais vraiment parlé de ça, dit soudain Maya. Qu'est-ce que tu as trouvé en arrivant à Delhi ? »

Bhima se raidit. Une expression fermée, méfiante, retombe sur son visage telle une trappe.

179

« Ça ne sert à rien de parler du passé, dit-elle d'une voix étranglée. C'est déjà assez dur de l'avoir vécu, sans en reparler tout le temps. De toute manière, ce n'est pas quelque chose qu'une jeune fille comme toi a besoin de savoir.

— Tu ne pourras pas me protéger éternellement, *ma*, s'impatiente Maya. J'ai besoin de savoir. Ça me concerne, après tout. C'étaient mes parents – mon papa et ma maman. » Devant l'air buté de sa grand-mère, elle ajoute : « Ça n'appartient pas qu'à toi, *ma*. Ça m'appartient à moi aussi. Le fait que ce soit en ta possession ne signifie pas que tu en sois la propriétaire exclusive. En refusant de m'en parler, tu me voles quelque chose. »

Le visage de Bhima est comme sculpté dans la pierre. En voyant cela, Maya prend une expression rusée. « Je sais de quoi ils sont morts, *ma*, murmure-t-elle. Je sais qu'ils sont morts du sida. »

Bhima regrette de ne pas être restée à la maison. L'air du soir, la mer qui chuchote, l'impression d'être anonymes parmi ces milliers d'inconnus incite Maya à poser des questions qu'elle n'aurait pas posées ordinairement. Elle cherche des yeux un vendeur ambulant, dans l'espoir que sa petite-fille sera distraite par l'odeur des cacahuètes grillées ou des *battatawada* en train de frire.

« Tu as faim ? » demande-t-elle, mais Maya ne répond pas. Elle a le menton pointé en avant et cet air qu'elle avait quand elle travaillait sur un problème de comptabilité difficile à résoudre. Tout à coup, elle demande : « Pourquoi papa et maman sont-ils partis à Delhi en te laissant ici ?

— Parce que ton papa était le meilleur conducteur de poids lourds de son entreprise. Quand son patron est parti prendre sa retraite à Delhi, il l'a emmené avec lui pour être son chauffeur personnel. »

Maya réfléchit. « S'ils n'étaient pas partis à Delhi, peut-être qu'ils n'auraient pas attrapé cette maladie, alors. »

Bhima ne sait trop quoi répondre. « C'était la volonté de Dieu », dit-elle d'un ton mal assuré. Puis, sentant qu'elle doit défendre son gendre, elle ajoute : « Raju était quelqu'un de bien. Il vous aimait beaucoup, Pooja et toi. »

Maya n'est pas satisfaite. « Je suis contente d'être née à Bombay, dit-elle soudain. Je suis vraiment une fille de Bombay. Maman aussi en avait la nostalgie, je m'en souviens. »

Bhima hoche prudemment la tête, s'apprêtant à subir d'autres questions. Elle n'a pas longtemps à attendre.

« Est-ce que grand-père et Amit sont venus à leur mariage ? » demande Maya, et comme Bhima fait signe que non, elle dit : « Et pourquoi ?

— Parce que ta mère ne les avait pas invités. »

Elle passe sur la discussion qu'elle avait eue à l'époque avec Pooja : « Ce n'est pas comme si ton père était mort, avait-elle plaidé. Pense à ce que diront les gens. Une fille dont le père est en vie choisit de se marier sans qu'il soit présent à la cérémonie. »

Mais Pooja n'avait rien voulu entendre. « Ces gens n'auront qu'à repenser à la façon dont il nous a lâchement abandonnées. N'oublie pas, maman, ce n'est pas nous qui sommes parties ; c'est lui qui nous a quittées. Pourquoi devrait-il réapparaître l'espace d'une journée et charmer tout le monde avec ses simagrées ? Que pourra-t-il faire pour nous, si ce n'est se déguiser en héros de cinéma et manger notre pain ? De toute manière, tu l'as dit toi-même, tu es à la fois ma mère et mon père. »

À ces souvenirs, Bhima allonge le pas et Maya se met à trottiner pour rester à sa hauteur. Bhima sent son regard sur elle, qui tente d'évaluer son humeur. Elle déglutit pour ravaler le goût des renvois amers qui lui emplissent soudain la bouche. « Elle aurait dû, lance alors Maya. Maman aurait dû inviter grand-père à son mariage. Si je me marie un jour, moi je l'inviterai. Et aussi l'oncle Amit », ajoute-t-elle sur un ton conciliant.

Bhima a compris le message et elle sait que la petite n'a que de bonnes intentions. Mais cette allusion à un éventuel mariage lui rappelle une fois de plus que Maya est une marchandise endommagée, et elle ne parvient pas à dissimuler son irritation. « Ne pense plus au mariage, dit-elle d'une voix dure. Pense uniquement à tes études et à rien d'autre. »

Maya tressaille. Bhima s'en veut de l'avoir blessée mais, d'autre part, elle est soulagée parce que sa réflexion a mis un terme aux questions de sa petite-fille. Pendant quelques minutes, elles continuent à marcher dans un silence soupçonneux.

« Allons acheter du *bhel*, finit par dire Bhima. Il faut que tu manges un peu. »

Elles savent l'une et l'autre que c'est sa façon de demander une trêve.

La main satinée de Maya se tend vers sa grand-mère. « Je suis contente que tu m'aies prise avec toi quand papa et maman sont morts, dit-elle tout à trac. Je me demande ce que je serais devenue sans toi. »

Elle est comme son grand-père, songe Bhima. Avec des mots pas plus gros que des moustiques, elle réussit à me fendre le cœur. Pour cacher son émotion, elle lui donne de petites tapes sur le bras. « Sotte que tu es, grogne-t-elle. Bien sûr que je t'ai prise avec moi. Tu es de mon sang, non ? Qu'imagines-tu que j'allais faire de toi ? Te vendre à un chiffonnier ? Ou te donner à un cirque ? »

Maya sourit. « Je me demande combien un chiffonnier aurait payé pour m'avoir.

— Cinq *paise*. Et c'aurait été encore trop pour une petite idiote comme toi. »

Leurs deux mains entrelacées, elles continuent à marcher sur le trottoir encombré. Au bout de quelques minutes, Maya incline la tête et la pose sur l'épaule de sa grand-mère. « *Ma* », commence-t-elle, de son ton le plus enjôleur, et Bhima se cuirasse, en vue d'affronter une nouvelle rafale de questions.

Mais Maya dit seulement : « *Ma*, j'ai faim. Est-ce qu'on ne pourrait pas prendre des *panipuri* plutôt que du *bhel* ? »

13

Le télégramme de Delhi disait seulement :
POOJA ET RAJU MALADES STOP VENEZ IMMÉ-
DIATEMENT STOP.

Bhima était partie dès le lendemain matin. Serabai l'avait aidée à réserver une place dans le train.

Le sida ?

Dans le couloir sale et bondé de l'hôpital public
où Pooja était couchée sur un grabat mangé aux
mites, un jeune médecin à l'air épuisé lui avait
jeté ce mot sans aucun ménagement. « Votre fille
a le sida. Votre gendre l'a contaminée. Vous avez
compris ? Il n'en a plus que pour quelques jours.
Quant à – il consulta une feuille fixée à une plan-
chette –, quant à Pooja, c'est difficile de dire
combien de temps elle restera encore parmi nous.

— Le sida ? C'est une sorte d'empoisonnement
alimentaire ? » C'était la seule raison susceptible
d'expliquer pourquoi Pooja et Raju étaient aussi
maigres.

Le médecin écarquilla les yeux. « Vous ne savez
pas ce que c'est que le sida ? » Et comme elle
secouait la tête, il ne chercha même pas à dissimuler son écœurement. « Ah, vous autres ! On se
demande bien pourquoi le gouvernement dépense

des millions de roupies pour essayer de vous éduquer concernant la limitation des naissances et ce genre de choses. C'est un combat perdu d'avance. » Il la considéra encore un instant avant de se retourner pour partir. « Je n'ai pas le temps de vous faire un cours de médecine. J'ai des centaines d'autres malades à voir. Et de toute manière, je suis médecin, pas professeur, bon Dieu ! » Il s'éloignait déjà, quand il s'immobilisa brusquement. « Si vous voulez mon avis, vous feriez bien d'aller dire adieu à votre fille. » Puis, voyant sa stupeur, il ajouta : « Je suis désolé. »

Bhima resta plantée dans le couloir, incapable de faire un pas. Pooja et Raju allaient mourir ? Avait-elle bien entendu ? Ou alors, ignorante qu'elle était, avait-elle mal interprété les paroles du médecin ? Et puis pourquoi avait-il semblé tellement furieux après elle ? Elle promena le regard dans l'interminable corridor et vit des centaines de personnes qui allaient et venaient, l'air aussi hébétés et aussi accablés qu'elle. Des centaines de personnes et pourtant jamais elle ne s'était sentie plus seule. À Bombay, elle aurait su quoi faire. Elle aurait pu téléphoner à Serabai pour lui dire de parler à ce jeune docteur. En pareille situation, même un voisin du *basti* lui aurait porté assistance. Elle aurait ravalé son amour-propre et demandé de l'aide. Pour Pooja, elle se serait mise toute nue et aurait été demander du secours en marchant sur les genoux. Elle aurait fait n'importe quoi pour la délivrer de cette horrible maladie dévoreuse de chair, qui était en train de la tuer. Soudain, ses jambes se dérobèrent sous elle et, tel un ressort, sa main se tendit vers le mur maculé de taches de *paan*, pour y chercher un appui.

« *Ae*, quelqu'un pour aider cette femme ! entendit-elle quelqu'un dire, et deux bras la saisirent par les aisselles. Doucement, *didi*, doucement, dit une autre voix. Venez vous asseoir une minute sur ce banc. »

Sa tête lui paraissait aussi légère qu'une pastèque évidée. Elle resta assise, les yeux fermés, jusqu'à ce que les nausées et les vertiges se dissipent, puis elle les rouvrit parce que le visage amaigri de Pooja agonisante flottait devant elle. En se retournant pour remercier son bienfaiteur, elle vit que c'était un jeune homme portant une courte barbe. « Dieu vous bénisse, *beta* ! lui dit-elle.

— Je m'appelle Hyder, répondit-il en se relevant d'un bond. Permettez-moi d'aller vous chercher un verre d'eau. » Et avant même qu'elle ait pu dire un mot, il était parti.

Elle le vit revenir vers elle en se faufilant parmi une foule de parents et d'amis de plus en plus nombreux. « Tenez, *didi*. De l'eau bien fraîche. »

Elle eut une seconde d'hésitation. Jamais encore elle ne s'était servie du même ustensile qu'un musulman et les principes auxquels elle avait cru toute sa vie se mirent à tourbillonner dans sa tête. Puis elle examina le lieu infernal dans lequel elle se trouvait – elle prit note des visages creusés et dévastés des mourants, des figures hagardes et vieillies de leurs parents, de l'atroce odeur d'urine et de mauvais tabac flottant dans l'air ainsi que le nœud coulant du bourreau. Elle reporta ensuite les yeux sur la physionomie bienveillante de Hyder et réalisa que dans cet endroit pourtant si plein de monde, il avait été le seul à lui porter secours.

Elle but. L'eau rafraîchit son gosier desséché.

« Vous n'êtes pas de Delhi, *didi* », dit-il tout en la regardant boire. C'était une constatation plutôt qu'une question.

« Non, de Bombay, répondit-elle entre deux gorgées. Mais ma fille et son mari habitent ici. J'ai pris le train et je suis arrivée hier.

— Je vois... Et votre fille est ici ? »

Les larmes lui montèrent aux yeux sans prévenir. « Ma fille et mon gendre, tous les deux. Lui, il est dans la salle des hommes. »

Elle était étonnée de voir que Hyder ne l'était nullement. « C'est classique. Le mari l'attrape et le passe à sa femme. »

Une soudaine colère la saisit. C'était donc la faute de Raju ? Qu'avait-il fait ? Il avait ramené de la nourriture avariée à la maison ? Ou bien s'agissait-il d'une maladie comme la malaria, qu'une personne peut passer à une autre ?

« Qu'est-ce qu'il fait, le mari ? Comment transmet-il la maladie ? »

Hyder rougit. Il examina Bhima comme s'il se demandait ce qu'il allait lui dire. À son tour, elle le regarda avec des yeux suppliants. « *Beta*, si je dois trouver un remède pour ma fille, il faut que je sache ce que c'est, ce sida. Je suis une analphabète, une ignorante. Le docteur était trop occupé pour me donner des explications.

— Il n'y a pas de remède », déclara Hyder, et elle frémit face à l'impitoyable cruauté de ces mots. « C'est la première chose à savoir, *didi*. Personne ne survit à cette terrible maladie. » Sa voix s'adoucit quand il prit conscience des ravages que produisaient ses explications. « À ce qu'on dit, ce serait une maladie du sang. Les hommes l'attrapent – il battit des paupières pour tenter de cacher sa gêne – en ayant des rapports avec de mauvaises filles. Des prostituées, par exemple, ajouta-t-il afin de bien se faire comprendre. Ensuite ils rentrent chez eux et contaminent leur femme. On dit que les rues de Delhi en sont remplies, remarqua-t-il à mi-voix. Celles de Bombay aussi, probablement. »

Bhima était sous le choc. « Mais mon Raju n'est pas comme ça. Ma Pooja et lui étaient heureux en... »

Hyder se mordilla la lèvre inférieure. « Je ne parlais pas de votre Raju, *didi*. » Puis sa figure s'éclaira. « Il paraît qu'on peut avoir cette saleté dans le corps pendant des années et des années, avant qu'elle se manifeste. Par conséquent, vous voyez, votre Raju l'avait peut-être déjà avant de se marier. »

Bhima fixait le jeune homme, comme hypnotisée. « Une sorte de malédiction, alors, murmura-t-elle. » Et voyant qu'il ne comprenait pas, elle précisa : « Quelqu'un vous jette un *jadoo* par exemple en glissant des rognures d'ongles sous votre matelas ou bien en plaçant sur votre chemin des piments et des citrons verts enveloppés dans un vieux chiffon –, des années passent et vous vous croyez tranquille. Et puis, un jour, un malheur arrive et vous vous apercevez que la malédiction pesait sur vous depuis tout ce temps. C'est seulement qu'on ne le savait pas.

« — Exactement, s'écria Hyder. C'est exactement comme une malédiction, *didi*.

— Sauf que dans notre cas, la malédiction c'était mon gendre, conclut Bhima d'un ton amer. »

Les jours suivants, Bhima s'appuya sur Hyder comme sur une canne. Au royaume des malades, sa bonne santé et son énergie suppléaient à ses forces déclinantes. Il ne cessait de faire la navette entre le chevet de son ami – un jeune homme de vingt-deux ans que ses parents avaient renié – et celui de Pooja, que Bhima ne quittait pas.

Il était là le jour où Pooja alla voir son mari. Bien qu'elle fût dans un état de faiblesse extrême, elle avait tenu à parcourir le long couloir menant à la salle des hommes, afin de rendre une dernière visite à Raju. Comme toujours, Bhima s'était trouvée impuissante face à la détermination de sa fille. On aurait dit que cette volonté inflexible était la seule chose qui lui restait, la seule chose, dans cet être altéré, que Bhima reconnaissait encore. Ses doigts décharnés enfoncés dans le poignet de sa mère, d'un côté, et s'appuyant de l'autre sur le bras de Hyder, elle se mit en chemin. Cette marche lente, vacillante, fit à Bhima l'effet d'un cortège funèbre, ce que c'était du reste, puisque le temps qu'ils arrivent tous trois auprès de Raju, on ne savait plus trop s'il était mort ou vivant. Au cours de cette marche, Bhima vit mourir une part d'elle-même, comme si la vieille machine grinçante qu'était son cœur était tombée définitivement en panne. Hyder, lui aussi, raide de fatigue à force de veiller son ami moribond, avait l'air solennel et figé d'un condamné à mort. Quant à Pooja...

Bhima grimaça en voyant le mal qu'elle avait à s'asseoir sur la chaise pliante qu'un garçon de salle avait placée à côté du lit de Raju. « Pardon, *bhagwan*, se dit-elle. J'ai dû commettre beaucoup de vilains péchés au cours de ma vie précédente pour être punie par ce *janam*. Voir sa propre fille souffrir de la sorte est sûrement un châtiment réservé aux assassins et à des criminels particulièrement odieux. »

« Raju, chuchota Pooja. Raju, ouvre les yeux. Regarde, c'est ta Pooja. J'ai tenu les deux promesses que je t'avais faites, mon cher mari. Je t'avais dit que tu ne mourrais pas seul et que je ne t'abandonnerais pas sur cette terre de souffrance. Tu t'en vas le premier, mais je ne tarderai pas à te suivre. »

Les yeux de Raju étaient ouverts. Il regardait fixement sa femme mais Bhima se demandait s'il la voyait. Sa main droite, qui était posée sur sa poitrine, se souleva un peu en tremblant. Aussitôt Pooja la prit dans la sienne, le visage déformé par les efforts qu'elle faisait. Elle la caressa un instant avant de la lui reposer délicatement sur la poitrine. Les yeux de Raju restèrent ouverts pendant une minute. Puis il les referma, tandis que sa respiration redevenait saccadée et entrecoupée. Pooja se tourna vers sa mère, les yeux opacifiés par la terreur. « Maman ! s'écria-t-elle. Prenons notre Raju et rentrons à la maison. J'ai peur de ce qui va arriver si nous restons dans cet enfer. »

Ne sachant quoi dire, Bhima interrogea Hyder du regard. Bien sûr, son plus cher désir aurait été d'embarquer ses deux malades dans un taxi pour les ramener à la maison, où elle pourrait leur préparer des plats savoureux et reconstituants et les soigner afin de leur rendre la santé. Mais l'inquiétante remarque de Hyder disant que personne ne réchappait de ce mal monstrueux avait mis un frein à son envie. Avant qu'elle ait pu trouver une réponse, Pooja reprit dans un murmure : « Non, c'est la volonté de Dieu que nous mourions ici, parmi des inconnus. Notre destin a été décidé avant même notre naissance. C'est ainsi. On n'y peut rien. »

Elle insista pour rester assise sur la chaise pliante, dans la travée exiguë séparant le lit de son mari de celui de son voisin. À plusieurs reprises, Bhima tenta de la convaincre d'aller se recoucher, mais elle finit par renoncer. Il était clair que Raju ne passerait pas la nuit et il était important pour Pooja de tenir la promesse qu'elle lui avait faite, Bhima s'accroupit donc par terre, auprès de sa fille, dans l'obscurité remplie de grognements, de gémissements et de quintes de toux. Mais c'étaient les odeurs qui l'incommodaient le plus – les émanations douceâtres du phénol avec lequel les garçons de salle lavaient le carrelage, les effluves piquants de l'insecticide vaporisé dans la salle pour tuer les moustiques grouillant autour des lits humides et, surtout, les relents de mort qui planaient dans l'atmosphère, telle une effrayante menace. De temps à autre, elle trouvait le courage de prendre dans la sienne la main transparente de Pooja, en luttant contre sa répulsion quand elle rencontrait l'os au lieu de la chair. Dire qu'elle avait tant travaillé, tant lutté, pour que cette main devienne potelée.

Et tout ça pour quoi ? Pour qu'un homme inocule à sa fille un mal qui allait la transformer en squelette. Elle regardait avec amertume le lit où Raju livrait un combat silencieux contre la mort et constatait qu'elle ne parvenait pas à rassembler assez d'énergie pour le haïr. Elle éprouvait seulement de la pitié, une pitié déchirante pour le moribond, pour sa Pooja, pour elle-même, pour Hyder, pour tous ceux qui étaient enfermés avec elle, dans cet hôpital.

Elle sentit Pooja remuer à côté d'elle. « Pourquoi ne m'as-tu pas télégraphié plus tôt ? murmura-t-elle alors, avant de regretter sa question en voyant un voile de tristesse passer comme un nuage sur le visage de sa fille.

— Je ne sais pas, maman. Raju voulait que personne ne le sache. Et surtout pas toi. Il avait tellement honte, tu comprends ? Et puis, pendant longtemps, il était le seul à être malade. Il avait des rhumes qui duraient des semaines, des plaies dans la bouche qui ne voulaient pas guérir. Des crampes d'estomac. *Arre Bhagwan*, ces crampes d'estomac qu'il avait ! » Elle frissonna et déglutit en passant la langue sur ses lèvres sèches et craquelées. « Mais je ne m'en faisais pas parce que j'étais solide. Je me disais que j'étais capable de prendre soin de lui et de Maya. Il n'y avait donc pas de raison de t'inquiéter. Mais il y a environ six mois, j'ai commencé à être malade, à mon tour. Alors, j'ai...

— Six mois ? s'exclama Bhima, incapable de dissimuler son indignation. Tu es malade depuis six mois et tu ne m'as rien dit ? Voyons, ma fille, je serais venue pour t'aider...

— Je sais, maman, je sais. De toute manière, ce qui est fait est fait. C'est le dessein de Dieu pour ta malheureuse fille. » Elle se tut ensuite un long moment. L'effort qu'elle avait déployé pour parler l'avait complètement épuisée et Bhima s'en voulait. « Tu as raison, dit-elle en tapotant sa main osseuse. Ça ne sert à rien de revenir sur le passé. Et maintenant, repose-toi. »

Longtemps, elles avaient gardé le silence. Puis, comme si leur conversation ne s'était jamais interrompue, Pooja recommença à parler. Si bas que Bhima dût tendre l'oreille pour l'entendre. « Tu comprends, on n'a su ce qu'était cette maladie que lorsque ma santé s'est vraiment détériorée, il y a environ trois mois. Alors, Nanavatisahib – le patron de Raju – a insisté pour qu'on fasse un examen de sang. Raju lui racontait que je n'arrivais plus à dormir, que je me réveillais en tremblant et en sueur. Et quelque chose a fait tilt dans l'esprit de Nanavatisahib. C'est la première fois que nous avons mis les pieds dans cet hôpital de malheur. Mais on ne se doutait pas qu'on allait vite si bien le connaître. Aujourd'hui, bien sûr, je le vois même dans mes rêves. »

Tout en sachant qu'elle n'aurait pas dû, Bhima ne put s'empêcher de demander : « Et... comment Raju a-t-il attrapé cette maladie ? »

Le visage de Pooja se ferma. « À quoi bon poser cette question, maman ? Ce qui est fait est fait. C'est mon mari. Et jusqu'à ce malheur, il m'a toujours traitée comme une reine dans sa maison. »

Comme s'il avait entendu son nom, Raju poussa un grognement. Bhima se releva d'un bond pour lui caresser les pieds. « Raju *beta*. Tout va bien. Nous sommes auprès de toi, *beta*. Dors maintenant. »

Mais Raju se mit à gémir encore plus fort, une plainte poignante et empreinte d'une si effroyable solitude que Bhima en eut la chair de poule. C'était la plainte d'un homme véritablement seul, un homme debout au bord d'une rivière, à un endroit où personne ne peut venir le rejoindre. Ce cri emporta les dernières résistances de Bhima. « Raju, s'écria-t-elle. Regarde, ta Pooja est là auprès de toi. Moi aussi je suis là. Je prendrai soin de Pooja, je te le promets. Et de Maya. J'élèverai Maya comme si c'était ma propre fille. Tu n'as pas à t'inquiéter, Raju *beta*. Pars maintenant. Va-t'en en paix. »

La mâchoire de Raju remua à plusieurs reprises. Sa bouche s'ouvrit puis se referma. Un souffle puissant et entrecoupé s'en échappa, qui fit frémir son corps tout entier. Ses mains battirent deux ou trois fois contre sa poitrine. Et puis, plus rien.

Bhima et Pooja se regardèrent, hébétées, incapables de prononcer un mot. Bhima s'était vaguement rendu compte que Hyder, qui était revenu en courant vers le lit de Raju, lui disait quelque chose. Mais elle ne l'entendait pas. Elle voyait encore dans son esprit comment la mort s'était emparée du corps dévasté de son gendre. Elle était comme assommée d'avoir assisté à la démonstration de sa puissance brutale et intempestive, la façon dont le poids écrasant de son souffle pernicieux avait fait trembler le corps frêle de Raju.

Les joues ruisselantes de larmes, Pooja détourna lentement le regard de son mari mort et le posa

194

sur sa mère. « Bientôt, ce sera mon tour, » dit-elle à mi-voix.

Une heure plus tard, deux hommes vinrent chercher Raju. Sans dire un mot, ils enveloppèrent dans un drap son cadavre aussi brun et aussi friable qu'un pot d'argile et l'emportèrent dans le couloir. Deux hommes qui accomplissaient leur tâche sans état d'âme. Leur haleine sentait l'alcool, ce qui indigna Bhima. Elle faillit s'emporter à cause de ce manque de respect, quand elle remarqua que les familles stationnant dans le couloir s'écartaient à peine et n'interrompaient qu'un instant leurs conversations pour laisser passer la dépouille rata- tinée de Raju. Oh! bien sûr, chacun portait, par déférence, la main à son front, quand le petit cor- tège parvenait à son niveau, mais Bhima voyait bien que ce geste machinal était dû à l'habitude et à la superstition plutôt qu'à une tristesse authen- tique face à la disparition d'un être humain. Une fois les porteurs passés, les bavardages reprirent aussitôt, comme si le corps de Raju n'avait été qu'un de ces cailloux qu'on jette dans une mare, faisant naître quelques rides à la surface de l'eau, avant que son immobilité se rétablisse. Il semblait que l'indifférence envers la mort était de règle dans tout l'hôpital. Ou alors, ce n'était pas du tout de l'indifférence, mais le signe d'une lassitude extrême – à croire qu'il fallait tellement d'énergie pour secourir les vivants qu'il n'en restait plus pour pleurer les morts.

Le temps d'arriver dans le terrain vague situé derrière l'hôpital, où une douzaine de bûchers funéraires brûlaient, il était déjà six heures du matin. Il s'en élevait une fumée noire de la couleur du désespoir. De temps à autre, quand il rongeait des os, le feu crépitait. Bhima regarda le cadavre de Raju qu'on déposait sur des morceaux de bois soigneusement disposés. Hyder avait laissé son ami moribond pour assister à l'incinération. Malgré la fumée des bûchers voisins qui lui brûlait les yeux, Bhima ne détourna pas le regard au moment où les flammes qui s'élevaient haut dans le ciel s'attaquèrent à la dépouille de son gendre, avec à l'arrière-plan le ciel qui s'embrasait du côté de l'est. Une odeur épouvantable, douceâtre et putride, une odeur de coton humide et d'antimite se dégagea et lui donna la nausée. Elle regarda pourtant le corps de Raju se transformer en cendres. Elle fixait toute son attention sur les flammes bondissantes qui léchaient le cadavre ainsi qu'une langue cruelle. C'est bien, se disait-elle sans conviction. Ce pauvre garçon a tant souffert. Sa mort est une délivrance, pas une punition. Tu ne dois pas l'oublier.

Mais ensuite elle pensa à Pooja et à la petite Maya dont elle aurait bientôt la charge et son être tout entier se rebella contre ce qui était en train d'arriver, à tel point qu'elle éprouva une envie de s'élancer dans le brasier pour ordonner aux flammes de cesser de dévorer ce corps, pour exiger que Raju sorte de cette dernière demeure de bois et de cendres, afin d'assumer ses responsabilités, de s'avancer vers Pooja en lui enjoignant de faire croître de la chair sur ses os et de regagner le domicile conjugal, avec son enfant et un mari en pleine santé. Elle aurait voulu pouvoir remonter le temps, pour se retrouver au jour du deuxième anniversaire de Maya, quand Pooja et Raju l'avaient invitée à dîner et qu'elle avait apporté une tenue toute neuve pour sa jolie petite-fille : des souliers rouge et blanc, une robe rose avec un nœud assorti pour mettre dans ses cheveux. Elle aurait voulu pouvoir donner un tour différent à la discussion qu'ils avaient eue après le dîner, au moment où Raju lui avait annoncé qu'il allait avoir un nouvel emploi, beaucoup mieux payé, ce dont elle s'était réjouie jusqu'à ce qu'il précise qu'il leur faudrait partir à Delhi. À l'époque, elle s'était forcée à sourire, en faisant taire les protestations de son cœur; elle avait dit à Raju d'agir au mieux des intérêts des siens et expliqué à sa fille attristée que sa place était auprès de son mari et non de sa vieille mère. Mais aujourd'hui, elle regrettait. Aujourd'hui, elle aurait aimé revenir en arrière et exprimer sa désapprobation; elle regrettait de ne pas avoir dit à Raju que la famille passait avant l'argent, qu'elle prendrait un travail d'appoint pour compenser le manque à gagner qu'il aurait en restant à Bombay. Aujourd'hui, elle n'aurait aucun scrupule, aucune pitié : elle rappellerait à Pooja qu'elle n'avait qu'elle, que lui enlever son unique petite-fille équivalait à un meurtre, qu'elle était âgée et qu'après sa mort ils pourraient allaient n'importe où – à Delhi, à Calcutta, sur la lune – mais pas tant qu'elle vivrait.

Une sorte de gargouillis lui sortit de la gorge et Hyder posa une main hésitante sur son épaule.

« Soyez courageuse, *didi,* dit-il d'une voix plus vieille que son âge. Pour votre fille, soyez courageuse. »

Elle eut envie de dire : Pour ma fille, je peux être n'importe quoi : courageuse, forte, téméraire. Pour elle, je pourrais marcher sur du verre pilé, me coucher sur des charbons ardents, traverser des eaux glacées. Mais ma fille n'est plus sur terre que pour quelques jours. Bientôt, il y aura ici un autre bûcher funéraire pareil à celui-là. Sauf que cette fois, il accueillera le corps de l'enfant que j'ai mise au monde, l'enfant qui me mordait le bout des seins quand je la nourrissais, la petite fille de six ans qui avait vomi après avoir englouti six bananes d'affilée, la gamine de onze ans qui était rentrée en pleurs de son travail chez Benifer Ouvrebouteillewalla, parce que ses règles étaient arrivées et qu'elle avait cru qu'elle allait se vider de son sang ; l'adolescente de seize ans devenue grave et silencieuse, parce que son père nous avait abandonnées comme une vieille paire de chaussettes. Et après ces secondes funérailles, après que Pooja se sera transformée en cendres sous mes yeux infortunés, que j'aurai eu l'immense chagrin d'être témoin de sa mort, je voudrais pouvoir fondre comme de la glace, m'émietter comme du sable, me dissoudre comme du sucre dans un verre d'eau. Je vais souhaiter ne plus exister, comprenez-vous, Hyder ? Parce que, essayez de comprendre, j'avais autrefois deux enfants et maintenant je n'en ai plus un seul. Ma fille est morte et mon fils a disparu, évanoui, volé par cette bête immonde que j'avais pour mari. Et une mère sans enfants n'est plus une mère, et si je ne suis pas

198

une mère, je ne suis rien. Rien. Je suis pareille à du sucre dissous dans un verre d'eau. Ou plutôt, à du sel qui se fond dans les plats. Je suis ce sel. Sans mes enfants, je n'existe plus.

Pour une femme comme moi, Hyder, la mort serait un cadeau. Je l'accueillerais comme j'ai accueilli l'amour autrefois. Mais les dieux sont cruels, Hyder. Si jeune que tu sois, tu es en train d'apprendre cette leçon. Ainsi, à cette Bhima, cette Bhima laide, malchanceuse, ignare, illettrée, les dieux vont encore jouer un tour de leur façon, parce qu'ils savent qu'elle n'est pas assez maligne pour riposter. Car il y a Maya. La chair de ma chair. Que deviendra-t-elle si je saute dans le bûcher funéraire comme j'en ai envie ? Qu'advient-il d'une orpheline dans les rues de Delhi ? Toi et moi connaissons la réponse, Hyder. Par conséquent, il faut que je vive. Bien que je sois déjà morte, je sais que je vais devoir vivre. Parce qu'on ne vit pas que pour soi, *hai na, beta* ? La plupart du temps, on vit pour les siens, on continue à mettre un pied devant l'autre, gauche droite, gauche droite, si bien que la marche devient un réflexe, tout comme la respiration. Inspiration expiration, gauche droite. Il faut me pardonner, *beta,* je sais que je te trouble. Moi-même, je ne sais plus où j'en suis... il n'y a pas d'air ici, on dirait que le feu l'a avalé, tant il est chaud et exigu, de même que l'entrée de la forêt de Ravan, et cette odeur, *beta,* une odeur de fleurs flétries, de toiles d'araignée, de boules d'antimite et de pourriture, cette odeur est entrée dans ma tête et elle ne me quittera jamais, je le sais, cette odeur me poursuivra jusqu'à mon dernier jour, je la sens qui pénètre dans mes os, qui se dépose dans mon sang comme de la poussière...

Hyder la rattrapa au moment où elle s'effondrait.

Le lendemain, Bhima emmena Maya à l'hôpital et en fut récompensée par un faible sourire de Pooja. « *Ae, chokri* », dit-elle tendrement à l'enfant, qui s'appuyait contre sa grand-mère. Viens ici. À peine quelques semaines et tu as déjà oublié ta maman, dis ? »

Maya s'approcha prudemment. « J'ai fait quelque chose pour toi, à l'école, » dit-elle en lui tendant un dessin de fleur.

Pooja regarda distraitement le dessin, avec un sourire las.

« C'est bien, tu vas à l'école. Il faudra que tu sois la première de ta classe, *achcha* ? »

Maya sourit timidement. « Je le suis déjà. »

Épuisée, Pooja ferma les yeux. « Elle s'endort, remarqua Maya, d'un ton accusateur. Je ne lui ai même pas raconté ce que m'a dit la maîtresse. Et pourquoi est-ce qu'elle est si vilaine ? ajouta-t-elle après avoir examiné sa mère.

— *Chup re,* méchante. Ta maman est toujours aussi belle. Il faut seulement que tu la regardes très fort pour le voir, voilà tout. »

Maya s'approcha encore d'un pas et scruta le visage de sa mère endormie. « Je regarde fort-fort, mais je la trouve toujours vilaine. » Sur ce, elle se mit à pleurer.

Bhima franchit l'espace qui les séparait pour la prendre dans ses bras. Au même moment, la sœur de la malade qui était couchée deux lits plus loin éclata en lamentations aiguës, des cris à faire dresser les cheveux sur la tête. « Ô *Bhagwan*, ma sœur est morte! hurlait-elle. Ô, ma grande sœur, réponds-moi, parle-moi! Ô mon Dieu, prends-moi aussi, pourquoi m'as-tu laissée seule sur cette terre de solitude? » En l'entendant, Maya commença à trembler. « J'ai peur, *ma*. Je veux rentrer à la maison. »

N'y tenant plus, Bhima se retourna vers la femme éplorée en s'écriant : « Taisez-vous. Vous faites peur à tout le monde. Qu'est-ce que vous croyez? Que vous êtes la seule ici à avoir de la peine? Que les autres sont des colonnes de pierre? » De voir la femme se figer, la bouche ouverte, ne fit qu'attiser sa colère. Elle avait un goût amer dans la bouche, comme si elle avait ingurgité les cendres du bûcher de Raju, et les paroles cruelles qui sortaient de sa bouche étaient empreintes de cette amertume. « Femme sans vergogne, reprit-elle, à moitié consciente que tout le monde, malades et visiteurs, la regardait horrifié. Gardez vos larmes pour vous. Même si vous vivez jusqu'à cent deux ans, vous ne connaîtrez jamais la douleur qu'ont connue certains d'entre nous. Pleurer comme ça pour une sœur, alors que moi, je dois voir ma propre fille...

— Silence! » Une voix masculine s'éleva, couvrant la voix de Bhima. « Vous n'avez donc pas honte, la vieille? » C'était le médecin qu'elle avait rencontré dans le hall quelques jours plus tôt, mais il n'avait pas l'air de la reconnaître. « Qu'êtes-vous donc tous, des animaux? Vous n'avez donc aucun respect pour la mort ou la douleur d'autrui ? Vous vous disputez comme des chiens sauvages. » Il dominait de toute sa hauteur Bhima qui pressait étroitement la tête de Maya contre elle, comme si elle voulait empêcher l'enfant d'entendre les reproches que lui adressait le médecin. « On est dans un hôpital, ici, pas dans un de vos taudis, fulminait-il. Si vous n'êtes pas capable de vous soumettre au règlement de l'hôpital, prenez votre malade et rentrez chez vous. »

Bhima sentit un filet de sueur naître dans le creux de sa nuque et ruisseler le long de son dos. Ses yeux s'emplirent de larmes et elle regarda Pooja à la dérobée pour voir si celle-ci avait été témoin de son humiliation. Mais Pooja avait toujours les paupières closes. Très lentement, Bhima releva les yeux et les posa sur le col de la blouse blanche du médecin. « Excusez-moi, docteur *sahib. Maaf karo.* Pardonnez-moi, je vous en prie. »

Le médecin parut vouloir ajouter quelque chose, quand il aperçut Maya qui se cachait derrière sa grand-mère et se ravisa. Il regarda Bhima pendant une minute. « C'est une situation sans espoir, marmonna-t-il, assez fort toutefois pour que Bhima l'entende. Cet hôpital... tout... c'est sans espoir. J'aurais dû partir en Amérique quand j'en avais la possibilité. Là-bas, au moins, on a du respect pour la vie humaine. »

Il s'éloigna, laissant un long silence dans son sillage. Quelques personnes, apparemment satisfaites qu'elle se soit fait ainsi étriller, lancèrent à Bhima des regards hostiles. D'autres détournèrent les yeux, embarrassées. La jeune femme qui était à l'origine de l'incident se mit à pleurer sans bruit, la tête sur les jambes de sa sœur morte. Maya tirait sur le sari de sa grand-mère en pleurnichant. « On s'en va, *ma*. Je veux rentrer à la maison.

— Attends un peu, *beta*. Va t'asseoir une minute à côté de ta mère.

— J'ai pas envie.

— Alors, attends-moi ici. Je reviens tout de suite. »

Bhima alla vers le lit de la sœur morte. En entendant son pas, la femme releva la tête, avec une expression inquiète. « Je compatis à votre chagrin, dit-elle, prise de remords. Et je vous demande pardon d'avoir été si dure. Je vous supplie de trouver dans votre cœur de quoi me pardonner. Je sais ce que... hier j'ai fait incinérer mon gendre. Et c'est ma fille qui est là-bas. Mais tout de même, mes paroles cruelles étaient...

— Ce n'est pas la peine de demander pardon, répondit lentement l'autre. Il n'y a pas de pardon dans ces lieux. D'ailleurs, vous aviez raison. Ici, pour ce qui est du malheur, nous avons tous gagné le gros lot. »

Maya avait fini par rejoindre sa grand-mère. « On s'en va, *ma*, s'écria-t-elle. Je déteste cet endroit.

— Il est temps que je la ramène à la maison. Elle est trop jeune pour comprendre, dit Bhima en baissant la voix et en avançant la main droite pour la poser délicatement sur la tête de la femme endeuillée. Que Dieu vous garde, *beti*. Et souvenez-vous : Dieu est là pour ceux qui n'ont plus personne. »

Au cours des quinze jours suivants, Bhima commença à ressembler elle aussi aux malades de l'hôpital. Le matin, elle se levait de bonne heure, habillait Maya et l'emmenait chez une voisine. Puis elle partait rendre visite à sa fille. La plupart du temps, elle déjeunait d'une banane. Quelquefois, dans l'autobus, elle s'appuyait contre la fenêtre et, en surprenant son reflet dans la vitre, elle s'apercevait que des cernes noirs entouraient ses yeux et que son visage était en train de devenir aussi las et émacié que celui de Pooja. Mais elle prenait note de ces transformations avec une sorte d'indifférence, comme si elle ne reconnaissait pas vraiment la physionomie qui la regardait. Elle était distraite. Trop de pensées contradictoires s'agitaient dans sa tête, en bourdonnant comme des abeilles. Elle savait qu'elle aurait dû prévenir Gopal que sa fille était mourante. Malgré l'état où l'alcool l'avait plongé, elle savait qu'il aurait fait n'importe quoi afin d'arriver à Delhi à temps pour voir sa fille. Mais comment le contacter ? Elle avait seulement l'adresse de son frère aîné, enfouie quelque part au fond d'une vieille valise que lui avait donnée Serabai. Qui pourrait-elle charger d'aller y fouiller ? Il était impossible de demander à Serabai d'aller au *basti* pour dire à un voisin de le faire. De plus, depuis qu'elle était à Delhi, elle n'avait même pas trouvé le temps de chercher quelqu'un qui pût écrire à sa patronne pour la mettre au courant de la situation. Elle avait conscience que Serabai devait s'inquiéter, mais maintenant qu'elle était plongée dans cet univers où le temps s'était arrêté, son existence passée lui semblait irréelle. Comme si elle ne se sentait vivante et indispensable que dans cet hôpital, dans ces lieux de souffrance et de mort. Tout le reste n'était plus qu'un vague souvenir, une ombre floue.

Peut-être était-ce là sa punition pour ne pas avoir invité Gopal au mariage de Pooja. Après tout, elle savait que ça portait malheur de marier une fille sans que son père soit présent pour la confier à son époux. Rien d'étonnant si ce mal s'était abattu sur Pooja. Il est dans la nature des maladies de s'en prendre aux plus faibles et aux plus vulnérables. Elle n'aurait pas dû écouter Pooja qui vitupérait contre son père absent. Pooja n'était qu'une petite sotte, que savait-elle de la traîtrise des dieux, de l'acrimonie du destin ? Mais elle, Bhima, avait plus d'expérience. Elle se souvenait de Seema, cette femme qui habitait au rez-de-chaussée de l'immeuble de ses parents. À l'occasion du Diwali, alors que Bhima avait douze ans, les voisins s'étaient tous réunis dans la cour pour faire exploser des pétards et échanger des friandises. Tous sauf Seema et son mari. Malgré les crépitements et les grésillements des fusées, on les avait entendus se disputer. Les invectives de Seema s'échappaient de la fenêtre, aussi cinglantes que les fusées qu'on lançait : « Fainéant indécrottable... bon à rien... À rester couché toute la journée... ça vaudrait mieux pour moi que tu sois mort, mort comme cette chose que tu as entre les jambes... » Quelques fêtards irrités étaient allés frapper à sa porte pour lui demander de parler moins fort et elle s'était tue. Mais quatre mois plus tard, elle avait fait silence définitivement quand, en rentrant de son travail, elle s'était couchée pour ne plus jamais se réveiller. Au souvenir des malédictions dont elle avait abreuvé son mari, les voisins avaient hoché la tête en songeant aux ruses des dieux. « Ils lui ont retourné ses paroles et les lui ont fait manger », avait déclaré la mère de Bhima.

Un jour, à son arrivée à l'hôpital, Bhima trouva Hyder assis au chevet de Pooja. « Comment va-t-elle ? » demanda-t-elle, et il s'éclaira d'un grand sourire. « Très bien. Le docteur vient de passer et il a même dit que Pooja avait l'air en pleine forme. »

Bhima regarda sa fille, heureuse de constater que la présence de Hyder l'avait effectivement égayée. « Tu as bien dormi cette nuit, *beti* ? lui dit-elle tendrement.

— Ça va beaucoup mieux maintenant que vous êtes là, Hyder et toi. Comment va ma petite chérie ? Est-ce que sa maman lui manque un peu ?

— Tu lui manques beaucoup, mentit Bhima. Elle n'arrête pas de demander après toi... Quand maman va rentrer à la maison ? Quand est-ce qu'on ira ensemble au *mela* ? »

En voyant l'expression attristée de Pooja, elle se rendit compte qu'elle aurait mieux fait de se taire. « Dis-lui, maman, murmura-t-elle. Il faut qu'elle comprenne. Dis-lui que je ne rentrerai jamais à la maison.

— Je reviendrai un peu plus tard », déclara Hyder en toussotant.

Les deux femmes le regardèrent sortir de la salle. Pooja prit la main de sa mère. « Je suis contente qu'il soit là pour t'aider. J'ai tellement honte de te causer tout ce dérangement...

— Du dérangement ? Dis donc, *chokri*, pour qui me prends-tu ? Je ne suis pas une femme que tu aurais rencontrée par hasard au marché. Je suis ta mère, je t'ai portée dans mon ventre pendant neuf mois. » Bhima ne put s'empêcher de sourire. « Déjà à cette époque, tu étais un vrai coq de combat, tu n'arrêtais pas de me donner des coups de pied dans le ventre. *Baap re*, j'avais l'impression que j'allais accoucher d'une catcheuse comme Dara Singh. »

Pooja détourna la tête, mais Bhima vit les larmes ruisseler sur ses joues. Où vont-elles, toutes ces larmes répandues dans le monde ? se demanda-t-elle alors, et elle réfléchit. Si seulement on parvenait à les capter, elles pourraient irriguer les champs desséchés du village de Gopal et même d'autres, encore plus loin. Ainsi ces larmes prendraient de la valeur et toutes ces souffrances auraient un sens. Autrement ce n'est que du gâchis, un cycle interminable de naissance et de mort, d'amour et de deuil.

Pooja était d'humeur loquace. Devant les yeux incrédules de Bhima, elle paraissait revivre, si bien que malgré son visage amaigri et des yeux anormalement brillants, elle retrouvait quelque chose de la Pooja d'autrefois. L'après-midi, Bhima la supplia de dormir quelques heures, mais elle insista pour marcher un peu. Elle parla du jour où elle avait rencontré Raju et de celui où Maya était née ; elle dit combien elle regrettait d'avoir laissé sa mère à Bombay. « On aurait dû t'emmener avec nous, maman. Nous n'aurions pas eu à souffrir de toutes ces années de séparation. Raju était orphelin. Que savait-il de l'amour familial ? Mais moi je n'aurais jamais dû t'abandonner. » Son visage creusé était empourpré, presque lumineux, comme éclairé de l'intérieur.

En voyant cela, Bhima s'inquiéta. « Tu te fatigues trop à parler comme ça, *beti*. Repose-toi maintenant. »

Mais Pooja brûlait comme une chandelle. « Bientôt, je n'aurai plus rien d'autre à faire, maman. Aujourd'hui, c'est un bon jour. Je me sens des forces. Laisse-moi parler. Il faut aussi que je te parle de Maya. Elle est très sensible. Elle a du chagrin pour un rien. Elle apprend aussi très vite. Elle sait déjà écrire. »

Elle se tut un instant, le temps de reprendre son souffle. Elle avait les joues rouges à cause de la fièvre. « Autre chose. J'ai un peu d'argent à la banque. Le carnet est rangé dans le coffre qui se trouve à l'intérieur de l'armoire en fer. Tu te souviens de l'armoire que Serabai m'a offerte pour mon mariage ? C'est celle-là. Retire tout l'argent. J'ai signé plusieurs chèques au porteur avant d'entrer à l'hôpital.

— *Beti, beti*, ce n'est pas le moment de parler de ces histoires d'argent. Je me débrouillerai, je te le promets. Tant que je serai en vie, je ferai en sorte qu'on ne touche pas à un seul cheveu de ta fille. »

Les yeux de Pooja luisaient de larmes. « Je sais, maman. Si je meurs en paix, c'est seulement pour cette raison. Sans toi, je serais obligée de revenir sous forme de fantôme pour prendre soin de ma petite.

— *Achcha, beti.* Ménage tes forces. Dors. Je serai là à ton réveil. »

Pooja ne se réveilla pas. Mais elle ne partit pas non plus sans combattre. Quand les hommes vinrent la chercher, ils virent qu'elle portait les stigmates d'une lutte colossale. On aurait dit que son visage avait été piétiné par les sabots de la mort.

Bhima et Hyder se rendirent une fois de plus sur les lieux de la crémation et regardèrent les flammes accomplir leur danse démoniaque sur le corps de la défunte. Maya, se répétait sans cesse Bhima. Souviens-toi qu'elle n'a plus que toi. Pour elle, sois courageuse, ma vieille, il le faut, pour son bien.

Trois jours plus tard, Hyder les accompagnait à la gare pour les mettre toutes les deux dans le train de Bombay. À la lumière éclatante du jour, Bhima vit sur son jeune visage des rides qu'elle n'avait pas remarquées à l'hôpital. « Même si je vis jusqu'à cent ans... » commença-t-elle.

Il la fit taire par une étreinte. « Je vous en prie, *didi.* Partez en paix et essayez d'oublier toute cette horreur. » Ils se regardèrent un long moment, tandis que Maya tirait impatiemment sa grand-mère par la main.

Elles montèrent dans le train et cherchèrent leurs places. En voyant la petite tête de Maya et ses cheveux partagés au milieu par une raie bien nette, Bhima soupira. « Je me demande comment je vais m'en sortir », dit-elle tout bas à Hyder qui était resté sur le quai, devant leur fenêtre. Elle voulait dire par là qu'elle ne connaissait pas aussi bien cette enfant qu'elle connaissait Pooja. Elle ne savait pas à quoi ressemblait l'intérieur de sa bouche, le bas de son dos, si elle préférait les aliments sucrés ou salés, comment il fallait la réconforter quand elle était malade.

« Tout ira bien. Ayez confiance, *didi*, ayez confiance. »

Ce furent les dernières paroles que lui adressa Hyder, avant que le train s'ébranle. Elle vit son doux visage pensif devenir de plus en plus petit, jusqu'au moment où il disparut complètement.

14

« Sera ! Dinu ! Soyez les bienvenues dans notre humble demeure, s'écrie Aban Driver en les accueillant sur le seuil de son appartement. *Ae*, où est Viraf ? Il cherche une place pour se garer ? »

Dinaz rit et s'engage dans le couloir conduisant au séjour. Elle a toujours eu un faible pour cette femme chez qui ses parents se sont rencontrés.

« Comme je suis contente de te voir, tante Aban ! Viraf a été retenu au bureau, il aura un peu de retard.

— Ce n'est pas grave, ce n'est pas grave. Pauvre garçon, il travaille beaucoup. Mais c'est normal, ajoute Aban, en posant les yeux sur le ventre arrondi de Dinaz, avec qui elle échange un regard complice. Il faut qu'il travaille maintenant qu'il va avoir un petit à nourrir. »

Quand elles entrent dans le salon encombré, Pervez Driver se lève pour les saluer. Sera est saisie de voir à quel point il a vieilli depuis leur dernière rencontre, l'an dernier, à l'occasion du mariage d'un ami. « Bonjour, Sera. Bonjour, Dinaz », dit-il de la manière timide et hésitante qu'il a toujours eue avec elle. Ou peut-être est-il comme ça avec tout le monde. « Asseyez-vous, je vous en prie. Faites comme chez vous, annonce-t-il en chassant quelques-uns des petits garçons installés sur le canapé, pour leur faire de la place.

— Où est Toxy ? » demande Sera. Il faut préciser que c'est à cause de Toxy qu'elles sont ici, pour fêter les fiançailles de la benjamine des trois enfants d'Aban et de Pervez.

« Elle est à côté, avec ses amies, dit Aban d'un ton dégagé. Vous connaissez les jeunes, ils n'ont pas envie de perdre leur temps avec les vieux tableaux que nous sommes. Eh oui, ma Dinu, désormais tu en fais partie de ces antiquités si recherchées ! s'esclaffe-t-elle. Tu es une femme mariée qui attend un enfant, après tout.

— Pas question, rétorque Dinaz en se levant d'un bond. Je vais aller retrouver Toxy et ses copines. »

Pervez toussote et les deux femmes prennent conscience de sa présence. « Que veux-tu boire, Sera ? » Et avant qu'elle ait pu répondre, il dit : « Une Kingfisher, sans doute, si ma mémoire est bonne.

— Tu as vu ce *luccho,* dit Aban en riant. Tout le monde s'imagine que Pervez est un mari que sa femme mène par le bout du nez, mais en réalité, c'est un sacré dragueur, cet homme. »

Un invité que Sera a rencontré dans d'autres réunions, mais dont elle a oublié le nom, se tourne vers Aban. « Dites-nous la vérité, Aban. Vous êtes toujours amoureuse de ce pauvre type qui est votre mari, hein ? » Ce disant, il part d'un rire qui découvre ses gencives.

« Absolument, dit Aban en saisissant la main de son époux pour l'appliquer contre sa joue. *Arre wah*, quelle question stupide ! Un mari comme le mien, il n'en existe pas deux.

— Ah, mon Dieu ! s'écrie Meena Gupta, une des rares parmi les invités qui ne soit pas parsie. Regardez-moi ce Pervez ! Il rougit comme une jeune mariée. Si ça continue, on ne saura plus si c'est Toxy ou lui qui fête ses fiançailles. »

Une femme que Sera ne connaît pas éclate de rire en se frappant le genou. « Elle est bonne, celle-là, Meena, oui, elle est bonne. »

Sera déguste la Kingfisher que lui a apportée Pervez, tout en examinant discrètement le salon. Bien qu'il ait été repeint depuis le jour de ses vingt-huit ans, quand elle y avait fait la connaissance de Feroz, elle est stupéfaite de voir qu'il n'a absolument pas changé.

Son regard s'arrête un instant sur la figure ronde d'Aban, avec ses grosses joues pendantes et son triple menton, et elle se dit que les années l'ont bien maltraitée, comme si un oiseau de proie l'avait tirée vers le bas de ses serres impitoyables. Sans la moindre vanité, Sera jette un coup d'œil à son reflet dans la glace du buffet qui lui fait face et constate que, d'une certaine façon, les ravages du temps lui ont été épargnés. Ses traits ont conservé leur modelé juvénile et sa peau est aussi lisse et ferme que le jour où elle a rencontré Feroz. Le visage d'Aban, en revanche, est flasque et mou comme un pudding. Elle a un aspect aussi négligé que ce salon encombré de vieux meubles dépareillés, où des *jaala* de poussière stagnent sous les fauteuils et dont le ventilateur qui grince au plafond semble ne pas avoir été nettoyé depuis vingt ans. Le salon de Sera, au contraire, scintille comme une pierre précieuse, avec ses murs clairs fraîchement repeints, le ronronnement discret du climatiseur, le canapé coûteux que Feroz avait fait fabriquer spécialement et la table basse en bois de rose que Bhima astique quotidiennement. Sera ne se souvient plus si Aban était aussi peu soignée quand elles étaient jeunes. Même aujourd'hui, bien qu'elle se soit mise sur son trente et un pour l'occasion, la bretelle de son soutien-gorge glisse sans cesse de sous son corsage sans manches, qui porte sur le devant une tache brunâtre, due sans doute à une giclée de chutney ou d'une sauce quelconque.

Mais si Pervez est conscient de ces choses, cela ne paraît pas le déranger. Sera a remarqué qu'il ne s'éloignait jamais beaucoup de sa femme et que même lorsque les deux époux se trouvaient à des endroits opposés de la pièce, leurs yeux se cherchaient continuellement. Tout à l'heure, Aban a envoyé un baiser à son mari et, d'un geste rapide de la main, il a fait mine de l'attraper. Sera a souri et Pervez a souri lui aussi, d'un air penaud, en haussant lentement les épaules.

Quels braves gens! songe-t-elle. Mariés depuis si longtemps et on dirait toujours deux tourtereaux. Elle ressent une douleur aiguë et soudaine qu'elle identifie immédiatement comme étant de l'envie. Pour la chasser, elle boit un peu de Kingfisher, puis au moment où elle lève les yeux, elle voit Aban qui s'approche d'elle. « *Ae*, allons, Sera, pourquoi fais-tu cette tête? Ta bière n'est pas assez fraîche, ou quoi?

— Non, ma bière est parfaite. Je suis très contente de me retrouver ici, avec mes pensées.

— Bien sûr, bien sûr. » La bouche d'Aban s'incurve vers le bas, ce qui lui donne l'air d'un clown triste. « Quelquefois, je manque tellement de tact, que j'ai envie de me battre. Quelle grosse gaffeuse je fais. Tu repenses à ton cher Feroz, évidemment. Il est vrai que c'est ici que vous vous êtes connus, non ? »

Sera regarde son amie de toujours, ne sachant trop quoi répondre. Elle lui envie sa naïveté, la simplicité avec laquelle elle partage le monde entre amour et non-amour, bien et mal. Mais ce qu'elle éprouve est encore bien plus compliqué. Depuis la mort de Feroz, elle doit batailler avec une équation complexe, un *bhelpuri* de regret et de ressentiment, d'amour et d'amertume, de désir de pardonner et d'adresser des reproches, de solitude et de soulagement. Est-ce que Feroz lui manque ? Elle n'est pas sûre de la réponse. Elle ne regrette pas les coups humiliants, la fureur glacée qui s'emparait de lui, ni la servilité et l'hypocrisie qu'elle empruntait pour faire comme si tout allait pour le mieux dans leur ménage. Non, ça, elle ne le regrette pas. En réalité, ce qu'elle regrette ce n'est pas le mariage en soi, mais le rêve du mariage. Aujourd'hui encore, après tant d'années, elle a le regret de l'homme qu'elle avait cru épouser. Le regret de la cour agressive qu'il lui faisait. Elle a des regrets parce qu'elle ne saura jamais à quoi ressemble une union comme celle de Pervez et d'Aban – vivre ensemble depuis des années et des années et continuer à s'envoyer des baisers à travers une pièce.

Aban ne lui laisse pas la possibilité de répondre. « Dis-moi, Sera, tu te souviens de notre séjour à Matharan ? On s'était bien amusés, hein ? Imagine-toi que Pervez et moi nous en parlons encore à nos enfants. Mon Dieu, ce qu'on était jeunes à l'époque ! »

Cette fois, Sera sourit d'un sourire sincère. Quel bon souvenir, en effet. Feroz et elle étaient mariés depuis trois mois à peine quand Aban les avait suppliés de passer des vacances avec eux. « Accompagnez-nous, *yaar*, nous serons deux fois plus heureux si vous êtes avec nous. Allez, dites oui. »

Et Feroz avait accepté en souriant.

« Tu te rappelles ces fripons de singes ? On ne pouvait jamais prendre le petit déjeuner en paix, dans la véranda. Si on laissait une seule minute une banane sur la table, explique-t-elle aux autres invités, ils fondaient dessus et s'enfuyaient avec. Un jour, un d'entre eux a essayé de m'en arracher une des mains. J'ai hurlé si fort que j'ai dû lui faire exploser les tympans et même ceux des enfants de ses enfants. »

Tout le monde rit et Pervez enchaîne : « Mais tu oublies le meilleur. Un jour, j'avais posé mes lunettes sur la table et un de ces coquins au cul rouge a sauté d'un arbre et les a emportées. Ce toupet qu'il avait ! Il est allé s'asseoir sur la branche d'un arbre voisin et que croyez-vous qu'il a fait ? Il a mis mes lunettes. J'étais tellement en colère que j'ai bien failli grimper à l'arbre pour lui donner une bonne raclée.

— Incroyable, remarque quelqu'un. Et comment avez-vous fait pendant le reste de votre séjour ?

— *Arre*, que voulez-vous dire ? » répond Pervez. Au ton assuré qui ne lui est pas habituel, Sera devine qu'il n'en est pas à son premier verre. « Par chance, notre brillant Feroz Dubash était là. Et voici ce qu'il a fait : il a observé le singe pendant quelques minutes et il s'est aperçu qu'il faisait tout ce que nous faisions. Alors il est allé chercher ses lunettes dans la maison. Il les a chaussées, exactement comme le singe, puis il les a relevées sur sa tête. Le singe a fait de même. Feroz a alors mis l'extrémité de l'une des branches dans sa bouche et l'a mordillée. Le singe l'a encore imité. Je commençais à m'inquiéter, *yaar*. Mais mon Aban m'a dit de faire confiance à Feroz. Et justement, à cet instant, Feroz a jeté ses lunettes par terre. Et voilà que cet imbécile de singe jette les miennes, à son tour. J'ai bondi et je les ai ramassées plus vite qu'un voleur. Ce stupide animal est resté dans son arbre à nous montrer ses dents jaunes, tout en faisant de drôles de bruits.

— Mais c'est génial, vraiment génial ! déclare Meena Patel, comme si cet incident venait juste de se produire. Votre mari était un homme plein de ressources, Mrs Dubash. »

Sera reçoit le compliment avec un petit sourire qu'elle-même trouve pincé et forcé. Parce que l'histoire que vient de raconter Pervez a réveillé en elle un autre souvenir. Elle avait oublié cet incident survenu vers la fin de leur séjour à Matharan, mais il lui revient maintenant dans toute sa netteté.

Ils avaient regagné leur hôtel, après avoir soupé dans le meilleur restaurant de Matharan. Un peu plus tôt dans la soirée, Feroz s'était montré particulièrement expansif et chaleureux. « C'est moi qui invite, avait-il dit à Pervez, dès qu'ils étaient entrés dans l'établissement. Ce soir, il n'est pas question que tu sortes ton portefeuille. » Sera lui avait lancé un regard approbateur. Elle se rendait parfaitement compte que Pervez et Aban n'étaient pas très riches, bien que, à leur générosité, on n'aurait jamais pensé qu'ils avaient des difficultés financières. Feroz avait fait signe au serveur, un jeune homme séduisant d'une vingtaine d'années aux belles dents blanches et à l'air empressé. « Écoutez-moi, lui avait-il dit, il paraît que vous n'avez pas de licence, mais nous sommes de Bombay et nous avons l'habitude de boire un peu en mangeant. Compris ? Voyez donc ce que vous pouvez faire, *achcha* ? Et voici un petit pourboire pour vous, avait-il ajouté en lui glissant un billet de vingt roupies.

— Donnez-moi quelques minutes, avait répondu le serveur en s'inclinant. Je vais voir ce que je peux vous trouver. »

Comme toutes les fois, Sera s'était sentie gênée par cette façon de faire étalage de son pouvoir. Et étant donné la modicité des moyens d'Aban et de Pervez, son geste semblait encore plus ostentatoire. Pourtant, en voyant l'expression admirative de ses amis, elle s'était rendu compte qu'ils réagissaient tout autrement qu'elle. Feroz avait lancé un clin d'œil à Pervez et montré Sera d'un mouvement du menton, en disant : « Regardez-la. Elle déteste que je fasse ce genre de choses. Mais moi je dis que si on refuse de vous donner ce que vous voulez, il faut le prendre, tout simplement.

— C'est l'argent qui mène le monde », avait renchéri Aban.

Au même moment, le serveur était revenu avec trois bouteilles de Kingfisher bien fraîches. « De la réserve personnelle du patron, *sahib*.

— Formidable ! » s'était exclamé Feroz, radieux.

Les deux femmes consultaient la carte. « *Ae*, chérie, surtout prends de la viande, avait recommandé Pervez à sa femme. Pas de plantes, ni de feuilles. Nous sommes des humains, pas des chèvres. » Il s'était mis à rire, tout content de sa plaisanterie.

À mesure que le dîner s'avançait, Sera s'était aperçue que Feroz se fermait de plus en plus. Elle avait eu envie de lui demander s'il avait mal à la tête, mais la bière aidant, Pervez les régalait d'anecdotes remontant à ses années de pensionnat et elle s'efforçait de rire quand il le fallait. Si leurs amis avaient remarqué que Feroz participait de moins en moins à la conversation, ils n'en faisaient aucun commentaire. « Si on prenait un autre *biryani* », avait proposé Pervez à un moment donné, avant d'interroger Aban des yeux. Mais déjà, Feroz avait appelé le garçon. « Un autre *biryani* et deux bouteilles de Kingfisher. » Une fois le serveur reparti, il avait lancé à Sera un regard qu'elle n'avait pu déchiffrer. Quand la bière était arrivée, il s'en était servi un grand verre. Sera aurait aimé lui dire qu'il buvait trop, mais il donnait l'impression de s'être drapé dans un voile de glace. En réponse au sourire qu'elle lui adressait, il l'avait considérée froidement, avec une expression aussi lointaine que la lune.

« *Su che*, Feroz, avait fini par dire Aban. Comme te voilà silencieux tout à coup. »

Il lui avait souri, mais Sera s'était rendu compte que ce sourire ne passait pas dans ses yeux. « Je vous écoute, tout simplement, avait-il déclaré sans conviction.

— *Chalo*, il est peut-être temps de rentrer, avait dit Aban. Nous avons eu une longue journée, vous ne trouvez pas ? »

Sur le chemin du retour, Feroz avait fait chorus avec les autres pour regretter de devoir quitter cette paisible et verdoyante villégiature de montagne afin de retrouver une ville étouffante et encombrée. Arrivés à l'hôtel, les deux hommes s'étaient chamaillés pour savoir qui payerait le taxi. « Allons, *yaar*, ce serait justice, protestait Pervez. Tu as déjà payé le repas et les boissons.

— Surtout, ne prenez pas l'argent de ce type », avait déclaré Feroz sur un ton sans réplique. Et le *taxiwalla* avait empoché le billet qu'il lui tendait.

« Ah, ces hommes ! avait dit Aban à Sera en feignant d'être excédée. Il faut toujours qu'ils se disputent pour une chose ou une autre, mais tout le monde sait que leur véritable sujet de querelle, c'est la longueur de leur ding-dong.

— Aban, tu dis de ces choses ! s'était exclamée Sera.

— Voyons, *yaar* ! Cesse de jouer les vierges effarouchées. À quoi sert d'être une respectable femme mariée ?

— Bonne nuit, Aban, avait dit Sera, avec un

220

sourire dans la voix. Il y a des moments où tu m'étonnes vraiment. »

Elle avait ensuite regagné sa chambre en compagnie de Feroz, dans le plus grand silence. Elle se rendait compte qu'une tension muette s'était établie entre eux et qu'il marchait en rasant le mur, de peur de la frôler. « Ça va, *janu* ? lui avait-elle demandé, une fois dans la chambre. Tu n'as pas mal à la tête, au moins ?

— Ça va », avait-il répondu sèchement, puis il était allé se changer dans la salle de bains et en était ressorti en pyjama. Son aspect aussi avait changé ; il était rouge et une veine palpitait à son front. Sera l'examinait avec attention, persuadée qu'il était malade. Jamais elle ne l'avait vu comme ça.

« Ah, mon Dieu, Feroz, qu'est-ce qui ne va pas ? » avait-elle dit en avançant la main pour la poser sur son bras.

Il avait chassé sa main d'un geste brusque, en grondant, les dents serrées : « Ne me touche pas », et c'est alors qu'elle avait compris que son mari n'était pas malade mais simplement furieux et, tout en repassant dans sa tête la conversation du dîner, elle s'était demandé si Pervez avait dit quelque chose qui l'aurait contrarié ou si Aban l'avait agacé.

« Qu'est-ce... qu'est-ce qui ne va pas ?

— Toi. C'est toi qui ne vas pas, s'était-il emporté et, ignorant son mouvement de surprise, il avait poursuivi : Ne va pas t'imaginer que je n'ai pas remarqué ton manège, au restaurant. Tu m'as fait honte devant nos amis. Flirter avec un serveur qui aurait pu être ton fils ! Lui sourire et le remercier chaque fois qu'il remplissait ton verre. Ne crois pas que je n'ai pas compris ce qui se passait. Il faut vraiment que tu me prennes pour le dernier des *chootia* pour aguicher de la sorte un homme – un gamin, plutôt – alors que je suis assis à côté de toi. »

Il plaisantait. Il plaisantait forcément. Tout cela était tellement ridicule que c'en devenait surréaliste. Sera avait à peine regardé le serveur, elle ne le reconnaîtrait même pas si elle le croisait demain dans la rue. Elle avait tenté d'exprimer son effarement et son indignation par des mots, pour s'apercevoir qu'elle en était incapable. Ces accusations grotesques la laissaient sans voix. De plus, l'homme debout devant elle, avec ses yeux exorbités et sa mâchoire convulsée, était quelqu'un qu'elle ne connaissait pas. Un étranger. Quelque chose en elle se rebellait contre l'idée même d'avoir à se défendre d'une accusation aussi délirante. Il était tard ; demain, ils devraient se lever de bonne heure pour partir en excursion. Et puis, jamais on ne lui avait encore parlé sur ce ton. Elle était une personne sérieuse, réfléchie, tous ses amis le savaient. Pas une de ces femmes faciles et outrageusement maquillées qui flirtent avec tout ce qui porte un pantalon. Feroz l'ignorait-il ? Mais dans ce cas, n'y avait-il pas d'autres choses qu'il ignorait à son sujet ? C'était le fond même de son caractère qu'il mettait en cause.

Elle avait refoulé les larmes qui lui montaient aux yeux et répliqué, avec tout le détachement dont elle était capable : « Ce que tu dis n'est pas digne de toi. » Puis, brusquement elle s'était enflammée, telle une allumette que l'on craque dans le noir. « Je ne l'ai même pas regardé, ce serveur. Comment oses-tu m'accuser de...

— Ne parle pas si fort. Tu es dans un hôtel, pas à la maison.

— Je ne parle pas fort. Et tu aurais dû penser à ça avant de commencer à me faire une scène. » Puis, regrettant soudain son accès de colère : « Écoute, Feroz, il est tard. Tu as sans doute un peu trop bu, ce soir. Ne gâchons pas ce séjour en nous disputant de façon ridicule. »

Elle avait avancé la main pour lui caresser le bras et n'avait pas vu venir le coup de poing. Il l'avait atteinte au bras droit avec une telle précision que la douleur lui avait semblé traverser la mince couche de muscle pour pénétrer dans l'os, en s'y répercutant comme les gongs d'argent sur lesquels frappent les prêtres, dans les temples du feu. Une douleur tellement vive qu'elle en avait eu la nausée et qu'au moment où elle prenait son bras meurtri dans sa main gauche, elle l'avait plaqué contre son estomac pour réprimer un haut-le-cœur.

Feroz, qui la dominait de toute sa hauteur, sautillait d'un pied sur l'autre, ainsi qu'un boxeur qui attend de voir si son adversaire va se relever. « Je t'avais dit de ne pas me toucher. Je t'avais prévenue. »

Elle éprouvait une terreur si violente qu'elle l'emportait même sur la nausée. Il faut que je me sauve, il faut que j'appelle au secours, se disait-elle, mais quelque chose l'en empêchait – ce n'était pas un inconnu qu'elle voulait fuir, ce n'était pas un individu inquiétant qui aurait surgi de derrière des buissons. C'était son mari, l'homme qu'elle avait épousé trois mois plus tôt à peine, celui avec qui elle s'était engagée pour la vie. Affolée, elle avait promené son regard autour d'elle, en se demandant ce qu'elle allait faire. La seule autre fois où quelqu'un l'avait frappée, c'était à l'école primaire, un jour où elle s'était disputée avec une camarade à propos d'une gomme volée. Élevée par des parents farouchement opposés aux châtiments corporels, elle n'avait jamais connu la violence physique, une chose que presque tout le monde trouvait normale. Maintenant, elle se rendait compte qu'elle n'avait aucune défense, aucune stratégie pour se protéger de Feroz, qui continuait à respirer fort et dont le visage avait une expression de démence incontrôlée. Elle avait reculé de quelques pas en hésitant, jusqu'à ce que ses genoux heurtent le bord du lit, sur lequel elle s'était laissée tomber. Alors les larmes avaient jailli et ruisselé sur ses joues et sur sa main toujours plaquée sur son ventre. Elle commençait à avoir un peu moins mal au bras, mais la douleur qui lui étreignait le cœur s'intensifiait. Elle pleurait à cause de la brutalité inopinée de Feroz; elle pleurait à cause de l'injustice de ses accusations; et surtout, elle pleurait à l'idée de passer sa vie auprès d'un homme qui la méprisait au point de lui reprocher allégrement d'aguicher un vulgaire serveur. Elle qui avait refusé des prétendants appartenant à des familles où on était médecin depuis trois générations. Elle qui avait passé les soirées du samedi à l'auditorium Homi Bhabha, parmi des messieurs respectés et cultivés. Elle dont le père, un des scientifiques les plus éminents de Bombay, n'avait même jamais élevé la voix avec sa femme. Malgré sa terreur, son cœur débordait d'indignation, donnant des ailes à ses griefs. « De toute ma vie, jamais personne ne m'a traitée ainsi. Jamais personne ne m'a accusée de conduite indécente. Et jamais personne ne m'a frappée. Si mon père savait ce que tu as fait ce soir... » Mais sa voix s'était cassée et elle n'avait pu terminer sa phrase.

Et tout à coup, aussi soudainement qu'il l'avait frappée quelques minutes plus tôt, Feroz était tombé à genoux devant elle, lui frictionnant le bras, implorant son pardon, les yeux luisant de larmes. « Oh ! Sera, j'ai tellement honte. Pardonne-moi, chérie. Je ne sais pas ce qui m'a pris... C'est seulement que je t'aime trop, je ne peux pas supporter l'idée de te perdre. Je suis tellement plus vieux que toi et ça me fait peur... »

En entendant ces mots, elle avait senti son cœur se dégeler et, malgré elle, elle lui en avait été reconnaissante. Les larmes de Feroz, témoignage de la honte qu'il éprouvait, coulaient maintenant sur elle, faisant fondre la glace qui l'avait enveloppée. De sa main endolorie, elle lui avait caressé la tête, indifférente à la douleur qui la parcourait dès qu'elle la soulevait. En l'entendant lui demander pardon avec ferveur, lui promettre qu'il ne recommencerait jamais plus, elle avait été assaillie par une multitude de sentiments conflictuels : le doute, la peur, l'appréhension, l'espoir, la honte, mais surtout, le soulagement. Le soulagement de se dire que ses larmes lui avaient rendu Feroz, qu'elle l'avait ramené à la vie par ses paroles. « Vois-tu, je n'avais pas l'intention de te frapper, ma chérie, disait-il. Il s'est trouvé que je levais la main au moment même où tu me touchais et je ne sais pas ce qui s'est passé... je crois que tu t'es tout simplement trouvée sur la trajectoire de ma main. »

Pendant une brève seconde, elle avait repensé à son coup de poing parfaitement ciblé, mais elle avait envie de le croire autant qu'il désirait la convaincre. Elle avait chassé ce souvenir, laissé Feroz l'enfouir dans le sac de ses promesses rassurantes. « Je sais bien que tu ne m'aurais jamais fait mal volontairement, Feroz. Mais dis-moi, *janu*, pourquoi veux-tu que je m'intéresse à un serveur de petite condition, alors que je t'ai ?

— Je sais, je sais. Tu es une femme bien, Sera. Tu as raison, c'est sûrement la faute de la bière. Attends, je vais te passer de la teinture d'iode là où tu as mal. Je suis désolé. Je suis tellement maladroit et tu t'es trouvée sur mon chemin. »

Aujourd'hui, en se remémorant l'incident, Sera fait la grimace. Tu aurais dû le quitter sur-le-champ, se dit-elle. Dès la première fois où il t'a frappée. Et tu n'aurais jamais dû le couvrir, permettre à sa honte de devenir ta honte. Elle se rappelle le chemisier à manches longues qu'elle avait mis le lendemain matin, pour cacher son bras meurtri. « Ça alors, Sera ! avait dit Aban. Pourquoi cette tenue de douairière ? Il ne fait pas si froid que ça, tout de même. »

Sera se souvient de sa réponse hésitante et peu

convaincante, même à ses propres oreilles, et elle sent renaître sa colère. Tu as mérité tout ce qui t'est arrivé, songe-t-elle. Tu aurais dû lui faire honte devant Aban et Pervez. Ça l'aurait empêché dès le début de continuer à te maltraiter.

Dinaz, qui est revenue dans le salon, la regarde avec curiosité. « Ça va, maman ? demande-t-elle. C'est la bière qui te tourne la tête ? »

Un instant, Sera a l'impression que Dinaz a deviné chacune des tristes pensées qui dégoulinent dans sa tête. Elle se demande – et non pour la première fois – ce qu'elle sait des brutalités que lui infligeait périodiquement Feroz. Après la naissance de sa fille, elle s'était toujours efforcée d'étouffer ses gémissements, lorsque les poings de Feroz la cinglaient, de dissimuler la souffrance qui se lisait sur son corps et dans ses yeux. Elle ne voulait pas que l'ombre de la violence de son père obscurcisse l'enfance de Dinaz.

Sera balaye la toile d'araignée tissée par son ressentiment et s'oblige à sourire à sa fille. « Il faudrait pour ça que je boive bien davantage. Comment va Toxy ? Est-ce que tu l'as vue ?

— Oui. Elle sera là dans une minute. Les filles sont toutes dans sa chambre, à se raconter leurs histoires de filles. Mais qu'est-ce que tu as, maman ? Tu as l'air si... si triste.

— J'ai dit la même chose à ta maman il y a à peine une minute, remarque Aban Driver, qui a entendu ce que vient de dire Dinaz. Crois-moi, ma Sera n'est plus la même depuis la mort de son Feroz bien-aimé. »

La mère et la fille échangent un bref regard.

Dinaz hausse légèrement le sourcil droit, une mimique qui rappelle son père. Et, à cet instant, Sera a la certitude que Dinaz sait. Cette découverte déclenche en elle des sentiments mitigés. D'un côté, la réaction muette de sa fille est le signe d'une solidarité qui lui fait plaisir, de l'autre, elle se sent coupable de n'avoir pas réussi à lui épargner le chagrin de savoir que ses parents ne s'entendaient pas.

« Maman va très bien, tante Aban, dit Dinaz en prenant sa mère par les épaules. Elle est un petit peu fatiguée, voilà tout. Notre Bhima a des soucis depuis quelque temps et maman a eu davantage de travail à la maison.

— Voilà ce qu'on gagne à traiter une domestique comme si c'était la patronne, rétorque vivement Aban. Pardonne-moi de te parler franchement, Sera, mais ça fait des années que je te répète que Bhima finira par en profiter. Tu peux dire tout ce que tu veux, ces *gaati* sont des *gaati*. Nous autres parsis sommes les seuls à traiter nos servantes comme des reines. Et on finit toujours par le payer. »

Sera aurait préféré que Dinaz n'ait pas soulevé cette question. À dire la vérité, elle commence à en avoir assez de penser à Bhima. Depuis l'histoire de Maya, elle doit penser à Bhima plus qu'à ses enfants. Sans compter qu'elle n'a toujours pas digéré la façon distante dont Maya l'a traitée le jour de l'avortement. Elle se faisait une fête de passer une soirée détendue, mais Dinaz a malencontreusement aiguillé Aban sur son sujet favori.

Elle s'apprête à lancer un coup d'œil à sa fille,

pour la mettre en garde, mais c'est trop tard. « Je n'ai pas dit que nous avions des ennuis avec Bhima, remarque celle-ci. C'est seulement qu'elle a des soucis personnels, comme tout le monde. »

Aban regarde Dinaz, bouche bée, puis elle éclate de rire. Elle la prend dans ses bras et lui couvre le visage de baisers. « Oh oh oh ! Ça dépasse tout. Telle mère, telle fille, c'est bien vrai ! Oh, mon Dieu ! regardez-moi cet air furieux... c'est sa mère tout craché. Ah, leur précieuse Bhima ! On croirait que c'est le diamant du Kohinoor ou quelque chose du même genre. »

Une femme dont Sera sait qu'elle habite dans l'immeuble d'Aban vient mettre son grain de sel : « Et moi je vous le dis, Aban a raison. Il ne faut pas être trop gentil avec ces gens. Mieux vaut les tenir un peu à distance. Sinon, ils profitent de votre bonté, c'est garanti.

— *Arre*, vous avez lu cet article du *Times of India*, la semaine dernière ? intervient quelqu'un d'autre. À propos de l'assassinat d'une vieille dame parsie ? Elle avait été professeur à l'Elphinston College pendant quarante ans. Pauvre femme, poignardée dans son lit par sa bonne qui travaillait chez elle depuis plusieurs dizaines d'années. Mais cette dame gardait les bijoux de son mariage à la maison, vous comprenez ? Et bien entendu, la bonne le savait. Ces gens sont des serpents. Je crois bien qu'ils y voient dans le noir. Elle lui a donné dix-sept coups de couteau et elle a pris les bijoux. D'après le journal, son petit ami lui avait monté la tête.

— Il faut dire aussi que nos parsis sont complè-

229

tement fous, remarque Pervez. Elle qui était professeur, elle aurait dû savoir qu'on ne doit pas garder ses bijoux chez soi. C'est justement à ça que sert notre Central Bank. Elle aurait dû prendre un coffre.

— Voyons, *janu*, c'est bien l'ennui avec nous autres parsis, entonne Aban. Nous sommes trop confiants. Et honnêtes, qui plus est. Alors nous croyons naturellement que tout le monde est comme nous. Et comme les Gujaratis, précise-t-elle en se tournant vers Meena Patel. Eux aussi sont une communauté honnête. Mais pas ces gens du Maharashtra. Eux, ce sont des escrocs patentés. »

La sonnette retentit et Pervez va ouvrir la porte d'entrée. Il revient une seconde plus tard en compagnie de Viraf. Aban se lève en glapissant. « Ah! voilà mon prince charmant. Comment te portes-tu, mon chéri? Dinaz dit que tu travailles trop. D'accord, mais comment faire autrement? Un futur père doit travailler beaucoup, évidemment. Mais tout de même, je te trouve bien maigre, mon petit », dit-elle en lui pinçant la joue.

Viraf sourit. « Bonjour, tante Aban. Vous êtes plus jolie que jamais. Et je vous signale que j'ai pris cinq kilos ces derniers mois. Mais tout va dans mon *dimchu* », ajoute-t-il en se tapotant la panse.

Aban rayonne, comme toujours quand elle se trouve en compagnie d'un homme séduisant. « *Achcha*, Viraf, tu vas nous départager. On était en train de dire qu'on ne peut pas faire confiance aux domestiques non parsis, même si on les traite très bien. Qu'en penses-tu? Est-ce que Sera et

Dinaz se laissent mener par le bout du nez par Bhima ? »

Viraf parcourt la pièce des yeux. « *Oi*, tante Aban. Quel manque d'éducation, *yaar*. Vous ne m'avez même pas présenté au futur mari de Toxy. Où est-il ?

— Très habile, très habile de changer de sujet, s'exclame Aban en riant. Quel diplomate, notre Viraf. On va sûrement l'envoyer au Pakistan pour négocier avec le général Mucharraf – moi je l'appelle le supershérif – à propos du Cachemire. » Elle prend soudain un air attristé. « Darius et sa famille ne viendront pas. Sa mère estime que ça porte malheur aux fiancés de se voir peu de temps avant leur mariage. Je me demande où ces femmes parsies ont trouvé cette idée.

— Viens, allons voir Toxy, dit Dinaz en tirant son mari par le bras. Tu pourras au moins lui dire bonjour. »

Emmène-moi avec toi, songe Sera en regardant s'éloigner sa fille. Je n'ai pas envie de rester coincée ici avec cette bande d'ignorants. « Dis à Toxy de venir saluer les vieux croûtons », lance-t-elle, et Dinaz lève la main en signe d'acquiescement.

Aban semble vouloir reprendre sa péroraison quand Jaya, la bonne, passe la tête à la porte de la cuisine. « *Bai* ? Vous pouvez venir une minute. Les côtelettes sont prêtes. »

Aban se lève en maugréant. « Elle ne peut rien faire sans moi. »

Sera parle avec Meena Patel des horribles gratte-ciel qui sont en train d'éclore partout dans Bombay, quand Aban reparaît avec, dans son sillage, une fille alerte d'une vingtaine d'années, qui porte un grand plateau où s'empilent des côtelettes de mouton.

« *Chalo*, dépêche-toi ! Sers-les à nos invités pendant qu'elles sont bien chaudes. »

Aban distribue des assiettes en carton, tandis que Jaya la suit avec les côtelettes. « Laisse-les sur la table », lui ordonne-t-elle quand elle a terminé sa tournée, et elle lève les yeux au ciel tandis que celle-ci dépose le plateau.

« Vous avez vu comme elle roule des hanches, remarque-t-elle une fois que la bonne a regagné la cuisine. Elle en fait des chichis, cette fille. Même si je lui dis de descendre à la boulangerie, elle ne sortira pas sans avoir mis son *kaajal*. Et il lui faut une tenue neuve chaque Diwali. Mieux que mes propres enfants, je la traite.

— Mon Dieu ! Aban, ce n'est qu'une enfant, elle aussi, rétorque Sera. À quoi t'attendais-tu ? »

Aban s'étrangle de rire. « Qu'est-ce que je vous disais, qu'est-ce que je vous disais ? Oh, Sera ! tu es impayable. Ma parole, tu es communiste ou quoi ?

— En parlant de communistes ou de choses de ce genre, écoutez ça, intervient un invité. C'est arrivé à une vieille dame qui habite dans mon immeuble. Il y a environ un mois, on sonne à sa porte et la malheureuse va ouvrir. Trois *goonda*, de vrais durs, l'écartent et pénètrent dans l'appartement. Sachez qu'il est trois heures de l'après-midi. Avant qu'elle ait pu dire quoi que ce soit, ils lui posent cette question : Où sont les biscuits ? La pauvre femme pense alors qu'ils ont faim et elle les emmène dans la cuisine. Elle grimpe sur un tabouret et prend un paquet de biscuits au glucose dans le placard. Mais on ne sait pourquoi, les crapules s'énervent encore davantage. Ils la giflent à plusieurs reprises – gifler une femme de quatre-vingts ans, vous vous rendez compte ? – et ils la ligotent sur une chaise. Ensuite, ils mettent toute la maison sens dessus dessous, du sol au plafond, et comme ils ne trouvent pas ce qu'ils cherchent, ils la giflent encore deux ou trois fois, puis ils s'en vont. »

Les questions pleuvent :

« Qu'est devenue cette pauvre femme ?

— Qu'est-ce qu'ils cherchaient ?

— Est-ce qu'elle est morte, la malheureuse ?

— Arrêtez, arrêtez, je vais vous le dire, *na*. Voilà, il se trouve qu'ils s'étaient trompés d'immeuble. Il paraîtrait qu'un receleur s'était fait estamper de plusieurs biscuits d'or – des lingots, vous comprenez. Alors cet imbécile avait engagé des truands pour les récupérer. Et c'est cette pauvre femme qui en a fait les frais. Si elle est encore en vie, c'est uniquement parce que la voisine qui lui apporte son dîner tous les soirs a frappé et frappé à sa porte et a fini par entrer. Elle a trouvé la malheureuse ligotée sur sa chaise. Il paraît qu'elle avait même fait ce que vous pensez dans sa culotte.

— On devrait les pendre, ces vermines, remarque quelqu'un.

— Ils font exprès de s'en prendre aux parsis, je vous le dis, s'exclame quelqu'un d'autre. Ils profitent que nous ne sommes pas nombreux pour s'en prendre à nous.

— Sauf que dans ce cas précis, ils s'étaient trompés de cible, marmonne Sera.

233

« — D'accord, mais c'est ce qui se passe la plupart du temps, rétorque une invitée. Ils nous prennent pour cible, sachant que nous sommes des gens pacifiques. Qu'ils s'attaquent donc à des musulmans et on verra bien. Jamais ils n'oseraient...

— *Arre, yaar*, on devrait fonder un parti, nous aussi. Une sorte de Shiva Sena parsi, par exemple. »

Aban glousse. « Et qui sera notre Bal Thackeray, demande-t-elle, faisant allusion au terrible chef du mouvement d'extrême droite hindou. C'est notre problème, voyez-vous. Mon père disait toujours que le problème des parsis, c'est qu'ils veulent tous être général et jamais homme de troupe. »

Sera soupire intérieurement. Toute sa vie, elle a entendu ce genre de propos. Elle est à la fois amusée et irritée par les personnes qui l'entourent; tout en étant consternée par leur ethnocentrisme, elle éprouve de la tendresse pour leurs grandes idées et leurs rêves de gloire. Et puis, dans le fond, se dit-elle, ce sont de braves gens. Un peu bornés, peut-être, à cause de leur éducation et tout le reste, mais très attachants à leur manière.

Un des plus jeunes invités, dont Sera sait qu'il est marié à une catholique, prend la parole. « Mais quelle importance, après tout? Il paraît que nous sommes moins de cent mille. Nous aurons disparu dans quelques générations et le problème sera réglé. »

Un silence soudain s'installe. Un message implicite – oui, et en se mariant en dehors de la communauté, des garçons comme toi hâtent le jour de notre disparition – plane dans l'atmosphère. Sera se tortille sur le canapé, prise de pitié

pour le jeune homme tout à coup embarrassé.
Pour dissiper le malaise, elle se met à parler avec
un entrain qui ne lui est pas habituel. « Eh bien,
dans ce cas, profitons que nous sommes encore
tous là pour jouir au mieux de la vie, d'accord ?

— Bravo, bravo ! dit Pervez en levant son verre.
Bien dit, Sera.

— Buvons à notre extinction, déclare Viraf qui
est revenu dans le salon. Mais d'abord, portons un
toast à Toxy et à Darius en leur souhaitant d'être
heureux et de donner bientôt des petits-enfants
à Aban et Pervez. » Il lève son verre un peu plus
haut, tout en se balançant imperceptiblement sur
ses pieds. « Et à ce propos, buvons pour qu'il y
ait beaucoup, beaucoup de bébés parsis – objectif
auquel ma femme et moi n'allons pas tarder à
apporter une modeste contribution. »

Un grand barbu qui se trouve à côté lui envoie
une grande claque dans le dos.

« Félicitations ! Voilà exactement ce qu'il faut à
notre communauté, des hommes jeunes et sains
comme vous.

— Et des femmes comme ma femme, ajoute
Viraf en souriant. N'oublions pas les femmes.

— Bien entendu, bien entendu, dit l'autre en se
tournant aussitôt vers Dinaz. Je ne voulais pas
vous froisser, ma chère.

— N'écoutez pas ce que dit mon mari, déclare
Dinaz en lançant à celui-ci un regard furieux. Il
voulait seulement se faire remarquer, comme
d'habitude. »

À l'autre bout de la pièce, Aban étreint la main de
Sera. « Ils sont vraiment adorables, ces deux-là,

soupire-t-elle. Tu te rends compte, Sera? Quand on travaillait toutes les deux à Bombay House, comment aurait-on pu imaginer voir ça un jour? »

Sera est prise d'une immense tendresse pour Aban. Pervez et elle n'ont pas eu la vie facile, elle le sait. Élever trois enfants avec le peu qu'ils gagnaient n'avait pas dû être évident. De plus Pervez avait été obligé d'aider ses parents, qui étaient pauvres. Ensuite, après leur mort, il avait fallu payer la mammectomie d'Aban. Pourtant, malgré un train de vie modeste, Aban et Pervez ont réussi à construire une vraie famille. Si leur appartement est vétuste et mal entretenu, leurs trois enfants ont pu faire des études supérieures et ont tous aujourd'hui une bonne situation. Sera pense tout à coup qu'elle aurait volontiers échangé sa vie contre celle d'Aban. Elle aurait renoncé sans hésitation au statut social et à l'aisance qu'elle avait connus en étant la femme de Feroz, pour bénéficier de la dévotion et de l'amour que Pervez portait à Aban. Elle aurait préféré trimer comme une esclave, prendre chaque matin un train bondé et rentrer le soir à la maison, épuisée et dégoulinante de sueur, après une journée de labeur, plutôt que de vivre dans le splendide isolement que lui avait imposé Feroz. À sa connaissance, il n'existe aucun secret honteux dans la vie d'Aban. En ce moment, tandis qu'elle la regarde, Sera voit dans ses yeux une clarté et une pureté enfantines dues au fait qu'elle n'a pas passé la moitié de sa vie à se cacher. Il était arrivé à Aban de se plaindre à Sera, en disant qu'elle trouvait injuste de devoir subvenir aux besoins des vieux parents de son mari. Mais elle ajoutait dans la foulée qu'elle était reconnaissante à ses beaux-parents d'être si gentils avec elle et de s'occuper des enfants pendant qu'elle travaillait. Alors, Sera se mordait la langue pour s'empêcher de lui parler de la méchanceté de Banu. Ou bien elle tressait des louanges à son beau-père en espérant qu'Aban ne remarquerait pas qu'elle ne disait rien concernant sa belle-mère.

Sera prend la main de son amie dans les siennes. « Tu as raison, Aban. Nous étions tellement jeunes. Comment aurions-nous pu imaginer tout cela ? Imaginer le mariage de ta petite Toxy. Seigneur, je me souviens encore du jour où elle est née !

— Tu as participé à tous les événements de ma vie, heureux ou malheureux, dit Aban en baissant la voix. Jamais je n'oublierai ta générosité envers nous. Qu'aurais-je fait sans toi ? Je me le demande. »

Sera a la gorge serrée. Aban est son amie depuis des dizaines d'années, mais jamais elle ne s'est sentie aussi proche d'elle. Ses paroles l'ont ridiculement émue. « C'est pareil pour moi, dit-elle, espérant qu'Aban ne détectera pas son manque de sincérité. Je ressens la même chose, ma chérie. »

Jaya vient trouver sa patronne pour la prévenir que le repas est servi.

Aban se lève aussitôt et s'écrie : « Votre attention, s'il vous plaît. » Une fois que les bavardages ont cessé, elle prononce la formule qui annonce traditionnellement le dîner dans les mariages parsis. « *Jamva chaloji*. Venez, allons manger. C'est un buffet. Les plats vous attendent à la cuisine. »

« Quelle bonne soirée on a passée », déclare Viraf pendant le trajet de retour. Ses mains, qui tiennent le volant, sont fermes et il roule vite dans les rues désertes de la nuit. « Une soirée parsie typique, avec tout le chauvinisme et les inepties dont sont capables des gentlemen parsis éméchés, sans oublier, bien entendu, une nourriture grasse et agressivement non végétarienne. Autant pour notre régime.

— Je me demande qui parmi les invités va succomber à une crise cardiaque, au cours de la nuit, renchérit Dinaz.

— Mais non, mais non, chérie. Pour ça, il faudra attendre le mariage proprement dit, quand ils auront absorbé une suite de cinq plats bourrés de cholestérol, réplique Viraf du tac au tac, ce qui fait glousser Dinaz et Sera.

— Mes enfants, mes enfants, proteste cette dernière sans conviction. Ne soyez pas méchants. Aban est ma plus vieille amie.

— Oh ! je n'ai rien contre tante Aban, dit Viraf. C'est un amour, je l'adore. D'ailleurs j'ai tout arrangé pour m'enfuir en Suisse avec elle, demain matin à la première heure. Nous avons rendez-vous à la gare pour prendre le train. »

Dinaz lui donne une tape sur la cuisse. « Arrête de dire des bêtises. Décidément, ton humour ne s'améliore pas, je le crains. »

Mais Viraf est déchaîné. « Elle m'a promis de me démontrer la supériorité de la culture parsie, pendant le voyage. Saviez-vous que les parsis avaient inventé l'honnêteté ? » Et, avec un clin d'œil à Dinaz qui essaie de ne pas rire, il ajoute : « C'est la vérité, demande à qui tu voudras. Un 16 juillet du quatrième siècle avant J.-C., les parsis – ou plutôt les zoroastriens – inventèrent l'honnêteté. Le jour suivant, ils inventèrent la bonté et la charité.

— C'est bon, Viraf, c'est bon, grommelle Sera.

— Attendez, je n'ai pas fini. Aban souhaite également parler avec moi de la création d'une association visant à ramener les parsis sur leur terre ancestrale, en Iran. Ainsi, le grand Empire persan renaîtra. Voyons, puisque les Juifs ont récupéré Israël, pourquoi ne retournerions-nous pas en Iran ? Réflexion faite, peut-être irons-nous directement en Iran, sans passer par la Suisse. Aujourd'hui Bombay. Demain, l'Iran. Répétez après moi : Demain, l'Iran. »

Dinaz se retourne, pour regarder sa mère. « Si jamais ce *gadhera* boit encore en ma présence, je le tuerai, je te le jure. Pourvu, au moins, que notre enfant n'hérite pas de l'humour débile de son père.

— Moque-toi, moque-toi. Tu recevras bientôt une carte postale d'Iran, tu verras. »

Sera ferme les yeux. La journée a été longue et elle est fatiguée. Elle n'en revient pas de se sentir aussi épuisée. Soit je suis en train de couver quelque chose, soit j'ai perdu l'habitude de ces grandes fêtes, pense-t-elle. Dinaz lui dit souvent qu'elle s'est refermée sur elle-même depuis la mort de Feroz, mais jusqu'à ce soir, elle n'y avait guère réfléchi. Elle sait que c'est une des raisons qui ont poussé Dinaz à venir s'installer chez elle, avec son mari. Pendant les six mois qui avaient suivi la mort de Feroz et avant que les enfants déménagent, elle avait eu peu d'occasions de sortir de la maison, si ce n'est pour rendre visite à Banu. Un soir, Dinaz et Viraf étaient arrivés pour lui soumettre leur idée. « Notre appartement est petit et trop éloigné de notre bureau, maman, avait dit Dinaz. Bientôt, ce sera impossible de faire le trajet à l'heure de pointe. Et puis tu as l'air tellement seule dans cette grande maison depuis que papa n'est plus là. C'est pourquoi on se demandait... ce que tu penserais si on venait habiter avec toi. »

Elle avait pris soin de refouler sa première réaction, qui avait été celle d'une joie sans retenue. Avoir ses enfants auprès d'elle ! Profiter de leur jeunesse pour chasser les fantômes du passé. En finir avec ces journées où elle guettait inconsciemment le pas de Feroz, avant de ressentir un soulagement mêlé de culpabilité en prenant conscience qu'il ne rentrerait plus jamais à la maison. Quel bonheur ce serait d'attendre avec impatience l'heure du retour des enfants, de leur préparer leurs plats préférés et d'avoir ensuite la satisfaction de les regarder se régaler, assis avec elle dans la salle à manger.

Mais le souvenir des années malheureuses vécues chez Banu Dubash l'avait empêchée de clamer sa joie. « Ce n'est pas facile de cohabiter. Quand nous vivions chez elle, ta grand-mère faisait de ma vie un enfer. Pour rien au monde je ne voudrais me comporter comme elle. Et puis tu es jeune et mariée depuis peu. Il faut du temps pour construire un couple. Si ça se passait mal entre nous, je ne me le pardonnerais jamais.

— Arrêtez, maman, avait dit Viraf en riant. Vous

n'avez rien de commun avec Banu. Bien qu'elle soit vieille aujourd'hui, je peux imaginer le tyran qu'elle a dû être. De toute manière, Dinaz s'inquiète beaucoup pour vous. Et puis vous nous rendriez un grand service... le trajet pour aller au bureau devient vraiment très pénible. Mais c'est votre maison, aussi...

— Ce n'est pas ma maison. Tout ce que j'ai est à vous deux, tu le sais bien, Viraf. Ce n'est pas comme si j'avais six enfants. Cette maison est la vôtre, Viraf, ne crois pas que...

— Dans ce cas, c'est une affaire réglée, avait dit Dinaz. Nous revenons nous installer chez nous.

— Réfléchissez tout de même à ce que je vous ai dit. Ce serait merveilleux de vous avoir avec moi tous les deux. Toutefois ce n'est pas une décision facile à prendre. Laisse-toi un peu de temps pour réfléchir, *deekra*. »

Affalée sur la banquette arrière, tout ensommeillée, Sera regarde Dinaz et Viraf. « Merci, mon Dieu, pour mes enfants, murmure-t-elle. La joie que ces deux-là me donnent est ma récompense pour avoir accepté de vivre avec Feroz pendant tant d'années. »

La voiture s'engage dans la rue où habite Banu Dubash, et Viraf ralentit comme à l'accoutumée. « Il y a de la lumière dans l'appartement. L'infirmière de nuit n'est pas encore couchée.

— Grand-maman fait sans doute un caprice, remarque Dinaz. Pauvre infirmière... je me demande comment elle peut supporter cette vieille chipie. »

Je me le demande aussi, songe Sera. Pour ma part, je n'en serais certainement plus capable.

15

Un matin, alors qu'elle était mariée depuis quatre ans, Sera s'était réveillée en sentant quelque chose de chaud et de poisseux au fond de son gosier. Elle pensa un instant qu'elle allait encore avoir une angine, mais après avoir dégluti avec précaution, elle constata n'avoir pas mal à la gorge.

C'était la haine. La haine qui s'était logée en travers de sa trachée, comme un os. Une haine qui lui donnait la nausée, qui lui mettait un goût amer, desséchant, dans la bouche. La haine qui avait contaminé son cœur comme une maladie, qui tordait sa bouche vers le bas, à la façon d'une cuillère déformée.

C'était une magnifique journée de décembre. Posé sur le rebord de la fenêtre, un pigeon roucoulait sa stupide mélodie. Il y avait dans l'atmosphère une fraîcheur agréable qui atténuait un peu l'ardeur du soleil de Bombay. Pourtant, elle était incapable de se mettre à l'unisson de cette beauté. Elle se sentait maussade, salie, comme si la haine corrodait son corps. La fatigue la clouait au lit. Elle ne se souvenait pas d'avoir jamais haï personne. Mais aujourd'hui, la haine coulait goutte à goutte dans sa gorge, laide et épaisse, lui donnant l'impression d'être atteinte d'une maladie.

Tout à coup, elle rejeta son drap et se leva d'un bond. Après avoir rassemblé ses vêtements à la hâte, elle s'approcha du berceau où dormait Dinaz et la secoua jusqu'à ce qu'elle ouvre les yeux et que sa bouche s'élargisse dans un bâillement. « Allons, réveille-toi, Dinu, murmura-t-elle. Aujourd'hui, nous partons à l'aventure, toi et moi. » Elle alla dans la salle de bains, ouvrit l'eau chaude en grand, plaça le seau en plastique sous le robinet et retourna chercher sa fille en disant : « Aujourd'hui, on va prendre notre douche ensemble. »

Elles ressortirent toutes les deux de la salle de bains, habillées de pied en cap. Laissant Dinaz dans la salle de séjour, Sera alla trouver Banu à la cuisine. « Je sors avec Dinaz ; je ne rentrerai pas de la journée, annonça-t-elle en fuyant le regard pénétrant de sa belle-mère. À ce soir.

— Tu sors de si bon matin ? Et le petit déjeuner du bébé ? Et le repas que je suis en train de préparer ? Il ne faut pas gaspiller l'argent que mon Feroz a tant de mal à gagner... »

Sera sentit le magma gluant remonter dans son larynx. Elle avait peur de regarder Banu en face, peur que son visage ne reflète l'aversion qu'elle lui vouait. « J'expliquerai tout à Feroz moi-même. Il faut que je parte tout de suite. Je serai de retour dans la soirée. Au revoir. »

Ignorant résolument les grommellements menaçants de Banu, se cuirassant contre le tir de barrage de mots cinglants qui mettaient en doute ses motifs, son éducation et sa vertu, Sera saisit le bras fluet de sa fille, comme si ç'avait été une aile de poulet, et l'entraîna vers la porte. Dès que celle-ci se fut refermée sur elles, elle poussa un grand soupir et se hâta vers l'ascenseur. À la dernière minute, elle se ravisa et descendit par l'escalier. Elle s'efforça de ne pas se retourner pour voir si Banu les suivait. Ce n'est qu'une vieille idiote, se répétait-elle, mais la sensation qui lui nouait le ventre était identique à celle qu'elle éprouvait quand elle regardait un film d'épouvante dans une salle plongée dans l'obscurité.

Une fois dehors, elle se rendit compte qu'il était à peine neuf heures et demie et qu'elle ne savait pas du tout quoi faire. Elle envisagea un instant d'aller voir Feroz à son bureau, mais elle eut un choc en prenant conscience du malaise que lui causait cette perspective. Elle songea à rendre visite à Aban, mais le bavardage incessant de son amie lui donnait une impression de claustrophobie. En outre, dès qu'elle la verrait, Aban devinerait qu'il s'était passé quelque chose et elle la cuisinerait pour en savoir davantage.

Non, elle emmènerait Dinaz chez ses grands-parents. Ils seraient fous de joie et ne poseraient aucune question. Soudain, Sera eut envie de retrouver la fraîcheur et la paix de son ancienne chambre. Il y avait longtemps qu'elle n'était pas allée chez ses parents et elle savait qu'ils en étaient peinés, même s'ils étaient trop discrets pour s'en plaindre. Oui, elle irait les voir. Sa décision prise, elle changea brusquement de direction et partit vers la station de taxis en tirant Dinaz par la main. « Ne marche pas si vite, maman », disait l'enfant et Sera ralentit le pas, un peu honteuse.

Dès qu'elle fut montée dans le taxi et qu'elle eut donné l'adresse au chauffeur, elle sentit son cœur battre moins vite. Tout en regardant les rues défiler, elle se demandait pourquoi elle n'avait pas fait cela plus tôt. Il lui tardait tellement d'arriver chez ses parents qu'elle faillit dire au chauffeur de brûler un feu orange. Un besoin irrépressible d'accélérer le mouvement inclinait tout son corps vers l'avant. Elle aurait voulu ne jamais s'arrêter, mettre le plus de distance possible entre elle et la maison triste et mortifère de Banu. Mais le taxi stoppa au feu. Presque aussitôt, un essaim de mendiants apparut à sa fenêtre. Elle détourna les yeux pour bien leur faire comprendre qu'ils n'avaient rien à espérer. Dinaz la tirait par la manche. « Des sous, maman. » Sera soupira. Dinaz était tellement sensible. Déjà, elle avait compris qu'il était inutile de harceler son père pour qu'il fasse l'aumône aux mendiants. Feroz disait souvent qu'il ne fallait pas encourager la mendicité et, quand ils sortaient ensemble, il interdisait à Sera de déposer des pièces de monnaie dans une main tendue. « *Saala*, quelle bande de feignants ! disait-il. Moi aussi j'aimerais bien me la couler douce toute la journée et gagner de l'argent sans me fatiguer. »

Soudain, tandis qu'elle fouillait dans son porte-monnaie, Sera éclata de rire en pensant au dernier anniversaire de Feroz. Dinaz avait regardé ses grands-parents faire se retourner son père vers l'est, lui appliquer un *tilla* rouge sur le front et lui passer une guirlande de fleurs autour du cou. Ensuite, Banu était allée prendre une enveloppe bourrée de billets sur la table basse et elle l'avait embrassé en disant : « Joyeux anniversaire, mon cher enfant. »

Tout à coup, Dinaz, qui était vautrée sur le canapé, s'était redressée en s'exclamant : « *Saala*, quel feignant, il gagne de l'argent sans se fatiguer ! » Son imitation était si parfaite que Sera avait cru un instant que ces paroles sortaient du gosier de l'omniprésente Polly.

Feroz avait changé de couleur et semblé sur le point de gronder Dinaz. Mais Sera émettait des bruits bizarres et ils avaient tous mis une minute pour comprendre qu'elle avait le fou rire. La bouche de Feroz tremblait et il paraissait se demander s'il devait réprimander sa fille ou rire avec sa femme, laquelle l'avait aidé à faire un choix. Les joues ruisselantes de larmes, elle s'était approchée de Dinaz et l'avait prise dans ses bras. « Vilaine fille, vilaine fille, avait-elle dit en la pressant contre elle. Tu ne dois pas parler comme ça, compris ? »

Mais déjà tout le monde riait. « Cette enfant marchera dans les pas de son grand-père et elle sera avocate, je vous le dis, avait déclaré Freddy. En voilà une qui fera ployer la Haute Cour. »

Aujourd'hui, alors que le taxi repartait, ce sourire s'attardait sur les lèvres de Sera. Elle regardait Dinaz et son cœur se serrait d'amour. Elle est la seule lumière de mon existence, désormais, se disait-elle. Elle et, dans une certaine mesure, papa Freddy. Les autres – lui et sa mère – m'ont gâché la vie.

Vers six heures du soir, Jehroo, la mère de Sera échangea un coup d'œil avec son mari, puis elle dit à sa fille : « Nous sommes invités à dîner, ma chérie.

Mais nous pouvons nous décommander, à moins que tu ne comptes rentrer bientôt chez toi. »

Elle était sur le point de lui dire de ne rien changer à leurs projets, qu'elle n'allait pas tarder à s'en aller, quand elle sut qu'elle ne partirait pas. Elle ne retournerait pas chez son mari. Cette découverte lui coupa le souffle, comme si son esprit venait seulement de prendre conscience de ce que son cœur savait déjà. Elle regarda sa mère en se demandant comment lui expliquer la chose avec des mots qui en diraient juste assez, des mots qui cacheraient l'immensité de la terreur qu'elle ressentait à l'idée de retourner chez Banu. « Je me demandais... je me demandais si on ne pourrait pas dormir ici cette nuit, Dinaz et moi. Enfin, vous allez à votre dîner, papa et toi. Et nous serons là à votre retour. »

Jehangir Sethna sembla vouloir dire quelque chose, mais sa femme l'arrêta du regard. « Bien sûr, Sera, dit-elle. Tu sais que tu es chez toi, ma chérie. Tu seras toujours la bienvenue ici. Mais es-tu certaine que Feroz ne verra pas d'inconvénient à nous prêter sa charmante épouse ? »

De nouveau, cette coulée brûlante au fond de la gorge. Sera déglutit avant de répondre : « Je pense qu'il survivra, maman. Mais allez donc vous préparer pour votre dîner.

— Si ma fille et ma petite-fille chéries restent à la maison, je refuse d'aller à ce dîner, déclara aussitôt Jehangir. Je suis sûr que les Pundole comprendront.

— Non, non, papa, ne changez rien à vos projets, s'il te plaît. » Et en voyant son père prendre l'air entêté qui lui était familier, elle ajouta : « À vrai dire, j'ai... j'ai besoin d'être un peu seule... pour réfléchir à certaines choses. »

Jehroo donna un coup de coude à son mari et battit des paupières à plusieurs reprises, en détournant la tête de façon que Sera ne s'en aperçoive pas. « Allons-y, Jehangu. On ne va pas se décommander. Si tu veux, on rentrera un peu plus tôt. Comme ça, tu pourras parler avec ta fille tout ton soûl. »

Après leur départ, Sera téléphona chez les Dubash. S'il vous plaît. S'il vous plaît, faites que ce soit Feroz qui décroche, se disait-elle en composant le numéro.

« Allô ? » La voix de Feroz lui parut si nette que, l'espace d'une seconde, elle oublia le petit discours qu'elle avait préparé.

« Feroz ? C'est moi. Écoute, j'appelais seulement pour dire...

— Où diable étais-tu passée ? Ça fait une heure que le dîner est prêt et on attend tous que tu rentres à la maison pour se mettre à table.

— Je suis chez mes parents. Écoute, Feroz. J'ai pensé que je resterais peut-être ici pendant quelques jours. »

Elle l'entendit prendre une profonde inspiration, puis le silence retomba. Dis quelque chose, priait-elle intérieurement. Dis quelque chose, pour ôter de ma bouche ce goût de boules d'antimite.

Le silence persistait.

« Allô ? dit-elle enfin.

— Je t'écoute.

— Tu n'as rien à me dire ? »

Cette fois, elle l'entendit grincer des dents. « Qu'est-ce que tu veux que je dise ? Ce matin, tu quittes la maison sans prévenir, ce soir, tu ne rentres pas, alors qu'on est là à t'attendre comme des *chootia*, pendant que les plats refroidissent, et maintenant tu m'annonces que tu vas rester chez ta mère, sans me donner aucune explication. Que devrais-je faire ? Venir te supplier à genoux de rentrer à la maison ? Tu te trompes de bonhomme, Sera. »

Une fraction de seconde, elle fut tentée de se mettre à sa place. Elle l'imaginait rentrant épuisé de son travail et demandant où elle était ; elle voyait le sourire satisfait de Banu lui annonçant que sa femme était partie de bon matin en emmenant leur fille.

« Est-ce que... est-ce que tu veux souhaiter bonne nuit à Dinaz ? demanda-t-elle d'une voix hésitante.

— Combien de temps projettes-tu de me priver de ma fille ? Dois-je comprendre que tes parents t'encouragent à négliger tes devoirs d'épouse ?

— Feroz, tu te trompes. Je n'avais rien projeté. Je n'ai même pas emporté de quoi me changer. Je ne sais pas jusqu'à quand j'aurais besoin de rester ici. C'est seulement que le climat est tellement tendu, en ce moment, entre ta mère et moi...

— Ne dis pas de conneries ! » Les mots avaient jailli de l'écouteur avec la violence d'un coup de poing, faisant résonner ses tympans. « Ne rends pas ma mère responsable de tes caprices. Tu es la seule fautive. »

Elle considéra le téléphone d'un air incrédule,

sans même se rendre compte que Feroz lui avait raccroché au nez. Le combiné à la main, elle se laissa tomber sur le canapé. Auraient-ils été coupés, grâce aux bons soins de la compagnie du téléphone de Bombay ? Mais alors même qu'elle se posait la question, son cœur lui disait que Feroz avait raccroché délibérément. Elle se demanda si elle devait le rappeler, tout en sachant qu'il était trop orgueilleux pour décrocher. Et si c'était Banu qui répondait, son humiliation serait totale.

Deux semaines passèrent sans que Feroz donne signe de vie. Les premiers jours, Dinaz avait réclamé son père et son grand-père, puis elle cessa rapidement de poser des questions et sembla s'habituer à leur nouvelle vie. Mais était-ce une nouvelle vie ou seulement un répit momentané dans l'ancienne ? Un jour, Jehroo Sethna l'interrogea à ce sujet de façon détournée. Elles étaient allées toutes les deux faire des courses à Colaba, en laissant Dinaz à son grand-père. « Entrons acheter des culottes pour la petite », dit Jehroo en passant devant une échoppe qui vendait des vêtements d'enfants. Puis elle se tut, regarda sa fille avec insistance et ajouta : « À moins que ce ne soit pas la peine. C'est tellement difficile de décider quoi faire pour ses habits et le reste, sans rien savoir de... de l'avenir. »

Sera comprit immédiatement et elle détourna les yeux, ne pouvant supporter l'affectueuse compassion qu'elle lisait dans les yeux de sa mère. Elles s'étaient arrêtées sans même s'en rendre compte et les autres acheteurs, obligés de les contourner, leur lançaient des regards irrités. Pressentant en elles des clientes potentielles, les commerçants se répandirent en appels nasillards frisant l'hystérie et, du coup, elles ne s'entendaient même plus parler. « Par ici, mesdames, que cherchez-vous ? Des cassettes, du parfum, du savon, des boîtes de fromage Kraft tout droit venues d'Australie ? Du chocolat... Nestlé, Toblerone ? *Arre,* prenez un *dekho,* c'est *aasli maal,* madame, de l'authentique. Rien que de la marchandise d'importation, venez, je vous ferai un bon prix pas cher. »

Tout à leur conversation, Sera et Jehroo ignoraient les frémissements d'impatience que leur immobilité déclenchait parmi les commerçants frustrés.

« Viens, dit Jehroo en tirant sa fille par la manche. Allons manger quelque chose au restaurant iranien. Là, on pourra parler tranquillement. »

Elles commandèrent chacune une bouteille de Thum-up et des sandwichs au poulet. Elles restèrent un moment sans rien dire, goûtant le silence. Puis Jehroo passa à l'attaque. « Voilà deux semaines que je me tais. Deux semaines, que dis-je ? deux ans plutôt. Ne va pas t'imaginer que je n'ai pas remarqué que tu as des cernes noirs sous les yeux et que tu ne souris plus jamais. *Deekra,* je suis ta mère. Je t'ai portée dans mon ventre pendant neuf mois. Je connais chaque centimètre de ta peau. Si un moustique se pose sur toi, je sens sa piqûre.

— Moi, c'est pareil avec Dinaz, remarqua Sera en souriant.

— Bien sûr. Les hommes peuvent rester aveugles à ce qu'ils ont sous le nez. Mais nous autres femmes, nous voyons tout. C'est pourquoi je te demande, Sera, que se passe-t-il donc dans ton ménage ? Jusqu'à présent, je ne me suis mêlée de rien, je me disais que tu étais désormais la propriété de ton mari, plus la nôtre. Mais aujourd'hui, je ne peux plus supporter de voir mon unique enfant si malheureuse. Par conséquent je te pose cette question : Pourquoi es-tu chez nous ? Et pourquoi Feroz n'a-t-il pas téléphoné une seule fois ou n'est-il pas venu te chercher ? »

Il me bat, eut-elle envie de répondre. Et sa mère fait de ma vie un enfer. Les mots se déposèrent sur ses lèvres, ainsi que de l'écume au bord d'une plage, puis se retirèrent. Elle ne pouvait faire porter ce poids à sa mère. Elle ne voulait pas ôter les cernes noirs de sous ses yeux pour les mettre sous ceux de sa mère. Elle n'avait aucun désir de soulager son cœur en se débarrassant de sa peine sur elle. Par ailleurs, nul ne savait quelle serait la réaction de son père s'il apprenait comment Feroz la traitait, derrière des portes closes, dans le noir. Quand il saurait qu'il ne s'agissait quelquefois que d'une espèce de hors-d'œuvre – un pincement bref mais ferme du pouce et de l'index, qui lui tordaient la chair dans un mouvement de ciseaux, déclenchant une douleur qui persistait pendant plusieurs jours. Que, d'autres fois, c'était un repas complet, un festin composé de coups de poing, de gifles, agrémenté à l'occasion d'un coup de pied – repas si copieux que, le lendemain, il lui fallait des heures pour choisir la robe à manches longues qu'elle allait mettre et trouver des raisons pour expliquer les bleus qui la défiguraient. Pire que les coups proprement dits, il y avait l'expression triomphante et inquisitrice que prenait Banu le lendemain matin. D'une certaine façon, ces raclées constituaient un lien entre elles deux, en ouvrant à la belle-mère une voie d'accès dans les rues défoncées et jonchées de débris du cœur de sa bru.

Oui, impossible de dire ce que feraient ses parents s'ils découvraient la vérité. La violence, la cruauté, c'étaient des choses qui n'appartenaient pas à leur univers. Et puis ils étaient trop vieux pour avoir à lui porter secours, pour mener le combat à sa place. Sans compter que sa mère avait tenté de la mettre en garde concernant Banu. Elle lui avait proposé de se renseigner, d'enquêter sur les rumeurs. Avec quelle arrogance, quelle légèreté, elle avait repoussé cette offre, elle, Sera! Elle avait quitté la maison de ses parents, débordante de confiance. Que restait-il de cet être idéaliste? Un tremblement de la main droite qu'elle ne parvenait pas toujours à maîtriser, des cernes noirs sous les yeux et un cœur qui se brisait comme une assiette de porcelaine.

« Il y a un peu de tirage entre Feroz et moi, en ce moment, c'est évident, maman, répondit-elle prudemment. Je sais que c'est une charge pour papa et toi de m'héberger avec la petite. Mais si je pouvais rester encore quelque temps, je...

— Ah! cette fois, je vais me fâcher. Ne fais pas semblant de ne pas comprendre ce que je dis, ma chérie. Tu sais bien que nous sommes heureux de t'avoir, ton père et moi. Mais l'ennui, c'est que ta place n'est pas chez nous; elle est auprès de ton mari et de tes beaux-parents. Alors, dis-moi, que se passe-t-il?

« — Elle se mêle de tout. » Sera disait la première chose qui lui venait à l'esprit. « Elle est âgée, tu comprends, et elle a des idées très arrêtées. » Elle avait conscience de donner de Banu l'image d'une vieille femme excentrique et non du monstre malfaisant qu'elle était en réalité.

« Ce système de cohabitation est une vraie calamité. Un nombre incalculable de femmes ont été sacrifiées à sa cause, dit Jehroo en regardant distraitement par la fenêtre un jeune Occidental vêtu d'un pantalon à fleurs avachi et d'une chemise flottante imprimée, en train de parler avec une fille en jupe de cotonnade, qui portait un sac à dos. « Nous les Indiens n'arrêtons pas de critiquer les Blancs qui mettent leurs enfants à la porte dès qu'ils ont dix-huit ans, qui placent leurs vieux parents dans des maisons de retraite et qui n'ont pas comme nous le respect de la famille. Mais je me demande parfois si nous leur sommes aussi supérieurs que nous le pensons. À quoi bon vivre ensemble si c'est pour passer sa vie à se chamailler ? Mieux vaut habiter chacun chez soi plutôt que de se disputer comme chien et chat.

« Tu connais nos voisins Freny et Jamshed ? Ils ont pris la mère de Jamshed avec eux. L'autre jour, je suis allée la voir et que crois-tu que j'ai découvert ? La malheureuse était couverte d'escarres. Freny prétend qu'elle n'a pas assez de force pour la retourner dans son lit aussi souvent qu'il le faudrait. Son mari travaille toute la journée et tout retombe donc sur elle, tu comprends ? Pendant que j'étais là, Freny n'a pas cessé une minute de se plaindre de sa belle-mère, qui ne fait rien pour aider quand il faut la changer de côté, dans son lit, ou quand il faut la soulever pour lui glisser le bassin. Alors que tout le monde peut voir que la pauvre malheureuse n'a plus que la peau sur les os. Elle arrive tout juste à hausser les sourcils et encore moins à soulever ses fesses. Mais Freny est convaincue qu'elle le fait exprès, uniquement pour l'embêter. Quant à Freny elle-même... comment dire? On a l'impression qu'elle a vieilli de cinquante ans en deux mois. Elle prétend qu'elle ne peut pas s'absenter de la maison plus d'une heure d'affilée, qu'elle est poursuivie par l'odeur de l'urine et de l'alcool à 90°, même pendant son sommeil. Toute son existence en est bouleversée.

« Je suis sûre qu'elle prie jour et nuit pour qu'elle meure, poursuivit Jehroo en regardant sa fille. Pourtant, nous critiquons les Occidentaux qui se débarrassent de leurs vieux. Quand ce sera mon tour, je voudrais n'être un fardeau pour personne. Quand mon heure viendra, tu n'auras qu'à mettre quelques somnifères dans mon potage et, en deux temps trois mouvements, le problème sera réglé », ajouta-t-elle avec un sourire.

Sera caressa la main de sa mère et, ce faisant, elle renversa un peu de l'eau contenue dans le verre que le serveur avait apporté quand elles s'étaient assises. « Ne dis pas ça, maman. Si jamais il t'arrivait quelque chose, je me demande ce que je deviendrais.

— Nous ne serons pas toujours là, ton père et moi, dit Jehroo avec tendresse. Nous vieillissons, vois-tu. C'est pourquoi je te dis que ta place est auprès de ton mari. Tous les couples connaissent des moments difficiles. C'est dommage que tu doives vivre avec tes beaux-parents. Mais c'était ton choix. Tâche de supporter ta belle-mère autant qu'il est possible. Ton bon caractère devrait te permettre de conquérir son affection. »

Sera sourit mais son cœur était de glace. Elle se sentait très loin de cette femme élégante, aux grands yeux bienveillants. Sa mère avait beau être son aînée, elle avait l'impression d'être cent fois plus vieille, plus désabusée, plus expérimentée qu'elle. Jehroo Sethna avait eu la chance d'avoir des parents fortunés et aimants, un mari tendre et cultivé qui était fou d'elle, une fille qui l'adorait et la respectait. Elle n'avait jamais connu l'impact d'un poing d'homme sur sa chair tendre ; elle n'avait jamais été saisie de claustrophobie parce qu'on l'avait enfermée dans sa chambre ; elle n'avait jamais entendu son mari lui dire qu'elle vieillissait et devenait grosse et laide, ou l'accuser de flirter avec tous les hommes qui croisaient son chemin. Elle n'avait jamais eu à supporter les regards vifs et insidieux qui suivaient chacun de ses mouvements, à la maison. Jehroo Sethna n'avait pas souffert et, pour la première fois de sa vie, Sera se sentait loin de sa mère et incapable de se rattacher à elle par un autre biais que l'amour évident qu'elles se portaient mutuellement.

« Tu veux que je te dise, maman ? Allons acheter des culottes pour Dinaz. Comme ça, si jamais je décidais de rester chez vous encore quelques semaines, nous n'aurons pas besoin de revenir ici pour faire des courses. »

Quinze jours plus tard, dans l'après-midi, Sera entendit frapper à la porte. Elle alla ouvrir et trouva Freddy Dubash appuyé contre le mur. Il avait son feutre marron sur la tête et la chaîne de sa montre en or pendait de la poche de son gilet. « Papa Freddy! s'exclama-t-elle, tout heureuse. Qu'est-ce qui vous amène? Il n'est rien arrivé, j'espère... Feroz va bien? ajouta-t-elle, soudain inquiète.

— Tout va bien, répondit le vieil homme en affectant de froncer les sourcils. *Arre wah.* Est-ce que j'ai besoin d'une raison pour venir voir ma fille et ma petite-fille?

— Non, bien sûr, répondit Sera en rougissant. Entrez, je vous en prie. Papa, viens voir qui est là! »

Les deux hommes s'étreignirent. « *Kem*, Freddy, comment vas-tu? demanda Jehangir, imperturbable, comme s'il voyait Freddy tous les jours. Assieds-toi donc, je t'en prie.

— Bien, bien, répondit Freddy en prenant un siège. J'ai lu dans le journal que Franz Gutman donnait un concert samedi prochain. Je possède l'un de ses premiers enregistrements de la symphonie n° 94 de Haydn. Est-ce que tu comptes y aller?

— Évidemment. Je ne manquerai ça pour rien au monde. Et maintenant que ma Sera est là pour m'accompagner... » Il jeta un coup d'œil en direction de sa fille et s'interrompit en se rappelant la raison de son séjour chez lui. Un silence embarrassé s'établit. Jehangir regarda autour de lui comme pour chercher de l'aide et déclara : « Je vais réveiller Jehroo. Elle fait la sieste avec Dinu.

— Mais non, ce n'est pas la peine. En fait, je voulais juste m'entretenir quelques minutes avec Sera, si tu me le permets. »

Jehangir interrogea sa fille du regard. La voyant hocher imperceptiblement la tête, il se leva en soupirant et dit d'un ton hésitant : « À tout à l'heure. »

Une fois seule avec Freddy, Sera fut prise d'une timidité paralysante qui l'empêchait même de lever les yeux sur lui. Quand enfin elle y parvint, elle s'aperçut qu'il l'examinait attentivement. Il avait un air sérieux, un air de détermination qu'elle ne lui connaissait pas.

« Tu es partie comme ça », dit-il tristement, et elle se rendit compte qu'il avait dû avoir beaucoup de peine en prenant conscience qu'elle ne reviendrait pas, que la seule personne qui partageait son amour de la musique l'avait abandonné. « Sans même dire au revoir, sans même dire porte-toi bien, papa Freddy, tu vas me manquer. *Bas*, tu as disparu sans un mot. En emportant toute la joie de ma maison. » Il parlait de plus en plus bas, le menton rabattu sur la poitrine, si bien qu'elle dut tendre l'oreille pour l'entendre. On aurait dit qu'il se parlait à lui-même.

« Comment va maman Banu ? » En même temps qu'elle posait la question, elle s'aperçut qu'elle avait vraiment envie de connaître la réponse.

Il releva brusquement la tête. « Banu ? J'aimerais pouvoir te dire que ma chère moitié s'est transformée en un petit agneau tendre et soumis. Mais la triste vérité, c'est qu'elle est aussi méchante et *jabri* que jamais. Elle fait tourner en bourrique

258

la pauvre Gulab, avec ses éternels fais ceci et fais cela.

— Est-ce que... est-ce que Feroz sait que vous êtes ici ? »

Freddy regarda Sera, la scrutant de ses yeux humides. « Écoute-moi, *deekra*. J'ai quelque chose de très important à te dire. Je veux que tu m'écoutes avec attention. » Prenant tout à coup les murs à témoin, il s'exclama, l'air exaspéré : « S'il vous plaît, regardez-moi cette fille, avec sa figure longue comme un ananas. J'ai fait tout ce trajet pour la voir et la seule chose qu'elle me demande c'est si son mari sait que je suis ici. » Il poussa un soupir théâtral. « Mais oui, ma chère, Feroz sait que je suis ici. Et plus important encore, il sait pourquoi je suis ici. Maintenant est-ce que tu vas écouter ce que j'ai à te dire ? »

Elle hocha la tête.

« Bien. Il y a deux jours, j'ai rencontré un de mes anciens clients. Divan Shah. Il est très riche, mais il y a quelques années il a eu des ennuis avec la justice et disons seulement que je l'ai beaucoup aidé. Mais ce n'est pas ça qui peut t'intéresser. L'important, c'est que cet homme est un promoteur immobilier. Tu te souviens de Moti Mahal, le grand bungalow qui est au bout de notre rue ? Eh bien, il se trouve que la vieille dame qui l'habitait depuis plus de cinquante ans l'a vendu à la société de Divan, avec le terrain qui l'entoure. On va le démolir et construire à la place un immeuble de sept étages. »

L'attention de Sera vagabondait. Elle pensait à aller réveiller Dinaz de sa sieste afin qu'elle puisse passer un moment avec grand-papa Freddy. Elle se demandait comment l'enfant allait réagir en le voyant.

« Tu m'écoutes, mon petit ? Ce que j'essaie de te faire comprendre, c'est que j'ai dit à Divan que j'aimerais acheter un appartement dans cet immeuble, et il serait d'accord pour me faire un bon prix. Hier soir, j'en ai donc parlé à Feroz. Je lui ai parlé comme jamais je ne l'avais fait, si tu vois ce que je veux dire. D'homme à homme. Je lui ai dit que s'il te perdait, sa vie était fichue. Qu'il finirait un jour comme un de ces vieux parsis pathétiques, qui marmonnent tout seuls dans la rue ou qui se bavent dessus en mangeant. Et pour une fois, mon entêté de fils a entendu raison. Et il a dit oui. »

Freddy se tut et regarda Sera d'un air triomphant. En voyant son expression, elle comprit qu'il attendait sa réaction. « C'est bien », dit-elle sans conviction. Et comme il gardait le silence, elle demanda : « Il a dit oui à quoi ? »

Freddy se frappa le genou. « C'est bien ce que je pensais. Crois-moi, *chokri,* je commence à me faire du souci pour toi. On a l'impression que tu prends cinq sachets de Valium tous les matins. Si tu ne te méfies pas, les toiles d'araignée vont finir par te recouvrir le visage. »

Sera fit un effort pour secouer son apathie. « Je suis désolée, papa Freddy, mais je ne vois pas du tout de quoi vous parlez.

— Comment le pourrais-tu ? Je ne te l'ai pas encore dit. Voilà : je vais acheter un appartement. Pour toi et Feroz – et Dinaz, bien sûr. Séparé du nôtre. De cette façon, Banu ne pourra plus faire ses *dadagiri* habituels, et Feroz et toi vous serez tranquilles, seuls tous les deux. »

Elle écarquilla les yeux, n'osant pas en croire ses oreilles. « Et... Feroz est d'accord ?

— Oui, *beta*. Je connais mon fils. Son stupide orgueil l'empêchera de venir te supplier de revenir. Mais je te le dis, c'est un autre homme. Il rentre tard le soir et, quand il dîne à la maison, il ne mange presque rien. L'autre jour, au moment où il partait au bureau, j'ai dû lui signaler qu'il ne s'était pas rasé. Tu imagines ? Notre Feroz, oublier une chose pareille ? Sans toi, il est devenu quelqu'un que je ne reconnais plus. Même Polly s'en est aperçu. »

Sera essaya de refouler l'espoir qui inondait soudain son cœur. « Même si Feroz accepte, maman Banu ne voudra jamais, dit-elle tristement.

— *Arre*, qu'est-ce que tu racontes ? dit-il d'un air agacé. Vous l'avez peut-être tous oublié, mais c'est moi l'homme de la maison. Le chef de famille. Hier soir, j'ai dit à Banu qu'à moins qu'elle n'ait envie que son fils finisse par avoir l'air plus vieux qu'elle, c'était la seule solution. Je lui ai expliqué les choses sans lui laisser la moindre chance de faire son numéro du oui-mais-non. Je lui ai dit que c'était décidé et qu'elle devait accepter la situation, *chup-chaap*.

— Et qu'est-ce qu'elle a dit ?

— Je viens de te le dire, s'emporta-t-il. Elle n'a rien à dire. Je vais acheter cet appartement avec l'argent que j'ai gagné à la sueur de mon front. C'est un cadeau pour mon fils et ma belle-fille chérie, si elle veut bien l'accepter. »

Elle vit pour la première fois l'expression suppliante qui luisait dans ses yeux, elle entendit l'hésitation qui faisait frémir sa voix et remarqua le léger tremblement de ses mains. Papa Freddy se fait vieux, pensa-t-elle. Pourtant il est venu jusqu'ici, en ravalant son amour-propre.

« *Beta*, reprit-il avant qu'elle ait pu répondre. Tu es le plus beau joyau de notre famille. Ta place est auprès de ton mari. Crois-moi quand je te dis que Bombay n'est pas un endroit où une femme seule peut élever un enfant. Dans ma carrière d'avocat, j'ai vu beaucoup, beaucoup de choses très laides. Tu as tes merveilleux parents, bien sûr, que Dieu les conserve en bonne santé. Malgré tout, tu n'es pas chez toi ici. Ta vie est avec Feroz. Et maintenant, dis-moi : est-ce que tu acceptes ce cadeau d'un vieil homme ? »

Elle quitta le canapé pour se rapprocher de lui et, ce faisant, elle vit le sommet de son crâne qui ressemblait tant à celui de Feroz. Elle en éprouva un pincement de regret. Un instant, Feroz lui manqua terriblement, la masse compacte de son corps assoupi près du sien, son assurance naturelle, l'impression de sécurité qu'elle avait quand ils sortaient ensemble. Et puis il fallait à Dinaz – non, Dinaz méritait – ce que seul son père pouvait lui apporter.

« Papa Freddy ! s'écria-t-elle. J'espère que je ne commets pas une erreur mais j'accepte votre généreuse proposition. Oui, je l'accepte. »

16

L'air marin sent bon et l'océan chatouille les pieds de Bhima et de Maya qui marchent sur la plage, en zigzaguant de temps à autre pour éviter les promeneurs arrivant en sens inverse. Un petit vent joue avec le chignon serré de Bhima et quelques cheveux égarés se redressent sur sa tête.

À mesure qu'elle avance, Bhima a l'impression de se délivrer de ses fardeaux dans l'eau accueillante; son corps se fait plus mou, plus souple, et elle perd un peu de la raideur obstinée qu'elle porte ordinairement en elle. Elle se félicite de cette habitude qu'elles ont prise d'aller toutes les deux se promener le soir au bord de l'eau. Elle écoute les soupirs rythmés des flots obscurs, avec l'impression qu'ils font écho aux siens. La mer lutte avec le rivage, se rebellant contre les limites qu'il lui impose, laissant derrière elle, tandis qu'elle reflue, un chuintement d'écume. Bhima sent ses pieds fatigués agripper le sable humide, à la recherche d'un point d'appui.

Cela faisait des années qu'elle n'était pas allée sur la plage de Chowpatty. « Ton grand-père et moi, on venait souvent ici, dit-elle à Maya.

— Avec maman et Amit ? »

Bhima fait claquer la langue. « Non, avant. Tout

au début de notre mariage. À l'époque, c'était différent ici. » Son expression s'adoucit tandis qu'elle se revoit avec Gopal, assise sur le sable caramel, en train de manger des *pakoda* aux légumes et de mâchonner des morceaux de canne à sucre fraîche. Puis, une fois le soleil couché et la foule moins dense, ne laissant çà et là que des amoureux, Gopal l'attirait contre lui. Tout le long de la plage, des couples étaient assis, plus ou moins discrets dans leurs démonstrations de tendresse, mais l'usage voulait qu'on ignorât ce que faisait autrui. Certains jours, il semblait à Bhima que tout Bombay était là – les fiancés, les amants adultères et ces jeunes gens qui s'exposaient à d'effroyables châtiments si jamais leurs parents apprenaient qu'ils entretenaient une liaison. Elle, au contraire, qui venait là avec son mari, avait l'impression d'être irréprochable et de ne courir aucun risque.

« Comment ça, différent ? demande Maya, et Bhima est un peu agacée d'avoir été dérangée dans sa rêverie.

— La municipalité a fait nettoyer la plage. Autrefois elle était sale et jonchée de papiers gras. Les gens faisaient leurs besoins sur le sable, devant tout le monde. Et là-bas – elle montre la grande bande de plage tout illuminée où se trouvent les marchands ambulants –, il y avait beaucoup plus d'étals de *panipuri* et de nourritures diverses. Aujourd'hui, tout est réglementé. »

Elle espère que ces explications feront taire sa petite-fille parce qu'elle a envie de revisiter le passé, de s'attarder encore un peu avec Gopal, sur les plages dorées de leur jeunesse. Mais Maya est en veine de conversation. « Ton *balloonwalla*? L'Afghan dont tu parlais. Il venait ici, lui aussi?

— Je ne sais plus. » Elle ressent une brusque répugnance à l'idée de parler de l'homme qui vendait sa marchandise sur la plage bigarrée de Chowpatty, dans cet environnement clinquant et vulgaire. Elle préférerait l'évoquer sur la toile de fond moins criarde de Marine Drive, où on ne voyait pas cette foule d'adolescents et d'étudiants en quête du parfait *bhelpuri*. Où l'on pouvait prendre le temps d'apprécier l'art du Pachtoune, sa manière patiente, précautionneuse, de façonner l'air et les morceaux de caoutchouc pour en extraire de la magie. « Probablement pas, poursuit-elle. Il ne serait pas venu ici.

— Moi, je suis sûre que si, dit Maya. Si c'est là qu'il y avait le plus de monde, c'est là qu'il avait le plus de chances de faire des affaires. Il fallait qu'il vienne vendre ses ballons à cet endroit. C'est ce qu'on nous apprend en cours d'économie... il faut se trouver là où il y a de la demande. »

Tout à coup, Bhima est envahie d'un flot de colère et sa main la démange de gifler cette demoiselle qui sait tout. Elle ne comprend pas bien d'où lui vient cette hargne – de l'allusion fortuite que Maya a faite en passant à ses études ou parce que la réflexion étourdie de la jeune fille désacralise le souvenir que Bhima a gardé du fier Pachtoune et déprécie son talent. « Ce n'était pas un homme d'affaires! s'exclame-t-elle. Petite sotte que tu es. Je te dis qu'il ne venait jamais ici. »

Maya paraît saisie, puis blessée, mais quelque chose d'obstiné en elle refuse de se rendre. « Eh bien, dans ce cas, pas étonnant s'il était pauvre. Pas étonnant qu'il t'ait fait pitié. »

Bhima a envie de la corriger, de lui expliquer qu'elle ne sait pas exactement s'il lui faisait pitié. Elle a envie de lui dire : C'est autre chose, *beti*. Il n'était pas de ces hommes qu'on plaint. Mais quand on regardait ses beaux yeux tristes, on y lisait un profond chagrin, cette tristesse qu'on éprouve quand on est dans un bel endroit et que le soleil se couche. Mais surtout, quand je pense à lui, aujourd'hui, c'est moi que je plains. Parce que ce vieux Pachtoune savait quelque chose que j'aurais besoin de savoir. J'ignore ce que c'est, je ne peux même pas lui donner un nom. Je sais seulement qu'il aurait pu m'apprendre cette chose si seulement je n'avais pas été trop jeune et trop timide pour le lui demander. »

Mais Maya est encore plus jeune qu'elle-même ne l'était à l'époque, et Bhima se rend compte que ce n'est pas la peine d'essayer de lui faire comprendre ce qu'elle ressent. Et puis, un souvenir est en train de remonter de la décharge glauque du passé et il faut qu'elle se concentre pour l'aider à s'en extraire et à parvenir jusqu'au présent. Quelque chose que l'Afghan avait dit un jour à Gopal... De quoi Gopal lui parlait-il ? Peut-être de son pays. Oui, c'était ça. Gopal avait dit : « Comparé à notre Bombay, avec ses moussons et tout le reste, votre Afghanistan doit avoir l'air aussi desséché qu'une vieille bonne femme, non ? Tout en montagnes, sec comme un squelette, c'est bien ça ? Un jour, j'ai vu une photo de votre pays. »

Elle avait cru que le Pachtoune se vexerait, mais

266

il avait éclaté de rire et répliqué de sa voix grave et songeuse : « *Nahi, sahib*. Mon Afghanistan est un pays magnifique. Une terre aride, c'est vrai, et très montagneuse, mais la dureté a sa beauté propre. » Puis il était resté longtemps silencieux, les mains figées sur le ballon qu'il était en train de façonner, et Bhima avait eu l'impression très nette qu'il était de retour sur les chemins accidentés de son pays. « Quand j'étais petit, avait-il repris de cette voix profonde qui, aux oreilles de Bhima, était empreinte d'effluves de tabac, de camphre et d'eucalyptus, je sortais de la maison dès mon réveil, pour respirer un grand bol d'air pur et contempler les montagnes qui paraissaient presque d'un rose bleuté dans la lumière du matin. Alors je me disais que j'étais le plus heureux des enfants. » Et le Pachtoune avait souri de la naïveté de cet enfant depuis longtemps disparu.

« Dites-moi, mon vieux, vous me donnez envie de connaître votre pays, avait dit Gopal sur le ton enjoué qui lui était habituel. Vous êtes sûr que vous n'êtes pas poète plutôt que marchand de ballons ? »

Bhima avait failli pincer son mari, mais elle s'était aperçue que le Pachtoune souriait. « Chez moi, nous sommes tous poètes, *sahib*. C'est le pays qui veut ça. » Puis il s'était assombri. « Je veux dire qu'on était tous poètes. Aujourd'hui, ce pays est dévasté. Il y a trop de gens qui se battent pour cette pauvre terre et la terre n'en peut plus. Elle pleure nuit et jour. Aujourd'hui elle ne peut plus prendre soin de ses enfants. » Il s'était tu, ses prunelles pareilles à des encriers, la peau de son visage semblable à du parchemin. Il avait semblé vouloir ajouter quelque chose, quand Amit s'était impatienté. « Il est prêt, mon ballon ? » avait-il demandé en sautillant d'un pied sur l'autre, devant cet homme qui devait lui paraître grand comme une maison.

Le Pachtoune s'était penché pour lui tapoter la tête. « Pardon, *baba*. Je deviens un peu lent. » Il avait achevé son travail avec méthode, comme à l'accoutumée, et tendu le ballon à Amit, telle une fleur.

« Excusez-nous, nous sommes confus, cet enfant a aussi peu de patience que son père, avait dit Bhima avec un sourire contrit. Mais... comment se fait-il qu'il y ait cette guerre dans votre pays ? »

Le Pachtoune l'avait regardée et, lentement, son visage s'était éclairé d'un sourire. « Il existe un dicton chez nous. On dit que lorsqu'une chose est très belle, les dieux de la jalousie s'en aperçoivent et il faut qu'ils la détruisent. Même s'ils l'ont créée eux-mêmes, cette beauté les rend jaloux et ils ont peur qu'elle leur fasse de l'ombre. Alors ils démolissent les temples qu'ils avaient construits. »

Les dieux de la jalousie, songe Bhima. Est-ce cela qui s'est passé pour elle et Gopal ? Leur bonheur avait-il attiré l'œil d'un dieu malveillant ? Est-ce pour cela que ses deux enfants lui ont été retirés ? Qu'elle a dû pousser sa petite-fille à tuer son bébé ? Le Pachtoune avait peut-être raison ; il est possible que trop de bonheur et trop de beauté ne soient pas faits pour les humains. Peut-être fallait-il doser le bonheur des hommes par petites cuillerées, de même que l'huile de castor que

Banubai versait dans une cuillère à café et qu'elle avalait tous les dimanches. En boire directement à la bouteille pouvait vous tuer.

« Je n'arrête pas de te poser une question et tu ne me réponds pas, *ma*, se plaint Maya. Tu es fâchée contre moi ou quoi ? »

Bhima secoue la tête pour évacuer les brumes du passé. « Excuse-moi, *beti*. C'est seulement que je réfléchissais et je ne t'ai pas entendue.

— Je te demandais ce qu'était devenu ce vieux Pachtoune. »

Bhima sent un frisson glacé passer dans son cœur. « Je ne sais pas. Après l'accident de ton grand-père, je ne suis plus allée au bord de la mer.

— Et pourquoi ? Grand-papa Gopal n'avait rien aux jambes, pourtant ? Pourquoi est-ce que vous ne pouviez plus venir ici ? »

Le visage de Bhima s'est fermé comme un livre. « Après l'accident, tout a changé », dit-elle brièvement. Elle détourne les yeux, refoulant les larmes qui les envahissent inopinément.

« *Ma*, murmure Maya en posant la tête sur l'épaule de Bhima. Ma pauvre *Ma*.

— Écoute-moi, *beti*. Je ne t'ai jamais parlé de ce qui s'était passé après l'accident. Mais aujourd'hui je vais te le dire, pour que tu saches une bonne fois pour toutes comment la société traite les gens qui n'ont pas d'instruction. »

Le jour de l'accident de Gopal, elle était couchée avec la grippe et c'est pourquoi l'homme envoyé par l'usine l'avait trouvée à la maison, quand il était venu frapper à sa porte, à trois heures de l'après-midi. Il lui était inconnu, cet homme à la peau sombre et au regard fuyant, embarrassé.

« Vous êtes bien... (il consulta un papier) Bhima ? La femme de Gopal ?

— Oui.

— J'ai une mauvaise nouvelle à vous annoncer, dit-il en regardant ses pieds. Il faut qu'on parte tout de suite à l'hôpital. (Il avait dit "hipital".) Il y a eu un accident.

— Un accident ? Avec mon Gopal ? » La tête lui tournait, à cause de la grippe et de la terreur qui avait brusquement étreint son cœur ainsi qu'une main géante. « Est-ce qu'il est... gravement blessé ?

— Non, non. » L'homme se tortillait, très gêné. « Juste une petite blessure à la main. Mais le patron l'a quand même envoyé à l'hôpital pour qu'il soit soigné au mieux. Ensuite il m'a dit d'aller vous prévenir. Chez Godav Industries, on s'occupe bien de nos ouvriers. »

Gopal travaillait chez Godav Industries depuis quatorze mois, l'usine textile qui l'employait depuis des années ayant fait faillite. Bhima ne connaissait aucun de ses nouveaux collègues, y compris l'homme qui se tenait sur le seuil de l'appartement. Pourtant il avait quelque chose qui ne lui plaisait pas. « Et vous, qui êtes-vous ? demanda-t-elle.

— Le contremaître de Gopal. Et maintenant, venez, il faut y aller. Je dois ensuite retourner à mon travail. » Bhima remarqua qu'il ne lui avait pas dit son nom et elle n'osait pas le lui demander. Elle ne voulait pas qu'il pense que Gopal avait une épouse effrontée.

Elle s'arrangea avec sa voisine pour qu'elle garde Amit quand il rentrerait de l'école. « Pooja sera de retour vers sept heures, *didi*. Si je n'étais toujours pas revenue de l'hôpital, dites-lui de faire cuire du riz pour son frère.

— Vos enfants n'auront qu'à manger chez moi. Vos enfants sont mes enfants.

— Merci mille fois. » À la dernière minute, elle alla chercher quelques roupies pour les courses, dans la boîte en acier inoxydable. Elle aurait préféré que l'homme regarde ailleurs au moment où elle prenait l'argent, mais il suivait le moindre de ses gestes.

Le contremaître héla un taxi et attendit que Bhima y monte, avant de donner au chauffeur le nom d'un hôpital public.

« Nous l'avons emmené dans un hôpital public parce que c'était tout près. Comme il saignait, on a pris un taxi. C'est Bara *seth* qui a payé la course », ajouta-t-il, tout fier.

Bhima faillit s'évanouir à l'idée que Gopal saignait tellement qu'il avait fallu lui payer un taxi. « Dites-moi la vérité. Est-ce que c'est grave ?

— Il se remettra. Tout dépend des soins qu'il recevra. Mais étant donné qu'il est blessé à la main droite, il faudra que vous signiez des papiers à sa place, nous autorisant à le soigner de façon appropriée. » Il fouilla dans sa serviette en plastique et en sortit un stylo et un formulaire imprimé. « Signez ici. »

Elle se sentit profondément humiliée quand ses yeux se posèrent sur la feuille couverte de signes incompréhensibles. Ravalant le sanglot qui se formait dans sa gorge, elle murmura : « Je ne peux pas. Je ne sais ni lire ni écrire.

— Ça ne fait rien, répliqua-t-il aussitôt, en plongeant la main dans sa serviette pour y prendre un tapon encreur. C'est votre jour de chance. Tenez, poursuivit-il en lui saisissant la main. Vous n'avez qu'à appuyer votre pouce sur l'encre, puis à l'appliquer sur la feuille. »

Pour la millième fois de sa vie, Bhima regretta d'être illettrée. Elle aurait tant voulu pouvoir lire ce qui était écrit sur cette grande feuille de papier ; le lire aussi vite et aussi facilement que Serabai quand elle parcourait le journal du matin. Ce papier lui aurait peut-être appris la vérité concernant l'état de son mari. Elle fut remplie de honte en repensant à la discussion qu'elle avait eue avec Gopal qui voulait inscrire leur fille à l'école. Mais Pooja resterait quelqu'un d'aussi ignorant et stupide que sa mère. « C'est une fille, avait-elle dit. À quoi ça lui servira de faire des études ? Avant même qu'on s'en rende compte, elle sera grande et se mariera avec un homme qui voudra une épouse sachant faire la cuisine, le ménage et la lessive. Mieux vaut qu'elle apprenne à se servir d'un balai que d'un stylo.

— C'est une époque moderne. Une fille devrait...

— Pas assez moderne pour qu'un homme accepte de se marier avec une femme incapable de tenir une maison. Et pas assez moderne, non plus, pour qu'on puisse se passer d'un salaire supplémentaire. De cette manière, on pourra payer les études d'Amit. S'il est instruit, il sera en mesure d'aider sa sœur plus tard. »

Son pouce en suspens au-dessus du formulaire qu'on lui présentait, Bhima sentit le rouge lui monter aux joues à ce souvenir. Elle regrettait qu'Amit n'ait pas été là, quand cet individu, ce porteur de mauvaises nouvelles, avait frappé à sa porte. Lui, il aurait su déchiffrer les signes noirs posés sur la feuille comme des insectes. Elle voyait que l'homme commençait à s'impatienter. « Dépêchez-vous, nous sommes presque arrivés à l'hôpital. L'encre sèche vite. Appuyez votre pouce ici. » Et avant que Bhima ait pu réagir, il posa sa main sur la sienne, la dirigea vers le papier et fit pression sur son pouce, qui y laissa son empreinte.

Un inconnu qui la touchait sur la banquette arrière d'un taxi. Bhima en était mortifiée. L'aversion qu'il lui inspirait cailla comme du lait. Elle se poussa sur la banquette de la petite Fiat et se plaqua contre la portière. Mais l'autre semblait maintenant de bien meilleure humeur. « Arrêtez-vous, *bhenji*! s'exclama-t-il en riant. Sinon je vais avoir deux blessés sur les bras. »

Le regard fixé droit devant elle, Bhima feignit de ne pas l'entendre.

Mais une fois à l'hôpital, elle fut bien contente de l'avoir auprès d'elle. Sans lui, elle n'aurait jamais retrouvé son chemin dans cet immense dédale. Il la précédait d'un pas décidé. En l'entendant demander à une infirmière où se trouvait le bloc opératoire, elle faillit pousser un cri. Pourquoi Gopal se trouvait-il dans la salle d'opération? Cet homme, dont elle ignorait toujours le nom, n'avait pas parlé d'une intervention chirurgicale. Gopal serait-il plus mal en point qu'on le lui avait laissé

273

croire ? Mais quand elle voulut l'arrêter pour le questionner, il se contenta de claquer de la langue d'un air dédaigneux. « Je vous l'ai déjà dit. Votre mari va bien. Suivez-moi. »

En arrivant devant de grandes portes beiges portant la mention « Bloc opératoire », il lui désigna un long banc de bois et dit avec autorité : « Asseyez-vous là. Je reviens tout de suite. » Il s'éloigna et alla parler à une infirmière. Il avait sorti un billet de sa poche. Bhima était trop loin pour pouvoir l'évaluer, mais elle vit l'infirmière le prendre prestement et le fourrer dans sa poche. Puis elle se pencha pour consulter un tableau et montra le fond du couloir. « *Shukria*. Merci », lui dit-il.

Il revint au bout d'un moment et s'assit lourdement à côté d'elle. « Bon, dit-il, comme s'il reprenait une conversation interrompue, Gopal devrait bientôt sortir de la salle d'opération. Il semblerait qu'il ait perdu trois doigts. » S'il entendit le cri horrifié de Bhima, il n'en laissa rien paraître. « Le chirurgien a fait le maximum. Quand on le ramènera dans son lit, on vous avertira. Vous pourrez aller le voir. *Saala*, je suis affreusement en retard, jura-t-il à mi-voix en regardant sa montre. Il faut que je retourne à l'usine et que je fasse mon rapport au patron sur ce qui s'est passé ici. » En voyant l'air hébété et épouvanté de Bhima, il fronça les sourcils. « Mon patron a déjà perdu beaucoup de temps et d'argent à cause de cette histoire. Ce Gopal a toujours été imprudent. Combien de fois lui ai-je dit de faire attention. C'est qu'une grosse machine comme ça est un vrai tigre... il ne faut pas mettre sa main dans sa gueule.

Mais il n'écoutait pas, votre mari. Trop *herogiri* dans le travail. »

Bhima pleurait silencieusement, elle aurait voulu prendre la défense de Gopal, trouver les mots qui remettraient ce méchant homme à sa place, mais rien ne lui venait. Il la regarda un long moment, puis se leva brusquement. Il fouilla dans sa poche et en sortit un billet de cinquante roupies. « Tenez, dit-il en laissant tomber le billet sur ses genoux. Vous n'aurez qu'à prendre un taxi pour rentrer chez vous. » Il considéra encore un instant son visage couvert de larmes, s'éloigna de quelques pas, puis revint vers elle. « J'irai voir Gopal demain matin. Nous ferons tout notre *hissab-kittab*, nous réglerons cette affaire selon ce qui est prévu dans le contrat. Vous avez compris ? » Elle secoua la tête, mais il n'en tint aucun compte. « Bon, c'est entendu. À demain matin. »

Le soir, quand elle put enfin le voir, Gopal se comporta bizarrement ; il la regarda de ses yeux lourds de sommeil en marmonnant des inepties. Elle craignit d'abord que le contremaître ne lui ait menti, que ce fût, en réalité, le cerveau de son mari qui avait été endommagé dans l'accident. Mais la mère d'un autre patient lui expliqua que c'était normal, que c'était le médicament qu'on donnait aux gens avant une opération qui les faisait agir et parler de la sorte. De toute manière, il y avait le pansement de gaze emmaillotant la main droite de Gopal, déjà taché du rouge foncé de son sang et du jaune orangé d'une substance quelconque.

Le lendemain matin, Amit refusa d'aller en

classe. « Je veux voir *baba*. Je sais qu'il a besoin de moi. » Bhima ne protesta pas trop. À douze ans, son fils était déjà plus grand qu'elle et elle s'émerveilla de l'aisance et du naturel avec lesquels il parcourait les couloirs de l'hôpital. Voilà donc ce qu'on gagne à savoir lire et écrire, pensa-t-elle, prise d'une fierté soudaine de se dire que c'était grâce à elle que son fils possédait cette faculté.

Quand ils entrèrent dans la chambre, le lit de Gopal était vide. Bhima s'affola un instant. Gopal serait-il mort pendant la nuit ? se demanda-t-elle, avant d'enfoncer l'ongle de son majeur dans son pouce pour se punir de cette pensée. Elle se retourna aussitôt, cherchant des yeux quelqu'un qui pourrait lui dire où était son mari, quand la vieille femme qui l'avait rassurée la veille, lui dit : « On l'a emmené en bas pour lui faire une radio. » Bhima la remercia d'un signe de tête et, du coup, la femme quitta le chevet de son fils pour venir vers elle. Baissant la voix et se plaçant de façon qu'Amit ne puisse pas l'entendre, elle murmura : « Votre homme a eu des petits problèmes, cette nuit. Un peu de fièvre, ce genre de choses. Il a aussi beaucoup toussé. Mon garçon n'a pas dormi pendant une bonne partie de la nuit, à cause de ça. » Elle sourit pour montrer à Bhima qu'elle ne lui en voulait pas.

La panique enveloppa Bhima, à la manière de la poussière qu'elle retrouvait tous les matins sur ses poêles et ses casseroles en Inox. « Mais pourquoi ? Il n'était pas enrhumé ? Pourquoi cette fièvre et cette toux ? » Elle réfléchit un instant. « C'est moi qui suis malade depuis quelques jours. Est-il possible qu'il ait attrapé mon rhume ?

— Ça, je n'en sais rien, *beti,* fit la femme en haussant les épaules. Je vous dis seulement ce que j'ai vu et entendu. »

Amit tira sa mère par le coude et murmura d'un air inquiet : « Qu'est-ce qui se passe, maman ? Tu veux que j'aille chercher *baba* ?

— Vaut mieux pas, dit la femme, comme si c'était à elle qu'il s'adressait. Les docteurs sont très... (Elle fit une grimace.) Il vaut mieux ne pas les contrarier. Attendez ici et ils le ramèneront après la radio. »

Ils s'assirent tristement sur le lit de Gopal. « Est-ce que papa a mal ? » finit par demander Amit, et Bhima agita la tête de façon évasive. Elle n'était pas encore totalement remise de sa grippe. Elle se demandait si Murti, sa voisine, avait transmis son message à Serabai, pour l'informer de l'accident survenu à Gopal. Elle ne pourrait peut-être pas reprendre son travail avant plusieurs jours. Comment Serabai allait-elle se débrouiller sans elle ? Et maintenant que Gopal et elle ne ramenaient plus d'argent, il leur faudrait vivre sur le seul salaire de Pooja. C'est alors qu'elle se souvint de ce que le contremaître avait dit la veille – quelque chose à propos d'un règlement. L'entreprise allait donc leur donner de l'argent pour manger en attendant que Gopal soit rétabli. Heureusement que le contremaître y avait pensé – hier, son esprit s'était envolé, comme un oiseau de son nid, et elle n'avait songé ni à l'argent ni à quoi que ce soit d'autre. Elle fut prise d'une soudaine reconnaissance pour cet homme. Peut-être l'avait-elle mal jugé. C'était forcément un brave type pour s'être inquiété de leur situation dans un moment pareil. Elle lui demanderait pardon d'avoir été si distante. Elle essayait de se rappeler l'heure à laquelle il avait dit qu'il arriverait. N'avait-il pas dit qu'il viendrait dans l'après-midi?

Au bout d'une demi-heure, on ramena Gopal dans sa chambre sur un chariot et on le transféra dans son lit. Bhima laissa échapper un cri angoissé en le voyant si hâve et tout tremblant. Moins de vingt-quatre heures plus tôt, il était parti à son travail, gai et plein de vie, et voilà qu'elle reconnaissait à peine l'homme couché devant elle. Amit avait dû s'apercevoir de cette transformation, lui aussi, puisqu'il s'était approché sans bruit de sa mère et regardait son père, médusé. « Qu'est-ce qui est arrivé à sa main, maman? »

Les yeux de Gopal se fixèrent sur Amit et il essaya de parler, mais une quinte de toux avala ses paroles. En entendant ces sons gutturaux, Bhima eut du mal à en croire ses oreilles. Hier soir, quand elle l'avait quitté, il avait une respiration fluide et régulière. Ce matin, il faisait penser à ces vieillards asthmatiques qui se réunissaient chaque soir devant l'échoppe de *beedies* du coin, histoire de tuer le temps. Elle lui toucha le front, puis retira aussitôt la main, comme si elle avait effleuré par mégarde une casserole d'eau bouillante.

Gopal posa sur elle un regard d'impuissance. De nouveau, il voulut parler, mais la toux qui déchirait sa poitrine hachait ses paroles. « Ne parle pas, lui dit-elle, en posant la main sur sa cage thoracique pour calmer son souffle haletant, et elle sentit alors ronfler ses poumons congestionnés. « Ne parle pas, mon Gopal. Nous sommes là. Repose-toi un peu. »

Il ferma les yeux et Bhima put l'examiner tout à loisir. Elle s'aperçut qu'on avait changé le pansement qui entourait sa main et qu'il était de nouveau taché de sang ; elle vit sur son visage des rides qui s'étaient formées en l'espace de quelques heures ; elle remarqua que sa peau brune avait pris une teinte rougeâtre, comme si la fièvre avait été un projecteur qu'on lui aurait glissé sous l'épiderme. Et elle entendit le bruit inquiétant de sa respiration entrecoupée, entendit l'air qui lui raclait la poitrine, tandis que simultanément, un autre bruit frappait ses tympans : celui que faisait Amit qui pleurait, tout près d'elle, mais qu'elle n'avait pas tout de suite identifié. « Maman, sanglotait-il, qu'est-ce qu'il a, papa ? »

Craignant que ses pleurs ne réveillent Gopal, elle le rabroua vertement. « Va attendre dans le couloir ! Emmène tes larmes et ta triste figure de mauviette, et sors d'ici, si tu dois te conduire de la sorte. »

À cet instant, comme pour la punir de sa dureté, une infirmière s'approcha du lit de Gopal, une seringue dans la main droite. Amit et Bhima regardèrent la grosse aiguille avec un effroi admiratif. « C'est votre malade ? demanda-t-elle d'un ton impatienté. Réveillez-le, s'il vous plaît. Il faut qu'il baisse son pyjama. » Sur ces mots, elle saisit la ceinture du pyjama de Gopal et tira dessus. Bhima se raidit, pensant qu'il allait se réveiller, mais il continua de dormir. « Il en écrase, hein ? » dit l'infirmière, qui lui enfonça aussitôt l'aiguille dans la cuisse. « Ah, ah ! » gémit Amit, qui souffrait par solidarité, mais Gopal tressaillit seulement à deux ou trois reprises, sans toutefois sortir de sa torpeur. L'infirmière eut un claquement de langue compatissant. « Il doit avoir tellement mal à la main, le pauvre, qu'il n'a même pas senti la piqûre. »

Elle se préparait à partir, mais Bhima la suivit. « Mademoiselle. Pourriez-vous me dire, s'il vous plaît... ce qu'il a ? Pourquoi cette fièvre et cette toux ? »

L'infirmière haussa les épaules. « Une infection. Il a fait une infection à la suite de l'opération. Vous avez compris ? »

Non, aurait-elle aimé répondre. Je ne comprends pas. Je croyais que l'opération devait améliorer l'état de mon mari, pas lui donner de la fièvre. Mais déjà, l'infirmière s'en allait, en hochant la tête d'un air agacé.

Bhima alla retrouver Amit. « Reste avec papa. Il faut que j'aille téléphoner. »

Elle entra dans une cabine publique et appela Serabai. Elle composa le numéro avec lenteur et précaution, ainsi qu'on le lui avait montré. Quand sa patronne avait voulu lui apprendre à se servir d'un téléphone, Bhima avait rechigné. Aujourd'hui elle était bien contente de savoir l'utiliser. Pour elle, tous les chiffres se ressemblaient, mais elle avait mémorisé leur emplacement. Elle introduisit donc son index dans les trous correspondant au numéro de Serabai et fit tourner le cadran.

« Oui ? » C'était la voix de Feroz, autoritaire,

comme de coutume. Bhima s'étonna qu'il fût encore à la maison.

« Feroz *seth,* cria-t-elle. Allô ? Oui, c'est Bhima.

— Bhima ? Arrête de hurler, bonté divine ! Parle normalement. Baisse la voix. C'est mieux. Alors, dis-moi, comment va Gopal ? Ta voisine vient juste de passer pour nous prévenir de ce qui est arrivé.

— Il ne va pas bien, Feroz *seth.* » Elle s'efforçait de penser à ne pas hausser le ton. « L'infirmière a dit qu'il avait une... (Quel était ce mot, déjà ?) Une influxion.

Feroz jura à mi-voix. « C'est ennuyeux.

— C'est pour ça que je téléphonais. Mais c'est quoi, cette chose ? Une maladie ? »

Il y eut un bief silence. « Ne quitte pas, reprit Feroz. Sera veut te parler.

— Allô, Bhima. » La voix réconfortante de Sera pénétra dans l'oreille de Bhima. « Qu'est-ce qui se passe ?

— L'infirmière a dit que Gopal avait une influxion. » Quelque chose dans la voix familière et bienveillante de Sera fit fondre la terreur glacée qui l'emprisonnait depuis la veille, et ses larmes se mirent à couler librement. « Il est très malade, Serabai. Il a beaucoup de fièvre et il tousse comme si une dizaine d'éléphants fous furieux lui sautaient sur la poitrine. C'est quoi, cette nouvelle maladie qu'il a attrapée ?

— Et sa main ?

— Il a perdu trois doigts. »

Elle entendit Sera prendre une grande respiration. « Et on l'a opéré ? Tu sais ce qu'on lui a fait ?

— Non. Personne ne m'a rien dit. Ici personne ne me parle, *bai*.

— Je vois. » Sera paraissait ulcérée. « Je parie que ces docteurs *gadhera* ont fait une boulette pendant l'opération. » Elle s'interrompit, puis plus lentement : « Bhima, une infection, c'est comme si quelque chose d'étranger entrait dans le sang. Ça arrive quelquefois, après une opération. Mais avec un bon traitement, on peut s'en débarrasser, en principe. À condition de prendre beaucoup de précautions.

— Est-ce que je dois lui faire boire du *narial pani*? Je peux envoyer Amit acheter du lait de coco. On dit que ça fait disparaître toutes les maladies.

— Non, dans son cas, il faut des remèdes plus puissants que le *narial pani*. Tu seras à l'hôpital toute la journée? Oui? Bon. Ne quitte pas. » Elle dit quelque chose à Feroz, puis elle reprit : « Allô? Bon, Bhima, écoute-moi. Aujourd'hui, nous avons prévu de sortir, Feroz et moi. C'est notre anniversaire de mariage, tu comprends? Mais avant, nous passerons à l'hôpital. On verra alors ce qu'on peut faire. À quel étage est Gopal? »

Quand Bhima revint dans la chambre, Gopal était réveillé. Assis à son chevet, Amit lui caressait la tête et lui chantait une chanson tirée d'un nouveau film qu'ils avaient vu ensemble la semaine précédente. « Baba m'a demandé de chanter », expliqua-t-il à sa mère. Il avait les yeux humides et luisants de larmes. De les voir ainsi tous les deux, Bhima sentit son cœur se serrer d'amour. Jusqu'à cet accident, aucune ombre inquiétante n'était tombée sur leur vie. Bien qu'il fût deux fois père, Gopal était resté aussi joueur et insouciant qu'un enfant. Alors que le mariage de Sujata et de Sushil s'était rapidement dégradé, le leur s'était épanoui à la manière des fleurs roses qui faisaient éclosion chaque printemps sur l'arbre planté devant leur immeuble. Dès leur naissance, il avait traité Pooja et Amit avec une tendresse et un amour qui rendaient envieux les autres enfants du *chawl*.

Amit continuait à chanter, bien que son père se fût endormi. Bhima caressa le dos maigre de son fils et son cœur se serra de nouveau en sentant sous sa main le modelé des muscles. « Baba dort, chuchota-t-elle. Tu peux arrêter de chanter maintenant.

— Il me l'a demandé, murmura le garçon en réponse. J'ai bien vu que ça le soulageait.

— Tu es le pilier de ma vie. Tout le monde devrait avoir un fils comme toi », dit-elle en le serrant contre elle. Elle le vit tripoter un bouton qu'il avait sur la joue, pour masquer l'embarras que lui causait ce compliment. Ô, mon Dieu ! rendez-moi ma famille, pria-t-elle. Faites que cette maladie qui court comme un fantôme dans le sang de Gopal sorte de son corps. Rendez-moi mon Gopal, gai et souriant comme avant.

Il était presque midi quand Feroz et Sera – superbe dans son sari émeraude – arrivèrent. Avec leurs beaux habits et leur visage net et radieux, ils étaient pour Bhima comme une éclaboussure de couleurs sur l'arrière-plan noir et blanc de la salle sombre et mal tenue. Comparés à nous, on dirait des stars de cinéma, songea-t-elle. Des dieux tombés du ciel sur la terre des mortels. Elle s'aperçut que tout le monde dans la salle commune, aussi bien les malades que leurs visiteurs, restaient bouche bée en voyant les Dubash venir vers elle.

« Serabai! » s'exclama Amit, tout heureux. Un peu intimidé par Feroz, il ne pouvait contenir sa joie de voir Sera.

« Salut, Amit », dit Feroz d'un air raide, en hochant la tête pour prendre acte de sa présence.

Mais le visage de Sera irradiait de chaleur. « Comment vas-tu, Amit? dit-elle en lui tendant la main.

— Bien, merci », répondit-il, ainsi qu'on le lui avait appris. Puis une expression soucieuse passa dans ses yeux. « Mon *baba* est malade. Son front est aussi chaud qu'un verre de thé. »

Bhima joignit les mains pour exprimer sa gratitude. « Merci beaucoup, *bai,* dit-elle. Puis se tournant vers Feroz, elle ajouta : « Pardon de vous avoir dérangé, *seth.* »

Feroz balaya ses remerciements d'un geste de la main. « Où sont les médecins et les infirmières? demanda-t-il en inspectant la salle du regard. Qui est le responsable ici?

— Une infirmière est venue tout à l'heure. Elle lui a fait une piqûre. C'est elle qui m'a dit pour l'influxion.

— Infection », la corrigea-t-il machinalement. Ses yeux se promenèrent à travers la salle, jusqu'au moment où ils tombèrent sur un aide-soignant qui s'apprêtait à passer un bassin à un malade. « Hé, vous ! Venez un instant. »

Subjugué par ce ton autoritaire, le garçon posa le bassin pour venir vers eux. « *Mere re*, murmura Sera. Il aurait tout de même pu prendre le temps de donner le bassin à ce pauvre homme. »

Feroz sortit sa carte de visite professionnelle et lui dit : « Tenez. Apportez ça au médecin chef et dites-lui que je voudrais le voir au plus vite. Dépêchez-vous, nous sommes pressés. Nous sommes attendus ailleurs à treize heures trente. »

Le jeune homme tenait respectueusement la carte dans sa main, sans toutefois faire mine d'obtempérer. « Les médecins passent seulement une fois dans la matinée et une fois dans l'après-midi.

— Écoutez, vous, tonna Feroz. Allez dire au médecin de rappliquer ici tout de suite. Je connais les gens qui ont construit cet hôpital. Compris ? »

Le garçon détala aussi vite qu'un cafard. « Oui, monsieur. Tout de suite, monsieur. »

Au bout de quelques minutes à peine, ce fut avec stupéfaction que Bhima vit arriver un homme d'âge mûr et de taille moyenne, revêtu d'une blouse blanche. « Monsieur Dubash ? demanda-t-il. Je suis le Dr Kapur. »

Il avait une épaisse chevelure grisonnante et des poches sous les yeux. Une des branches de ses lunettes tenait grâce à un morceau de sparadrap visiblement sale.

« Ah ! oui. Bien, dit Feroz en lui tendant la main. Je suis Feroz Dubash, directeur au groupe Tata.

— Je vois. » Le médecin regardait Feroz et Sera avec curiosité. « Que puis-je faire pour vous ?

— Nous voulons simplement avoir des précisions sur l'état de santé de ce jeune homme ici présent, dit Feroz en posant les yeux sur Gopal endormi. Il a été opéré hier, suite à un accident du travail. On nous a dit qu'il avait fait une infection et j'ai pensé que vous pourriez peut-être nous fournir quelques explications.

— Oui, il a fait une infection, effectivement, répondit le médecin, embarrassé. C'est une chose courante, ici, voyez-vous. Il arrive que des germes s'installent après une intervention. Nous nous efforçons de le soigner.

— Depuis quand l'avez-vous mis sous antibiotiques ? demanda Sera.

— Sous antibiotiques ? répéta le Dr Kapur, comme s'il entendait ce mot pour la première fois. Eh bien, en fait, il ne l'est pas encore, à proprement parler. Nous essayons d'abord d'autres médications. »

Sera devint rouge de colère. « Comment ça ? Vous lui donnez du *paan-sopari,* c'est ça ? demanda-t-elle sur un ton ironique. Est-ce que vous voulez dire que... »

Feroz lui pressa le coude pour qu'elle se calme. « Excusez-nous, docteur, ma femme se fait du souci. Nous tenons beaucoup à ce garçon, voyez-vous. » Il se pencha vers le médecin, le scrutant de ses yeux noirs, puis il reprit en détachant chaque mot : « De toute façon, ce qui est fait est fait. Il semble que votre hôpital ait commis une faute très grave. Maintenant la question est de savoir ce qu'on peut faire pour y remédier. » Sa voix descendit encore d'un ton. « Puis-je vous parler un

286

instant d'homme à homme ? Bien. Voici la situation. Il se trouve que ma femme est très attachée à sa domestique ici présente. Or, quand ma femme est contente, je le suis aussi, remarqua-t-il, en lui faisant un clin d'œil. Si vous êtes marié, docteur, vous me comprenez. Aujourd'hui, par exemple, c'est notre anniversaire de mariage. J'ai pris ma journée pour pouvoir la consacrer à mon épouse. Alors, croyez-moi, je n'avais aucune envie de venir dans cet... cet endroit. Mais ma femme a voulu que nous passions d'abord ici pour se faire une idée de la situation, et nous sommes là.

— Vous n'avez pas d'inquiétude à avoir, s'obstina le Dr Kapur. Ce patient bénéficie d'un bon traitement... »

Feroz s'emporta soudain. La veine de son front s'enfla. Il continuait cependant à parler bas. « S'attaquer à une infection sans antibiotiques, vous appelez ça un bon traitement ? Refuser d'expliquer à une femme de quoi souffre son mari, vous appelez ça un bon traitement ? Vous avez une explication à donner à tout ça ?

— Ce n'est pas notre seul patient, répondit le médecin avec un petit rire embarrassé, en regardant ailleurs. Vous, il vous est possible de ne vous occuper que d'un seul malade, effectivement. Nous autres, nous devons les soigner tous. »

Feroz émit un bruit rauque proche de l'aboiement. « Dans ce cas, soignez-le, bon Dieu, soignez-le. Faites quelque chose. Si jamais cet homme meurt faute de soins, je vous le jure, Kapur, je vous nouerai les testicules autour de la tête si vite que...

— Écoutez-moi, Mr Feroz. Inutile d'employer un langage aussi grossier. Je suis venu vous voir parce que...

— Si mon langage vous gêne, vous aurez intérêt à ne jamais être confronté à mes actes, coupa Feroz. Je travaille chez Tata, voyez-vous. Savez-vous quel pouvoir nous avons sur l'administration de l'hôpital ? Un seul mot de ma part et vous vous retrouvez à la rue, sans même votre blouse blanche sur le dos. Et qui plus est, je ferai en sorte qu'aucun autre hôpital de Bombay ne vous engage. C'est bien compris ? »

Sera s'approcha vivement de son mari. « Écoute, Feroz, je suis sûre que tout cela est inutile. Je vois bien que ce médecin est un brave homme et qu'il fera tout son possible pour Gopal.

— C'est exactement ce que j'essaie de faire comprendre à votre mari, madame. » La voix du médecin avait changé ; elle avait quelque chose de pleurnicheur, de doucereux. « Dès cet après-midi, nous mettrons ce patient sous antibiotiques, effectivement, et il sera sur pied dans quelques jours. »

Bhima remarqua que Sera lançait un regard d'avertissement à son mari, qui l'ignora.

« Parfait. Voilà ce qu'on va faire : vous avez ma carte de visite. Je veux qu'un de vos assistants téléphone à ma secrétaire tous les matins pour lui communiquer le bulletin de santé de Gopal. Dites-lui d'appeler vers onze heures. »

Le médecin eut un sourire penaud, mais ses yeux étaient glacés par la fureur. « Mr Feroz, soyez raisonnable. Ceci est un hôpital, pas une gare de chemin de fer. Je ne peux pas monopoliser une personne de mon équipe pour vous appeler quotidiennement. Si vous voulez, vous n'aurez qu'à appeler le service administratif et on vous tiendra au courant.

— Vous avez raison, déclara Feroz d'un air songeur. Votre personnel n'a pas le temps de me téléphoner. D'accord. J'ai une meilleure idée... Je veux que ce soit vous (il pointa son index sur le médecin) qui me téléphoniez chaque matin. Compris ? »

Le docteur Kapur fixait le sol. Sa pomme d'Adam montait et descendait dans un mouvement accéléré. « Je suis un médecin diplômé, monsieur... » commença-t-il, puis il se tut.

« Alors, agissez comme tel. Ne me dites pas ce que vous ne pouvez pas faire, mais plutôt ce que vous *pouvez* faire. »

Devant cette insulte ultime, le visage du Dr Kapur se décomposa, évoquant pour Bhima une hutte de paille s'écroulant sous les pluies de la mousson. « Bien, monsieur. Je vous téléphonerai tous les matins. Et je m'assurerai en personne qu'il reçoit un traitement approprié, je vous le promets.

— Parfait, dit Feroz d'un ton sec.

— Autre chose ? demanda le médecin en se balançant d'un pied sur l'autre.

— Non, c'est tout. Vous pouvez disposer. »

Kapur s'empourpra. Il hocha la tête et s'en alla sans regarder personne.

Les yeux stupéfaits de Bhima allèrent du dos du médecin qui s'éloignait à la physionomie triomphante de Feroz. À sa grande surprise, elle le vit rire et adresser un clin d'œil à Sera, comme s'il n'avait fait que simuler la colère. « J'ai juste fait un peu de *maaja-masti,* gloussait-il. Il ne faut pas laisser ces gens du gouvernement prendre la grosse tête. »

Voilà à quoi sert l'instruction, pensait Bhima. Elle vous ouvre toutes les portes. Elle se demanda si, un jour, son Amit serait capable, comme Feroz, de contraindre les autres à se soumettre à ses volontés. L'idée que son fils puisse exercer un pouvoir aussi brutal sur une autre personne la transportait et lui répugnait tout à la fois. Ce docteur s'était dégonflé de la même façon qu'un ballon du Pachtoune. Quelques mots de Feroz *sahib* et il s'était complètement effondré. Et maintenant, Gopal allait être soigné comme il convenait. Sera-bai était déjà en train de lui expliquer qu'on lui donnerait bientôt d'autres comprimés.

« Feroz *seth*, dit-elle, même si je vis jusqu'à cent ans, je ne cesserai jamais de vous remercier pour ce que vous avez fait aujourd'hui. » Elle alla vers lui en s'apprêtant à lui prendre la main droite pour la porter à son front, en signe de remerciement. Mais Feroz eut un mouvement de recul au moment où ses mains touchaient les siennes. « C'est bon, c'est bon, dit-il aussitôt. Inutile de me remercier. »

Bhima s'interdit de se sentir blessée par cette rebuffade. « Quand Gopal sera rentré à la maison, je vous préparerai du *shrikhand*. » Elle savait que Feroz achetait souvent à la crémerie parsie du yaourt sucré qu'il ramenait à la maison.

Feroz sourit. « Je mange uniquement le *shrikhand* de la crémerie parsie. » Toutefois, se rendant compte qu'il l'avait froissée, il ajouta :

« Mais on verra, on verra. Qu'il rentre d'abord à la maison. »

Quand les Dubash furent partis, Bhima donna deux roupies à Amit pour qu'il aille s'acheter des *samosa* pour le déjeuner.

« Moi, je n'ai pas faim. Va manger et reviens dès que tu auras fini, *achcha* ? »

En voyant son fils partir en courant dans le couloir, Bhima sourit. Amit était intelligent et rapide comme l'éclair. Demain, elle insisterait pour qu'il retourne en classe. Il discuterait, elle le savait, mais elle ne l'écouterait pas. La façon dont Feroz avait cloué le bec au médecin avait renforcé sa foi dans le pouvoir de l'instruction. Un jour, son Amit pourrait lui aussi parlementer avec des médecins, des avocats. Peut-être deviendrait-il lui-même médecin ou avocat. Bhima ne savait pas trop ce que faisaient les avocats, mais elle savait que Freddy *seth* en était un et elle l'aimait bien. Freddy *seth* était gentil – un jour qu'elle avait accompagné Serabai chez ses beaux-parents, il lui avait permis de caresser son perroquet Polly. Et quand il venait chez Sera, il demandait toujours des nouvelles de Gopal et des enfants. Oui, Amit pourrait peut-être devenir avocat et Freddy *seth* l'aiderait.

C'est alors qu'une autre pensée la traversa et elle s'immobilisa soudain, comme si elle venait d'arriver à un carrefour très fréquenté et que ses idées étaient des voitures auxquelles il fallait prendre garde. Le docteur *babu* était forcément un homme instruit, lui aussi. Mais alors pourquoi s'était-il laissé traiter de la sorte par Feroz *seth* ? L'instruction à elle seule ne suffisait-elle pas ? Si c'était le cas, que fallait-il d'autre? Elle n'avait pas pu suivre la conversation entre Feroz et le médecin, puisqu'ils s'étaient entretenus en anglais. Néanmoins, elle avait besoin de savoir, pour Amit. Est-ce que Feroz *seth* pouvait parler comme il l'avait fait parce que c'était un parsi? Tout le monde savait que les parsis étaient riches et instruits et que leurs épouses portaient presque toutes des robes et non des saris. Autrement dit, ils étaient différents. Différents d'elle et de Gopal, et même du docteur *sahib*, avec ses vieilles *chappals* en caoutchouc et ses lunettes rafistolés avec du sparadrap. Était-ce ça ou autre chose encore? Était-ce parce que Feroz *seth* était capable de prendre l'air furieux alors qu'il ne l'était pas? Son Amit pourrait-il en faire autant? Était-ce également une chose qu'on vous apprenait à l'école?

Bhima releva la tête et vit une infirmière – plus jeune et plus jolie que celle qui avait fait une piqûre à Gopal en début de matinée – debout près du lit.

« On va commencer un nouveau traitement, dit-elle en souriant et en lui montrant ce qu'elle avait dans la main. Des antibiotiques. »

17

Dix jours plus tard, Gopal était rentré à la maison et Bhima reprit son travail. Il n'avait plus de fièvre et ne toussait presque plus, mais il se plaignait d'avoir très mal à la main et disait que cette douleur lui envoyait des décharges électriques dans tout le bras. « Attends qu'on t'enlève ton pansement, Gopu. Après, je te donnerai des remèdes de chez nous. On pourra même demander à ton frère de nous envoyer des plantes du village.

— Et à quoi ça servira ? Ça fera repousser mes doigts ? » Il avait pris l'habitude de lui parler avec une ironie qui la surprenait et la blessait.

« Non, mais... au moins, ça soulagera la douleur », dit-elle d'une petite voix, mais il poussa un grognement dédaigneux et détourna la tête.

Bhima ne s'entêta pas à essayer de le convaincre. Quelque chose d'autre la tracassait, quelque chose de plus important. Après le jour de l'accident, le contremaître ne s'était plus jamais manifesté. Il n'était pas venu le lendemain, contrairement à ce qu'il avait promis, ni même le surlendemain. N'avait-il pas parlé d'une indemnité ? Il était temps qu'il reprenne contact avec eux, maintenant que Gopal était rentré chez lui. C'est qu'ils avaient besoin de cet argent pour payer le loyer. Et dans quelques semaines, quand on lui enlèverait ses pansements et qu'il aurait repris des forces, il faudrait que Gopal retourne au travail. Même s'il ne pouvait plus manœuvrer sa machine, la société trouverait certainement à l'employer à un autre poste.

Bhima avait envie de parler de tout ça avec son mari, de lui parler de l'homme bizarre qui l'avait accompagnée à l'hôpital, ce jour de malheur, mais le visage de Gopal se changeait en pierre chaque fois qu'elle faisait allusion à l'hôpital ou à l'accident. Dans quelques jours, il se sentira mieux, se disait-elle. Alors, je pourrai lui parler.

À croire qu'il avait lu dans ses pensées, le contremaître vint frapper à leur porte le lendemain soir. Bhima venait juste de rentrer de son travail et elle était en train de pétrir de la pâte pour les *chapati*. Elle leva les yeux vers le ciel qui s'obscurcissait. Pooja allait rentrer d'une minute à l'autre. Elle entendait les cris des enfants du quartier avec lesquels Amit jouait au cricket dans la cour de l'immeuble. « *Six* ! » s'exclama une voix juvénile triomphante et Bhima se prit à espérer que c'était Amit qui avait frappé la balle assez fort pour marquer six points. Elle jeta un coup d'œil par la fenêtre, mais de l'endroit où elle se trouvait, elle ne voyait pas la totalité de la cour.

Quand la sonnette retentit, elle nota que Gopal restait assis sur sa chaise, en la regardant essuyer ses mains enduites de farine sur son tablier pour aller ouvrir, alors qu'il était plus près de la porte qu'elle. Avant, jamais il n'aurait fait ça, se dit-elle, mais elle chassa vite cette pensée. Le pauvre, il souffre tellement. Il a besoin de repos. Ça ne me tuera pas de faire quelques pas.

Il lui fallut un moment avant de reconnaître le contremaître. Puis le soulagement lui fit oublier que cet homme lui avait déplu et son visage s'éclaira d'un grand sourire. « Soyez le bienvenu, *bhaisahib,* dit-elle. Je croyais que vous nous aviez oubliés. » Elle s'écarta pour le laisser entrer et appela son mari. « Gopal, tu as de la visite. C'est le contremaître de ton usine. »

Derrière elle, l'homme toussota. « Euh ! en réalité, ce que j'ai dit l'autre jour n'était pas tout à fait exact. Je... j'avais pensé que ce serait plus simple, vu tout le *tamasha* qu'il y avait. En fait, je suis le comptable de la société. »

Gopal s'était levé et il regardait l'homme avec perplexité. « Vous êtes le comptable ?

— *Namaste, ji* », dit-il en joignant les mains. Machinalement, Gopal commença à faire de même, mais après un bref regard à sa main mutilée, il la laissa retomber et dit seulement : « *Namaste.*

— Permettez-moi de me présenter. Je m'appelle Devdas. C'est moi qui tiens les comptes de Godav Industries. »

Gopal jeta un regard en direction de Bhima, comme pour s'assurer qu'elle était bien là. « Il ne fallait pas vous donner la peine de venir de si loin, dit-il poliment. Après tout, je compte bien reprendre mon travail dans quelques semaines. Dès qu'on m'aura enlevé ça, ajouta-t-il en montrant ses pansements, avec un sourire contrit.

— Bien... c'est justement de ça que je dois vous parler. » Le comptable s'installa sur une chaise en plastique et ouvrit sa serviette, également en plastique.

« Qu'est-ce que vous voulez boire ? demanda aimablement Gopal. Du thé ? Ou quelque chose de froid ?

— Non, non, rien. Je ne vous retiendrai pas longtemps, dit l'autre en englobant Bhima dans son regard. Je suppose que vous avez encore besoin de repos.

— Oh ! point trop n'en faut. »

Le comptable rit, comme si Gopal avait dit quelque chose de drôle. « C'est vrai, c'est vrai. » Il se tut et consulta un papier qu'il venait de sortir de sa serviette. Quand il reprit la parole, sa voix avait changé. « *Achcha*, dit-il sèchement. C'est au sujet du contrat. Il stipule que Godav Industries devra vous verser une indemnité de mille roupies. Après cela, vous ne pourrez plus rien nous réclamer. Vous serez libre de chercher une place où vous voudrez. » Feignant de ne pas voir leur stupéfaction, il se carra sur sa chaise avec un sourire bienveillant. « Je me suis arrangé pour pouvoir vous remettre la totalité de cette somme dès ce soir, dit-il en détachant bien chaque mot. C'est uniquement pour ça que je suis venu vous voir si vite après votre retour de l'hôpital. Le patron est conscient que vous devez avoir besoin d'argent, dans un moment pareil. »

Gopal, totalement déconcerté, prit la parole à son tour. « Pardon, s'il vous plaît, mais je ne comprends pas. J'ai l'intention de reprendre mon travail dès que j'en serai capable. »

La pitié et le mépris se lisaient à égalité sur le

visage du comptable. « Voyons, réfléchissez, Gopal *babu*, dit-il d'une voix où perçait une ironie cruelle. Que feriez-vous à l'usine ? Pouvez-vous encore soulever des feuilles de plastique ? Pourriez-vous les déplacer de manière que la machine les tranche là où il faut ? Un ouvrier avec trois doigts en moins... enfin, *baba*. C'est comme une femme qui n'aurait pas de seins. »

Gopal bondit de sa chaise. « Prenez garde à ce que vous dites, monsieur. Vous êtes ici dans une maison respectable, pas dans un bordel, espèce de...

— Calmez-vous, calmez-vous, Gopal. Pourquoi est-ce que vous vous emportez comme ça ? Vous avez besoin de ménager vos forces, *na* ? Je ne voulais pas faire injure à votre chaste épouse ici présente. Ce que je voulais dire c'est qu'il n'y a plus de travail pour vous dans notre usine. Vous comprenez ? » Il plongea la main dans sa serviette sans quitter Gopal des yeux et, d'un geste théâtral, il en sortit une grosse enveloppe marron, puis il fouilla à nouveau dedans pour en extraire un carnet de reçus.

« Voici les mille roupies, annonça-t-il en caressant l'enveloppe. Par les temps qui courent, ce n'est pas rien. » Il se tourna vers Bhima et lui tendit l'enveloppe. « Tenez, *didi*. C'est vous la patronne. Comptez les billets et assurez-vous que je n'ai pas fait d'erreur. C'est qu'on ne peut plus avoir confiance en personne, de nos jours.

— Ne touche pas à cet argent. » L'avertissement lancé par Gopal rendit le même bruit sec qu'une batte frappant une balle de cricket. « C'est un emploi que je veux, pas le prix de mes trois doigts. Et que faites-vous de l'indemnité à laquelle j'ai droit en tant qu'ouvrier? À elle seule, elle serait supérieure à la somme misérable que vous me proposez.

— C'est justement ce que j'essaie de vous dire, *babu*, fit le comptable d'une voix doucereuse. Pendant que vous étiez à l'hôpital, votre femme a signé ce papier, selon lequel vous n'avez pas droit à autre chose. »

Gopal blêmit. Il regarda Bhima avec des yeux tellement empreints de tristesse, de perplexité et de désappointement qu'elle en resta hypnotisée, comme si ces yeux avaient été des flèches la clouant au mur. Ces flèches lui transpercèrent la poitrine, étouffant dans l'œuf toute tentative de se justifier; elles la soudèrent au sol sur lequel elle se tenait, si bien qu'elle ne put faire un seul pas vers lui, de manière à combler l'abîme effroyable qui venait de s'ouvrir entre eux. Elle aurait voulu lui parler de l'angoisse dans laquelle s'était déroulé le trajet jusqu'à l'hôpital, de son affolement et des mensonges de Devdas concernant le papier qu'il l'avait amenée à signer, mais écrasée sous le poids de son regard, elle ne parvenait pas à établir une défense.

« Menteur, finit par dire Gopal au comptable qui les regarda tour à tour, avec une expression étrangement satisfaite. Ma femme ne sait ni lire ni écrire. Comment aurait-elle pu signer quoi que ce soit? »

En réponse, Devdas lui montra le papier. « Empreinte digitale. » Il avait un ton triomphant, presque joyeux, comme s'il essayait de réprimer un rire. « Dites-moi, fit-il en s'adressant à Bhima qui semblait toujours enracinée dans le sol, c'est votre empreinte, oui ou non ? »

Mais ses yeux restaient fixés sur Gopal, fascinés par le filet de salive suspendu au palais de sa bouche ouverte, notant qu'il se léchait nerveusement les lèvres, remarquant les rides qui se formaient sur son front, les larmes qui luisaient comme des étoiles mortes dans ses prunelles sombres. « Femme, dit-il d'une voix rauque, qu'est-ce que tu as fait ? »

Devdas se tortillait d'impatience sur sa chaise. « Ce qui est fait est fait, dit-il. Maintenant, pardonnez-moi, mais ma femme m'attend pour dîner. Je vous prie de signer ce reçu attestant que vous avez touché l'argent, sur le timbre, ici. À moins que vous n'ayez besoin d'un tampon encreur, vous aussi ?

— Je sais signer mon nom », dit Gopal sans quitter Bhima du regard. Il prit le stylo de Devdas et, de la main gauche, il griffonna sur le timbre rose, puis rendit le carnet à Devdas, en disant : « Tenez. Par cette signature, je viens d'enterrer ma vie. »

Devdas rangea le carnet dans sa serviette et se leva. « Merci, dit-il. Et maintenant, avec votre permission, je vais vous laisser. » Il posa l'enveloppe brune sur la table et regarda Gopal comme s'il en attendait quelque chose : des injures, de la violence, des menaces, une démonstration de colère, n'importe quoi. Mais Gopal le fixait de ses yeux vides sertis dans le visage d'un mort. Le comptable, contrarié, claqua de la langue. « Je vous le dis, Gopal *babu*, vous avez fait votre malheur vous-même. Vous auriez dû être plus prudent dans votre travail. Il faut dire que ces grosses machines sont dangereuses, l'usine n'est pas une maison de poupées. Que ça vous serve de leçon pour la prochaine fois. »

Il finit par obtenir la réaction qu'il souhaitait. Gopal se leva avec un rugissement de fureur. « Sortez de chez moi ! hurla-t-il. Je ne veux plus voir votre sale face de menteur. Venir me dire que j'aurais dû être plus prudent, alors que tout le monde sait que trois jours plus tôt à peine je m'étais plaint de cette machine auprès du grand patron. Et aucun de vous autres fils de putes n'avait levé le petit doigt ! Ça coûte moins cher de licencier un ouvrier comme moi que d'arrêter le travail pendant une journée pour réparer une machine. N'allez pas croire que j'ignore ce qu'il y a là-dedans : c'est le prix du sang. À l'intérieur de cette enveloppe, il y a les trois doigts volés qu'on me rend, rien de plus. *Saala maadarchot*, qui pensez-vous pouvoir tromper ? Vous pouvez tromper votre mère, votre sœur et votre fils qui tête encore sa mère, mais moi, vous ne me tromperez pas, compris ? »

Devdas émit un son qui tenait à la fois du grognement de rage et du fou rire. « Voyons, *babu*, inutile de réagir comme ça. N'oubliez pas que je suis un hôte dans votre maison, après tout. Je m'en vais, s'empressa-t-il d'ajouter en voyant la lueur qui brillait dans l'œil de Gopal. Au revoir. »

Après son départ, un silence surnaturel s'installa dans l'appartement. Bhima retourna à ses *chapati*, tandis que Gopal s'asseyait sur la chaise occupée par Devdas quelques minutes plus tôt; il avait les yeux rivés sur le mur devant lui, comme s'il détenait la clé des mystères de sa vie. L'enveloppe était sur la table, intacte. De temps à autre, Bhima regardait son mari à la dérobée, mais il conservait un visage aussi inexpressif que le mur qu'il fixait. À la fin, ne pouvant plus supporter ce silence, elle s'essuya les mains sur son tablier et s'approcha de lui. « Mon mari, dit-elle doucement. Cherche dans ton cœur de quoi me pardonner. Je suis une femme ignorante et stupide. Ce *badmaash* m'a menti. Il m'avait dit que je devais signer ce papier, afin que tu sois bien soigné, à l'hôpital. »

Gopal secoua lentement la tête. « Tu n'as donc rien compris, femme? Tout ça n'a aucune importance. De toute manière, ils nous auraient roulés. Parce qu'ils possèdent le monde, vois-tu. Ils ont les machines, l'argent et l'instruction. Nous ne sommes que des outils qui leur permettent d'acquérir toutes ces choses. Tu as vu comment je me sers d'un marteau pour planter un clou? Eh bien, eux m'utilisent comme un marteau pour obtenir ce qu'ils désirent. Je ne suis rien d'autre pour eux : un marteau. Et que se passe-t-il quand le manche d'un marteau se casse? On le jette et on en prend un autre. Ils se sont tout simplement servis de toi pour pouvoir se payer un marteau neuf, voilà tout. »

Elle le regardait sans comprendre. C'était un Gopal qu'elle ne connaissait pas et qui ne lui plaisait guère non plus. Non seulement ce Gopal avait un aspect différent, mais une odeur différente. Son

Gopal était fait de soleil, de chansons, de rires et de plaisanteries, et il sentait la menthe, la coriandre et la pluie toute fraîche. Cet autre Gopal était aussi dur qu'un marteau, aussi coriace que du cuir, et il sentait la sueur, la cendre et le lait tourné. « Écoute-moi, Gopi, l'implora-t-elle. Oublie Godav Industries. Par ma bêtise, tu as perdu ta place, mais je t'en trouverai une autre, je te le promets. Et à partir de demain, je te ferai du poulet tous les jours pour t'aider à reprendre des forces. Et puis, je donnerai de l'argent à Pandav pour qu'il écrive à ton frère de nous envoyer des plantes médicinales qui soulagent la douleur. Gopal, mon cher mari, pendant que tu étais à l'hôpital, je me suis battue pour te garder parmi les vivants, et maintenant que tu es rentré à la maison, je vais être aux petits soins pour toi, je te le promets. »

Il lui sourit et c'est alors qu'elle comprit que les dieux s'étaient joués d'elle – ils avaient effectivement gardé Gopal parmi les vivants, mais ils lui avaient ôté ce quelque chose d'essentiel qui donne aux hommes l'envie de vivre. Gopal était semblable à un réveil dont on aurait ôté le mécanisme. Il n'y avait plus rien pour le mettre en mouvement. Elle aurait aimé qu'il crie, qu'il pleure, qu'il maudisse le monde, qu'il la batte, qu'il casse quelque chose, qu'il déchire en mille morceaux l'enveloppe posée sur la table, qu'il tempête contre Devdas – n'importe quoi pour montrer qu'il vivait encore. Mais non, il souriait, de ce sourire lent, triste et désabusé, qui lui donnait l'air d'être encore plus mort que lorsqu'il était à l'hôpital.

« Tu veux que j'allume la radio ? » demanda-t-elle en pensant que la musique de film hindie l'égayerait. Mais il se contenta de hausser les épaules en disant : « Je suis fatigué », et il pivota de nouveau vers le mur tandis qu'elle retournait à ses fourneaux.

Elle entendit Amit et Pooja monter l'escalier en courant et, l'instant d'après, ils firent irruption dans l'appartement. Bhima surprit le regard inquiet que Pooja lançait à son père, un regard si adulte et si précautionneux qu'elle en eut le cœur brisé. Cette petite est trop jeune pour se faire autant de souci, pensa-t-elle. Elle la vit s'approcher et lui caresser la tête tout en lui parlant doucement, et son cœur déborda d'un amour douloureux pour cette fille posée, sérieuse et sensible. Au contraire, Amit ne semblait pas conscient de la tension ambiante ; il était encore tout rouge de sa partie de cricket. Il y avait en lui quelque chose qui rappelait à Bhima un chiot excité et turbulent qui cherche à faire plaisir. Si ce garçon avait une queue, elle remuerait à longueur de journée, songea-t-elle. Et maintenant que Gopal est rentré à la maison, c'est justement le cas. Il est tellement content d'avoir récupéré son papa qu'il ne remarque même pas qu'il a changé, s'étonnait-elle. Il s'était mis à danser une sorte de gigue tout en racontant son match : J'ai fait deux fois six coups, *baba*. Ce gros patapouf de Vasu a essayé d'arrêter un de mes tirs, mais il n'arrivait même pas à courir après la balle. Ensuite le nouveau a voulu... » Son regard tomba sur l'enveloppe. « C'est quoi, ça ? » demanda-t-il en la prenant dans ses mains.

Gopal se retourna légèrement et ses yeux

rencontrèrent ceux de Bhima par-dessus la tête de leur fils. « C'est une avance pour le Diwali, dit-il calmement, sans quitter des yeux le visage consterné de sa femme. Ouvre-la. »

Les doigts impatients d'Amit déchirèrent l'enveloppe et dix billets de cent roupies s'en échappèrent. « Oh! » s'exclama-t-il, le souffle coupé. Il n'avait jamais vu autant d'argent à la fois. Stupéfait, il interrogea son père. « C'est quoi, *baba*, tout cet argent?

— Tu veux savoir ce que c'est, *beta*? dit Gopal, le visage aussi enfiévré qu'au premier jour de son hospitalisation. C'est ton *baba* qui est dans cette enveloppe. Voilà ce que vaut ton *baba*. C'est le prix de...

— *Chup re*! » Bhima se précipita dans la pièce et lui lança un regard d'avertissement. Puis elle examina le visage éberlué d'Amit et quelque chose dans son expression naïve et perplexe l'irrita. « Espèce d'idiot qui pose des questions stupides et qui embête le monde! dit-elle en lui donnant un coup violent sur l'épaule. Ramasse cet argent tout de suite. » Elle le frappa de nouveau, sur l'arrière du crâne, cette fois.

« Ne te venge pas de tes fautes sur cet enfant, femme », dit Gopal à voix basse, afin qu'elle seule entende.

Du coup, sa fureur redoubla. « Qu'est-ce que tu as fait? cria-t-elle au garçon qui se frottait la tête. Tu as passé ta soirée à jouer au cricket comme un *mawali*, avec un tas de bons à rien, et quand je rentre à la maison épuisée par mon travail... » Elle s'étranglait avec les mots comme avec des morceaux de charbon brûlants. Mais la colère et la panique continuaient à bouillonner dans sa poitrine. « On dépense l'argent qu'on a eu tant de mal à gagner pour t'envoyer à l'école, pendant que Pooja et moi, on trime toute la journée. Et toi, qu'est-ce que tu fais, vilain *namakharam*? Tu joues au cricket avec les *goonda* du quartier.

— Comment ça, maman? s'écria Amit, rouge d'indignation. Tu m'avais dit que je pouvais aller jouer en bas. Et puis mes amis ne sont pas des *goonda*. »

Soudain, la colère de Bhima vacilla et s'éteignit, telle la flamme bleue du réchaud. Elle considéra son fils avec tristesse et pitié. « Va te débarbouiller, grogna-t-elle. Le dîner sera bientôt prêt. » Puis elle se tourna vers Pooja, car elle avait l'impression que derrière son calme apparent, sa fille mourait de peur. Elle soupira intérieurement. C'était la malédiction des parents de savoir si bien ce qui se passait dans la tête de leurs enfants. « Et toi, *chokri*, dit-elle d'une voix altérée par tout un mélange de sentiments, tu ferais bien d'aller te laver la figure, toi aussi. Je suis sûre que tu n'en peux plus. À voir comment elle te mène à la baguette, ta patronne devrait être nommée chef de la police.

— En fait, aujourd'hui elle a été gentille. Elle m'a donné un carré de chocolat au déjeuner. » Bhima lança machinalement un bref coup d'œil à son mari et leur complicité se rétablit l'espace d'un instant, tandis qu'ils échangeaient un regard entendu. Ils savaient l'un et l'autre que Pooja était une conciliatrice née et qu'il lui arrivait souvent de déformer la vérité, ou même de mentir carrément, pour rassurer ses parents.

« Du chocolat, c'est très bien, mais la prochaine fois, demande-lui plutôt une augmentation », grommela Bhima, mais sur un ton qui fit comprendre à sa fille qu'elle voulait seulement la taquiner.

Alors qu'elle prenait l'enveloppe et cherchait un endroit pour la cacher, Bhima sentit les yeux de Gopal qui suivaient tous ses mouvements. La sueur lui coulait le long de la colonne vertébrale, mais elle se cuirassa contre son regard moqueur. Avec cet argent, elle pourrait régler plusieurs mois de loyer et acheter de quoi manger. Dieu seul savait quand Gopal retrouverait un emploi. Tant que son salaire ne rentrerait pas, il allait falloir économiser le moindre *paise*.

En partant à son travail, le lendemain matin, Bhima sentit un espoir s'éveiller en elle. Elle parlerait à Serabai de la fourberie du comptable. Avec quelques mots bien choisis, sa patronne saurait lui faire entendre raison.

Mais, quelques heures plus tard, ce fut avec une mine consternée que Sera entra dans la cuisine. « Je viens juste d'avoir Feroz au téléphone, annonça-t-elle. Il dit que c'est trop tard. En mettant l'empreinte de ton pouce sur ce papier... je crains qu'on ne puisse rien faire, Bhima », ajouta-t-elle avec douceur.

La paume ouverte de Bhima vola soudain vers son large front, qu'elle se frappa à plusieurs reprises. « Imbécile, idiote que tu es ! criait-elle entre chaque coup qu'elle se donnait. Tu as passé le nœud coulant au cou de ton mari. Tu as brisé sa vie. Maudit soit le jour où tu es née. Maudite soit ma mère qui ne m'a pas envoyée à l'école. Ah, si vous saviez combien j'avais envie de savoir lire dans les livres, quand j'étais petite ! » Sous le regard consterné de Sera, elle recommença à s'autoflageller. « Puisses tu connaître un cycle de malheurs interminable dans ce monde cruel, afin d'expier tes péchés. Puissent tes enfants ne jamais te pardonner ce crime.

— Bhima, Bhima, arrête ! Ce n'est pas le moment d'avoir une crise de nerfs. À quoi ça sert de te faire des reproches, Bhima. Comment aurais-tu pu savoir que cet homme était un menteur ? Ma mère avait raison quand elle disait qu'il y a parfois des serpents qui se promènent parmi nous déguisés en êtres humains. »

Le soir, en rentrant chez elle, Bhima s'arrêta devant le petit autel du dieu Krishna que quel-qu'un avait creusé dans un tronc d'arbre, entre une boulangerie et un magasin de confection. Elle déposa quelques piécettes aux pieds de la statue bleue, puis resta un moment à contempler le visage heureux, paisible, du dieu. Depuis qu'elle connais-sait Gopal, elle se sentait attirée par Krishna, parce que son côté joueur, sa malice le lui rappelait. Aujourd'hui, c'était avec envie qu'elle contemplait la physionomie béate de la divinité. « Rends-moi mon Gopal comme il était avant, murmura-t-elle avec ferveur. Rends-moi mon Gopal et je distri-buerai trois kilos de *peda* aux gamins du quartier. Je te le promets. »

Le jour où on lui enleva ses pansements, Gopal lui fit l'amour pour la première fois depuis son accident. Pendant toute la soirée, elle n'avait cessé de jeter des regards à la dérobée sur les moignons qui avaient pris la place de ses doigts. Aux extrémités, la peau était rosâtre, plus claire que le brun foncé du reste de sa main. Au cours des repas, quand sa main droite heurtait par hasard son assiette en fer, il avait si mal qu'il laissait échapper un petit gémissement. Il avait appris à manger avec la main gauche, mais il mettait tellement de temps pour façonner les boulettes de riz et de *daal* que Bhima se demandait souvent si ce n'était pas pour cela qu'il maigrissait tant. Ce jour-là, comme un flot de douleur s'abattait sur sa main mutilée, il se leva en disant : « Je ne peux plus manger.

— Mais *baba*, tu n'as encore rien avalé », protesta Amit, et son père lui lança un regard si venimeux que l'enfant se tut aussitôt. Ils se dépêchèrent tous les trois de terminer leur repas en silence, tandis que Gopal s'allongeait sur son lit.

Mais pendant la nuit, Bhima sentit les doigts tronqués de Gopal courir le long de son dos. Elle se raidit sous cette rugosité inaccoutumée et lutta contre la nausée qui remontait de son estomac. Comme s'il avait deviné son malaise, Gopal chuchota : « Est-ce que ma main sans doigts te dégoûte, femme ?

— Bien sûr que non », s'empressa-t-elle de répondre en se retournant vers lui. De sa main, elle caressa le beau visage amaigri, en suivant les contours de son index. « Tant de tristesse sur un visage si jeune. Et si maigre, si fragile. »

Il enfouit la tête entre ses seins, lui dégrafa le corsage de la main gauche, lui suça les seins. Une sensation familière de feu et de glace la parcourut et elle se sentit fondre et brûler tout à la fois.

Mais il y avait quelque chose de nouveau. Ils ne s'accordaient plus l'un avec l'autre avec la même facilité. À chaque mouvement qu'ils faisaient, à chaque poussée et à chaque cambrure de leur corps, on aurait dit qu'ils avaient conscience de ces trois doigts manquants. Quand Gopal voulut dénouer la ceinture de son pyjama, sa main mutilée racla le tissu et il serra les dents pour retenir un cri. De la gauche, il tenait la tête de Bhima, tandis que l'autre s'agitait dans le vide et retombait contre son flanc, aussi inutile qu'une aile brisée. Quand Bhima arqua les hanches vers lui, il ne put sceller ce mouvement si intime en la saisissant par les fesses, comme il le faisait avant. Ils se donnaient un mal fou, transpiraient, poussaient des grognements, se frottaient l'un contre l'autre, sans parvenir toutefois à se trouver, de même que des danseurs qui ne sont pas en mesure. Finalement, Gopal renonça. Juste avant de se tourner de l'autre côté, il remarqua d'un ton amer : « On dirait que tu ne sais plus comment recevoir ton mari. »

Ces mots lui firent l'effet d'une gifle, mais elle était trop fatiguée et trop déçue pour répliquer. Contrairement à la plupart des couples de sa connaissance, Gopal et elle s'étaient toujours bien entendus au lit. Dès leur nuit de noces, quand ils étaient tombés dans les bras l'un de l'autre, en riant, en se caressant, il y avait eu dans leurs rapports amoureux un naturel qui, Bhima le savait, manquait à beaucoup de ses amies. Gopal n'avait jamais essayé de la conquérir comme si elle avait été une montagne ; au contraire, il nageait en elle, comme dans un fleuve. Tels une rivière et ses poissons, ils existaient côte à côte, se coulant dans le même flux, chacun ayant besoin de l'autre et ne cherchant jamais à prendre le dessus.

Et voilà que Gopal avait soudain quelque chose à prouver. Soudain, elle devenait une rivière qu'il fallait endiguer, afin de contenir et de réguler son flot. Maintenant qu'il avait trois doigts en moins, il lui fallait à tout prix se convaincre que cet autre appendice, absolument essentiel, restait intact. Ainsi, nuit après nuit, il batailla avec elle, jusqu'au moment où leurs accouplements prirent un tour mécanique, sans joie et dépourvu d'inspiration. Elle restait patiente, sachant qu'il souffrait. Elle restait patiente, comprenant d'instinct combien il y attachait de l'importance. Mais avec le temps, sa patience se mua en passivité, et Gopal, qui avait été si longtemps à l'écoute de ses humeurs et de ses pensées, s'en rendit compte. Voulant déclencher une réaction chez elle, il lui fit alors l'amour avec un acharnement, une férocité accrus. Il lui plantait ses moignons dans le ventre, électrisé par la douleur qui se diffusait dans son corps comme une drogue, il lui embrassait les seins, puis les mordait sauvagement, il enfonçait profondément sa verge en elle, à la manière d'une épée. Elle essayait de se faire croire que ce déchaînement sensuel était dû à la passion, mais la lueur menaçante, terrible, qui brillait dans les yeux de son mari l'empêchait de s'illusionner.

Et, soudain, ce fut fini. Un soir, quand elle arriva

pour se coucher, il dormait déjà. Elle se glissa dans l'étroite couche, craignant de le réveiller, mais sa respiration demeura régulière et cadencée. Elle resta plusieurs heures sans pouvoir dormir, partagée entre l'envie de succomber à un sommeil bienfaisant et la crainte qu'il la touche aussitôt qu'elle baisserait la garde. Finalement, la fatigue eut raison d'elle et elle s'endormit.

Le lendemain soir, en rentrant de son travail, elle sentit immédiatement une odeur bizarre et inhabituelle. « On se croirait chez le *daru* », plaisanta-t-elle. Mais, tandis qu'elle allait vers son mari, son sourire mourut instantanément sur ses lèvres. « Tu as bu ! » s'écria-t-elle sur un ton où se mêlaient la surprise et l'indignation.

Le visage de Gopal se ferma comme une porte qu'on claque. « Et alors ? la nargua-t-il, avec dans son attitude quelque chose de vulgaire et de prétentieux qu'elle ne lui connaissait pas. Si j'ai envie de boire un verre ou deux, qui ça regarde, hein ?

— Où est Amit ?

— Il joue en bas, avec ses copains. » Puis, comme s'il avait lu dans sa pensée : « Ne t'inquiète pas, il ne m'a pas vu monter. Notre cher petit n'a aucune raison d'avoir honte de son père.

— Tu es ivre, dit-elle, comme si elle s'adressait à elle-même. *Baap re*, Gopal, tu es soûl. Toi qui n'avais pratiquement pas bu une goutte d'alcool depuis qu'on est mariés. »

Il écarta les bras en grand. « Oui, mais c'était avant que je me sois libéré, dit-il, la bouche pâteuse. Avant que j'empêche ma femme de me mener par le bout du nez. »

Le lendemain matin, Bhima arrêta Feroz qui partait à son bureau et lui demanda de trouver du travail pour Gopal.

« Je ne vois rien pour le moment, dit-il en se mordillant la lèvre inférieure. Mais je vais y réfléchir. »

Gopal se mit à boire tous les jours. Il prétendait que ça soulageait ses douleurs. « Tu ne te rends pas compte de ce que c'est de souffrir comme ça, lui dit-il un jour. J'ai l'impression qu'on me plante un couteau dans la main. En plus, le docteur prétend qu'il n'y a aucun remède. La seule chose qui me procure quelques heures de répit, c'est ça. » Ses traits s'affaissèrent comme un mur mal construit. « On m'a tout pris, Bhima, mes mains, mon travail, ma fierté. Ne me prive pas de la seule chose qui me reste, je t'en supplie. Je ne suis pas comme tous ces imbéciles d'ivrognes. Je sais quand m'arrêter. »

Le jour où Feroz lui annonça qu'il avait trouvé un emploi pour Gopal, Bhima arriva à la maison tout heureuse, quoique avec une certaine appréhension. Mais à sa grande surprise, Gopal parut satisfait. Trois jours après, il partit travailler. Elle se leva de bonne heure afin de lui préparer un petit déjeuner particulièrement soigné et mit de l'*okra* frit entre deux *chapati* pour son casse-croûte de midi.

Le soir, il revint à la maison si pâle et si épuisé qu'elle crut d'abord qu'il avait bu. Mais, très vite, elle se rendit compte que c'était la fatigue et non l'alcool qui rendait sa langue pâteuse. Un peu plus tard, une fois les enfants couchés, elle lui massa le dos pour dénouer les muscles crispés de son cou et de ses épaules. Par la même occasion, elle lui délia la langue. « Je suis lent, tellement lent, marmonna-t-il. Et maladroit aussi. Ils étaient tous à regarder cet infirme qui essayait de faire comme eux. J'ai eu envie de leur dire : "Vous auriez dû me voir il y a seulement quelques mois, *chootia*. Au rythme où je travaillais à l'époque, vous seriez encore en train de mettre les machines en marche que je serais déjà sur la ligne d'arrivée." Mais je ne pouvais rien faire, bien sûr, à part essayer de m'habituer à porter les matériaux en les maintenant d'une seule main contre ma poitrine. Le patron, Deshpande, c'est un brave type. Très patient. Mais j'avais tellement honte, Bhima. »

L'amour et l'indignation s'amalgamèrent en une boule dans la gorge de Bhima. « Tu n'as pas à avoir honte, Gopu, déclara-t-elle d'un ton sans réplique. Tu pourrais avoir honte de rester à la maison, sans te soucier de ta famille, mais celui qui s'efforce de gagner honnêtement sa vie n'a pas à avoir honte.

— Je sais. C'est bien ce que je me dis. Mais c'est qu'il y a aussi ces douleurs. Par moments, je souffrais tant que j'ai cru que j'allais m'évanouir. C'est drôle, puisque je ne me servais pas du tout de ma main droite, on aurait pu penser que si une de mes mains avait le droit de se plaindre, ç'aurait été la gauche, qui travaillait si dur. Mais en fait c'était la droite, celle qui se reposait, qui me faisait si mal. Elle n'a pas arrêté de me rappeler son existence grâce aux élancements qu'elle m'envoyait. »

Malgré tout, quand il ramena sa paie le vendredi

suivant, il eut l'air content. « Bien sûr, ce n'est pas grand-chose comparé à ce que je me faisais avant, remarqua-t-il, l'air penaud. Mais peu à peu, à mesure que j'arriverai à travailler plus vite, je gagnerai davantage, Bhima. »

— De toute manière, on se débrouillera, répondit-elle, les yeux remplis de larmes. Je suis déjà bien contente de t'avoir avec moi à la maison et que tu sois heureux à ton travail. »

Il lui lança un étrange regard, en répétant à mi-voix : « Heureux à mon travail ? »

Il prit l'habitude de s'arrêter au bistrot pour boire un verre ou deux, en rentrant de l'atelier, mais Bhima essayait de ne pas s'inquiéter. « Votre *baba* souffre beaucoup, disait-elle aux enfants. L'alcool est la seule chose qui le soulage. »

Mais le mardi suivant, il refusa de se lever. « Je décrète que c'est aujourd'hui jour de repos pour tous les travailleurs de Bombay, dit-il, et Bhima sentit dans son haleine une odeur d'alcool éventé. Toi aussi, tu devrais rester à la maison. Il y a un film de Rajesh Khanna qui vient de sortir. Allons le voir cet après-midi.

— Et on finira la semaine avec deux *paise*, ironisa-t-elle. Même si tu ne te soucies pas de moi, pense aux enfants. Avec quoi je devrais les nourrir ? Je dois déjà de l'argent au *baniya*. L'autre jour, Pooja parlait de chercher un travail d'appoint. Ma fille passera sa jeunesse à payer les soûleries de son père. C'est ça que tu veux ?

— Il y a l'argent du contrat, dit-il avec hauteur. Tu oublies cet argent que tu as gagné grâce à ton astuce, ma chère femme. »

314

Elle rougit sous l'insulte, sans toutefois lâcher prise. « Cet argent doit servir à payer le loyer pendant encore quelques mois, Gopal. Comment pourrons-nous garder l'appartement si tu ne travailles pas ? Pense un peu à l'avenir, *na*. »

Il roula sur le côté et se rendormit.

Une semaine plus tard, quand elle rentra à la maison, Amit l'attendait au coin de la rue. « *Ma* ! cria-t-il, dès qu'il l'aperçut. Rentre vite. Baba est devenu fou.

— Qu'est-ce qui se passe ? demanda-t-elle en allongeant le pas pour rattraper son fils.

— Je n'en sais rien. Mais quand je suis rentré de l'école, il était déjà à la maison. Il courait partout comme un taureau furieux, en cherchant quelque chose. J'ai eu tellement peur que je suis parti. Ça fait une éternité que je t'attends, *ma*. »

Dès qu'elle entra dans l'appartement, Gopal lui sauta dessus. « Où est mon argent ? » éructait-il. Il était tout ébouriffé et son visage luisant de sueur avait une expression douloureuse, hébétée, comme s'il s'était battu. « Où est l'argent que tu t'es fait avec mes doigts coupés, espèce de traînée ?

— Pourquoi tu as besoin d'argent ? » Elle s'aperçut alors qu'il avait arraché les draps du lit, ouvert et mis à sac le placard et renversé tous les récipients de la cuisine.

« Il faut que je paie le bistrot. Il ne veut plus me faire crédit et il faut que je le paie dès ce soir, sinon il ne voudra plus me servir. Je veux mon argent ! hurla-t-il.

— L'argent n'est pas ici, dit-elle d'une voix blanche. Il est chez Serabai, dans son coffre. De

315

toute manière, il ne reste plus que quelques centaines de roupies. Comment crois-tu que j'ai tenu la maison depuis... »

Il poussa un hurlement, se jeta sur elle, furibond, et elle ferma les yeux, s'apprêtant à sentir ses doigts autour de son cou. Aurait-il assez de force pour l'étrangler avec une seule main ?

« Baba ! Baba, qu'est-ce que tu fais ? » En voyant son fils qui pleurait à chaudes larmes, Gopal lâcha Bhima. Amit fouillait dans la poche de son pantalon. « Tiens, *baba*, dit-il en lui tendant un billet de cinq roupies tout froissé. Aujourd'hui, j'ai gagné un pari à l'école. Prends cet argent, *baba*, et va voir ton *daru*. »

Pendant une interminable seconde, tout se figea. Ne prends pas cet argent, Gopal, priait intérieurement Bhima. Si tu prends l'argent de ton fils, je saurai avec certitude que tu nous as abandonnés pour toujours. Permets-moi d'être encore un peu fière de toi. Ne nous prive pas du dernier lambeau de dignité qui nous reste.

L'immobilité persistait, mais l'atmosphère semblait vibrer et miroiter d'une tension imperceptible. C'était comme s'ils savaient tous les trois que l'heure des comptes était proche, le test qui allait leur permettre de se rassembler ou d'être rejetés chacun dans un univers de silence propre ; comme s'ils représentaient les trois côtés d'un même triangle, et que, au moindre mouvement, cet équilibre précaire allait basculer.

Gopal arracha le billet de la main de son fils. « Tu es un bon petit, marmonna-t-il sans oser regarder Bhima. Je te rembourserai, mon garçon. »

Arrivé à la porte, il s'arrêta et vit l'air déçu de son fils et l'expression accablée, meurtrie, de sa femme. Il laissa échapper un petit cri, comme s'il venait seulement de s'apercevoir que celle-ci avait perdu l'embonpoint qui lui plaisait tant chez elle, comme s'il était surpris par la pâleur et la maigreur de ses joues, que les pouces géants du destin avaient tirées vers le bas. À son tour, Bhima regarda Gopal, espérant lire la peine et le remords dans ses yeux. Elle aurait été horrifiée si elle avait su qu'il était habité par une excitation méchante et cruelle, aussi rusée et provocatrice que la langue d'une prostituée.

Une expression de satisfaction fielleuse passa sur son visage. « Au fait. J'ai une bonne nouvelle à t'annoncer. J'ai été renvoyé. À partir de demain, tu auras ton mari à la maison toute la journée. »

Sans doigts, sans travail et oisif, Gopal avait trouvé un moyen de fabriquer quelque chose : il pouvait encore produire du malheur, des tonnes et des tonnes de malheur.

Un jour où Amit ramenait à la maison un bulletin scolaire lamentable, Gopal déclara qu'il était peut-être temps qu'il quitte l'école et cherche du travail. Pooja s'interposa et prit à la place un second emploi consistant à faire la vaisselle chez la voisine de Mrs Ouvrebouteillewalla. Quand il l'apprit, Gopal sentit ses yeux s'embrumer, puis il bâilla, se retourna sur le côté et s'endormit.

« *Ma*, le *baniya* m'a arrêtée dans le hall aujourd'hui, dit Pooja. Il a dit qu'il ne voulait plus nous faire crédit. »

Le visage de Bhima se crispa d'inquiétude. « J'arriverai peut-être à lui régler la moitié de ce que je lui dois, mais... » Elle baissa la voix. « Il faudra seulement qu'on mange moins pendant le reste de la semaine, toi et moi, pour récupérer l'argent du loyer. »

Gopal, allongé sur son lit, lui fit une grimace. « L'argent, toujours l'argent, l'argent! Tu me dégoûtes, femme. Tiens, à ce propos, j'ai besoin de dix roupies », dit-il en se levant.

D'une façon ou d'une autre, il trouvait toujours de l'argent pour boire. Quelquefois, il volait Bhima, d'autres fois, il la menaçait jusqu'à ce qu'elle lui donne le peu qu'elle avait. Elle le lui donnait enveloppé dans des malédictions comme son tabac à chiquer était enveloppé dans des feuilles de béthel. Quand elle n'avait rien, quand il l'avait rongée jusqu'à l'os, il faisait de menus travaux pour le tenancier en échange de quelques verres. « C'est mon seul ami, dit-il un jour à Bhima. Lui seul peut comprendre ce que ressent un homme émasculé par sa propre femme. »

Elle dut se mordre les lèvres pour ne pas lui cracher sa haine au visage. Elle ne lui dit pas non plus ce qu'elle venait d'apprendre, à savoir que Munnu, le fils du propriétaire, était passé la veille en menaçant de les mettre dehors s'ils ne payaient pas le loyer.

Il se trouva justement que leur voisine, une femme un peu plus âgée qu'elle, avait eu connaissance de ses difficultés. « Ne vous offensez pas de ce que je vais vous dire, *beti*, annonça-t-elle à Bhima, alors qu'elles attendaient ensemble devant les toilettes qu'elles partageaient avec une autre famille. Hier, j'ai vu le fils du propriétaire et il m'a parlé de vos ennuis. Il aimerait bien vous mettre dehors, c'est clair. Il prétend qu'il a déjà trouvé d'autres locataires qui lui ont promis de lui verser six mois de loyer d'avance. Ces gens n'ont pas de cœur, croyez-moi. Par conséquent si vous avez l'intention de chercher un logement moins cher, dites-le-moi. Je peux vous aider.

— Où se trouve ce logement, *didi*? Et de combien est le loyer? la pressa Bhima.

— En fait, il est encore plus proche de votre travail que celui-ci, *beti*. Vous aurez moins de chemin pour rentrer chez vous, le soir. Il se trouve à Bhaleshwar, c'est un gentil petit logement qui...

— Baleshwar? Mais c'est un bidonville, il me semble. Je ne peux pas emmener mes enfants dans un endroit pareil. »

La femme frappa à la porte des toilettes. « *Arre, bhaisahib*, vous comptez vous installer ou quoi? Je suis vieille, ayez pitié de moi et terminez ce que vous avez à faire *jaldi-jaldi*. » Elle s'approcha tout près de Bhima et la regarda dans les yeux. « Un bidonville n'est pas un endroit pour élever des enfants, *beti*, d'accord. Mais la rue non plus, pas vrai? Est-ce que vous avez envie de rentrer chez vous un soir en trouvant toutes vos affaires dans la rue? Où irez-vous, alors? Si vous ne le faites pas pour vous, faites-le pour votre Pooja. Une jeune fille à la rue court autant de danger que dans la jungle... il y a des bêtes sauvages dans les deux.

— Comment se fait-il que vous soyez au courant, pour ce logement, *beti*?

— Mon gendre est propriétaire de plusieurs cabanes dans ce bidonville, reconnut-elle, embarrassée. Dans le temps, il y habitait lui-même. Aujourd'hui, bien sûr, il a un bel appartement à lui. Mais pour me rendre service, il acceptera de vous faire un prix intéressant. »

La porte des toilettes s'ouvrit en grinçant et son occupant, un chauve vêtu d'un *lungi* et d'un pull-over sans manches, en sortit. « Excusez-moi, *mausi*, marmonna-t-il. C'est parce que j'ai la diarrhée. »

La femme entra dans le réduit, en se bouchant le nez d'un geste théâtral.

Bhima resta devant la porte à se tortiller discrètement d'un pied sur l'autre. Des années durant, elle avait rêvé d'un appartement avec toilettes privées, comme celui de Serabai. Au lieu de ça, elle se voyait à présent menacée de se retrouver dans un logement pire que celui qu'elle avait à présent. Chaque jour, quand elle passait devant le bidonville de Bhaleshwar en allant à son travail, elle retenait sa respiration pour ne pas sentir les odeurs fétides qui s'en dégageaient. Elle se rappelait maintenant combien cet endroit paraissait sombre et immense depuis la rue, avec ses petites ruelles courant jusqu'au cœur des ténèbres, tels des tunnels sinueux. Et les femmes assises à l'intérieur des baraques ouvertes, en train d'allaiter leur bébé, les seins pendant hors de leur corsage dégrafé, exposés à la vue de tous, de même que leur maison. Et les hommes accroupis sur le trottoir, lorgnant de leur regard insolent d'ivrogne les femmes respectables qui se hâtaient, comme elle, pour se rendre à leur travail. Elle imaginait Gopal rejoignant les rangs de ces individus oisifs et dépravés, qui passaient leurs journées assis à ne rien faire, sous un soleil brûlant. Et elle imaginait Amit et Pooja dans ce lieu infernal – Amit se dépêchant de rentrer à la maison après l'école, sous les quolibets de gamins analphabètes et désœuvrés mourant d'envie de le gagner à leurs mœurs de délinquants ; Pooja détournant les yeux pour ne pas voir les regards avides et concupiscents des petites frappes du quartier.

Non. Quand la voisine sortirait des toilettes, elle lui répondrait non. S'il le fallait, elle prendrait un travail d'appoint. Amit pourrait peut-être trouver un moyen de gagner un peu d'argent, lui aussi. Avec les enfants, elle se débrouillerait. Rien n'avait d'importance excepté Pooja et Amit. Ils n'avaient plus besoin de Gopal. Elle leur servirait à la fois de père et de mère. C'est elle, pas Gopal, qui les avait portés dans son ventre pendant neuf mois. Les enfants étaient sous sa protection, pas sous celle de Gopal.

Mais comment pourrait-elle les protéger s'ils n'avaient plus de toit ? Même si elle trouvait une autre place dès la semaine prochaine, elle ne serait pas payée avant un mois. Alors, que se passerait-il si Munnu exigeait qu'elle s'acquitte de la totalité de sa dette ?

La porte des toilettes s'ouvrit. Devant l'expression indifférente de sa voisine, Bhima comprit qu'elle ne pensait déjà plus à leur conversation. Tu vois comme on a vite fait de nous oublier, songea-t-elle.

Elle sentit sa bouche s'ouvrir, mais elle ne savait pas trop ce qui allait en sortir et, quand elle parla, elle prit connaissance de ce qu'elle disait en même temps que son interlocutrice. « *Didi*, j'aimerais bien voir ce logement de Bhaleshwar. Quand pourriez-vous m'y emmener ? »

En s'entendant, elle faillit sursauter. Elle était tellement sûre de refuser la proposition.

18

Bhima pénétra dans l'obscurité du bidonville et se demanda où étaient passées les deux années qui venaient de s'écouler. Déjà, ses pas la portaient d'eux-mêmes à travers les sinuosités des ruelles sombres et étroites conduisant à sa cabane. Elle n'avait plus la nausée quand l'odeur putride assaillait ses narines. Et, l'autre jour, Amit lui avait posé, au sujet de leur ancien appartement, une question qui lui avait fait comprendre qu'il était en train d'en oublier certains détails.

À la pensée d'Amit, elle accéléra le pas. Il avait une forte fièvre et n'était pas allé en classe. « Surveille le petit, tu m'entends ? avait-elle dit à Gopal en partant. Si la toux ou la fièvre s'aggrave, emmène-le au dispensaire du Dr Roy. » Elle avait hésité avant de lui remettre quelques roupies. « C'est pour payer le docteur, si jamais tu dois y emmener Amit, compris ? Ne les dépense pas pour satisfaire ton vice. »

— Je le jure devant Dieu, femme, avait-il répliqué en hochant énergiquement la tête. Est-ce que tu me prends pour une bête ? Il faudrait que je sois un père indigne pour boire l'argent des médicaments de mon fils. »

Le soir, quand elle rentra à la maison, elle trouva

Amit couché par terre, recouvert d'un simple drap. Seul. « Comment te sens-tu, *beta* ? lui demanda-t-elle. Où est *baba* ? »

L'enfant avait la voix rauque et les yeux brillants. « Je me sens un peu mieux, *ma*, répondit-il en se redressant. Cet après-midi, j'ai demandé à *baba* d'aller chercher des médicaments au dispensaire, mais il a dit que je n'en avais pas besoin. J'ai l'impression d'avoir un peu moins de fièvre.

— Tu as froid ? s'écria Bhima en le voyant frissonner et, sans attendre sa réponse, elle le recouvrit d'un second drap. « Où est *baba* ?

— Où veux-tu qu'il soit ? »

Une colère froide s'abattit sur elle, telle une pluie obstinée. « Il est allé au bistrot ? Même aujourd'hui ? Il t'a laissé tout seul à la maison, comme ça ? » Mais elle n'avait pas besoin d'une confirmation. Elle parcourut la petite pièce du regard et ses yeux tombèrent sur un balai, debout dans un coin. « Attends-moi, *beta*, dit-elle en s'en emparant. Je serai bientôt de retour. »

Le temps d'arriver à la gargote, elle était folle de rage. Elle repéra Gopal dès son entrée dans le local de fortune qui faisait office de restaurant, de tripot et de cabaret pour les hommes du coin. Il n'y avait pas une seule femme. « *Ae*, madame ! lança quelqu'un. C'est interdit aux dames, ici. » Ignorant l'avertissement, elle piqua droit sur Gopal, assis dans un coin en compagnie de cinq autres clients. Quelque chose le faisait rire et ses dents blanches luisaient dans sa figure brune, mais son rire mourut sur ses lèvres aussitôt qu'il l'aperçut. « Qu'est-ce que tu... » commença-t-il, et la réponse lui parvint sur-le-champ, tandis que Bhima sortait le balai de derrière son dos et l'abattait sur lui. « *Saala! Beïram! Mawali!* s'époumonait-elle en faisant pleuvoir les coups. Chien enragé! Serpent sorti du ventre de ta mère! Infâme parmi les infâmes! Serpent, cochon! Salopard! La machine aurait dû te trancher le pénis, en même temps que les doigts. Un *hijab*, voilà ce que tu es, un *hijab*! Tu es un eunuque, pas un homme. Jamais un homme digne de ce nom n'aurait laissé un enfant malade seul à la maison pour aller s'enivrer avec des fainéants comme lui. »

Elle commença alors à s'essouffler, elle n'avait plus l'énergie nécessaire pour bien cibler les coups qu'elle assénait à son mari, qui ne disait mot, qui n'essayait même pas de se défendre contre ses assauts. Elle cessa de le frapper, tout en le fixant d'un regard menaçant. Gopal mit ses bras devant lui, afin de parer de nouveaux coups éventuels, et s'avança vers elle d'un air conciliant. Mais au même moment, quelqu'un se mit à glousser à une table voisine, ce qui l'arrêta net. Il promena les yeux autour de lui et s'aperçut que tout le monde – ses voisins et ses compagnons de beuverie – attendait de voir ce qu'il allait faire, comment il allait s'y prendre pour réaffirmer sa virilité. Il essaya de faire passer le message à Bhima. « Allons, viens, rentrons à la maison », dit-il avec raideur en la saisissant par le poignet, mais elle se déroba. « Ne me touche pas, espèce de *kutta*. »

En quinze ans, Gopal ne s'était jamais battu une seule fois. Mais à cet instant, son corps se mit tout seul en action et, de sa main gauche, il gifla la joue flasque de Bhima, dont la tête bascula en arrière.

Quelque chose qui ressemblait à de la pitié passa dans ses yeux, puis il la gifla une deuxième fois. Le nez de Bhima se mit à saigner et, du coup, il écarquilla les yeux. Bhima s'aperçut que son mari la regardait, fasciné, que la vue du sang l'excitait, et qu'il semblait presque vouloir le lécher et se l'approprier. Avant qu'elle ait pu réagir, il la gifla encore, du revers de la main, cette fois, son poignet fonctionnant à la manière d'un gond permettant à sa main de se rabattre comme une porte. Finalement, deux consommateurs l'immobilisèrent en l'attrapant par-derrière. « *Bas, yaar*, Gopal, dit l'un d'eux d'une voix avinée. Il faut qu'il te reste quelque chose de ta femme pour demain, *na*? *Chalo*, emmène-la et rentrez chez vous. »

Bhima retourna à la maison derrière Gopal, en essayant d'arrêter le sang qui coulait de son nez avec son sari dont elle se serait volontiers recouvert le visage pour cacher son humiliation. Elle sentait tous les yeux du *basti* peser sur elle. Ils sont comme des vautours, ces gens, pensa-t-elle. Tout le temps à grignoter, grignoter dans la vie des autres, à se repaître des malheurs d'autrui, en tournant en rond au-dessus des couples en perdition. Gopal marchait devant elle, maigre et désorienté, et pendant un instant d'horreur, elle crut voir une ombre à la place d'un homme. Si je n'avais pas un enfant malade qui m'attend, pensa-t-elle, *ae Bhagwan*, je vous le jure, je ne remettrais jamais les pieds à la maison.

À l'époque, elle s'était dit que Gopal avait obtenu sa vengeance pour l'affront qu'elle lui avait infligé au cabaret. Mais ce fut cinq jours plus tard qu'il devait la trahir pour de bon.

326

19

Tandis qu'elle s'arrête chez le *baniya* afin d'acheter quelques oignons pour le dîner, Bhima se demande si Maya voudra aller au bord de mer dans la soirée. Elle en est venue à apprécier ces promenades du soir, en compagnie de sa petite-fille. La fraîcheur de l'air marin, l'occasion de détendre ses muscles crispés et douloureux et de se perdre dans la foule anonyme, avec des milliers d'autres citadins, sont maintenant des choses dont elle ressent le besoin. Mais elle se réjouit par-dessus tout de constater que ces flâneries lui rendent Maya, qui se défait peu à peu de son attitude méfiante et défensive pour redevenir la fille énergique et enjouée qu'elle était avant de tomber enceinte. Bhima pense pouvoir bientôt lui suggérer de reprendre ses études. Maintenant que Maya connaît l'histoire de l'arnaque du comptable, elle doit avoir mieux conscience de la cruauté avec laquelle la société traite ceux qui n'ont pas d'instruction. Bhima a décidé de faire appel à Serabai pour aider la petite à s'inscrire dans une autre université, et même si elle appréhende un peu de lui demander encore un service, elle s'y résoudra dans l'intérêt de Maya.

En arrivant à l'entrée du bidonville, elle presse

le pas et s'engage dans la ruelle sinueuse qui conduit à sa cabane. Le sac en papier contenant les oignons est humide tant elle transpire des mains et il ne manquerait plus qu'un oignon tombe dans le caniveau qui court sur sa droite. Elle a prévu un ragoût de tomates et d'oignons bien épicé, accompagné de *chapati*, pour le dîner de ce soir.

Elle ouvre la porte en grand et la première chose qu'elle voit, c'est l'ombre de Maya. Cette ombre s'étale sur la paroi de tôle et monte jusqu'au plafond, si bien que, dessous, Maya paraît toute petite. Elle est assise dans un coin, une lampe à pétrole posée à côté d'elle. À mesure que ses yeux s'accommodent à la lumière, Bhima s'aperçoit qu'elle a dans la main une feuille de papier d'un bleu passé et devine aussitôt ce qu'elle est en train de lire. Elle jette un coup d'œil vers son coffre et, bien entendu, il est ouvert. Maya a l'air saisi, puis embarrassé, mais voyant que le front de sa grand-mère commence à se plisser et que ses yeux s'étrécissent, elle prend les devants : « Je cherchais quelque chose, *ma*, je le jure. Mon extrait de naissance, en fait. Et quand j'ai vu cette lettre, je l'ai prise et j'ai commencé à la lire sans savoir de quoi il s'agissait.

— Pourquoi as-tu besoin de ton extrait de naissance ? » La voix de Bhima est entremêlée de suspicion.

Maya se mord la lèvre et hausse les épaules. « Pour rien. C'est juste que... que j'aime bien le regarder, de temps en temps. Rien que pour voir les noms de *ma* et de *baba* ; ça me fait du bien, je ne sais pas trop pourquoi. Comme si je n'étais pas une orpheline, tu comprends. »

Cette petite n'aura pas de repos tant qu'elle n'aura pas réussi à détruire le peu de cœur qui me reste, songe Bhima. Cette petite, avec sa maudite innocence et ses paroles assassines qui me transpercent comme des aiguilles. « Qui a dit que tu étais une orpheline ? maugrée-t-elle. Est-ce que ta grand-mère est morte pour que tu sois devenue orpheline ? »

Maya sourit. Mais bientôt sa figure s'allonge et des plis inquiets, semblables à des perchoirs à oiseaux, s'inscrivent sur son front. « *Ma-ma*, je n'étais pas au courant, pour cette lettre », dit-elle tranquillement.

La lettre. La lettre qui avait bouleversé sa vie. La lettre que Gopal avait façonnée en forme d'épée, pour la lui plonger dans le cœur. La lettre, avec ses mots destructeurs, que Jaiprakash – un voisin qui servait d'écrivain public pour ceux qui ne savaient ni lire ni écrire – lui avait lue, en guettant sa réaction de ses petits yeux, sa fierté dans son savoir-faire, son langage alambiqué, l'emportant sur sa compassion pour une femme qu'il démolissait avec chacun des mots qu'il prononçait. Elle avait cette lettre depuis des années et des années, mais on ne la lui avait lue qu'une seule fois. Pourtant, si grande était sa force qu'elle s'en souvenait presque entièrement et entendait encore dans ses rêves la voix de Jaiprakash qui jubilait silencieusement.

« Lis-la-moi, ordonne-t-elle maintenant à Maya. Je veux l'entendre encore. On ne me l'a lue qu'une seule fois. » Sa voix est ferme, mais elle produit sur Maya un effet électrique. « Non, *ma-ma*, proteste-t-elle. À quoi bon faire revivre le passé ? »

Bhima sourit. « *Beti*, le passé reste toujours présent. On n'a donc pas à le faire revivre. Le passé est comme la peau de ta main – il était là hier et il est là aujourd'hui. Il ne va nulle part. Quand tu seras plus vieille, peut-être que tu comprendras mieux.

— Mais, *ma-ma*, il y a un dicton anglais qui dit : il ne faut pas réveiller le chat qui dort. Ça ne rime à rien de réveiller un chat qui dort. »

Bhima réfléchit un instant. « Peut-être, mais que peut-on faire si l'on est un de ces malchanceux dont le chat ne dort jamais ? » demande-t-elle, et voyant qu'elle a provisoirement cloué le bec à sa petite-fille, elle en profite et répète : « Lis-moi cette lettre, *beti*. »

À la reine de mes rêves, avait dicté Gopal à Jaiprakash.

Voilà maintenant plusieurs années que je suis un fardeau pour toi et notre famille. Pour cela et pour d'autres fautes j'implore ton pardon. J'ai vu ma belle Bhima, l'épouse potelée que j'avais emmenée chez moi avec tant d'espoirs et de désirs, grignotée peu à peu par les soucis et le malheur. Mon ivrognerie t'a transformée en une créature maigre et ratatinée et, pour ce crime, je serai condamné à répéter encore et encore le cycle misérable de la vie. Ne crois pas que l'alcool m'ait empêché de remarquer combien je t'ai rendue malheureuse – l'alcool est à la fois le baiser des anges et la malédiction du démon ; il peut cacher comme il peut faire voir. Mais il y a encore cinq jours, chère femme, je n'avais pas conscience d'être tombé aussi bas, en t'entraînant dans ma

330

chute. L'humiliation qui m'a été infligée en public, l'autre soir, au café, je ne l'ai pas supportée. Après une chose pareille, j'aurais eu du mal à marcher la tête haute dans le *basti*, sans entendre dans mes oreilles les railleries des femmes, des enfants et même des chiens errants. Tu m'as émasculé aux yeux de tous et, maintenant, tous rient de moi ouvertement. Aussi, ma Bhima, je m'en vais. Et j'emmène Amit avec moi. Il sera ma béquille, mon soutien, la main qui me manque. J'ai l'intention de retourner dans mon village où j'aurai de la famille, un lopin de terre et de l'air pur et frais. Peut-être même du travail et une nouvelle chance pour un homme qui a trois doigts en moins. Jadis, quand j'étais jeune, je croyais être amoureux de Bombay, que cette ville était ma fiancée, mon épouse. Mais je sais aujourd'hui que Bombay est la maîtresse de beaucoup et la femme de personne. Ma vraie vie est dans le village de mon enfance vers lequel je dois retourner humblement et avec l'espoir d'être pardonné.

Une fois que nous ne serons plus là, Amit et moi, ton fardeau s'allégera. Puisque vous travaillez toutes les deux, Pooja et toi, vous devriez avoir de quoi vivre. Aujourd'hui, ce sera la dernière fois que je te vole – juste ce qu'il faut pour acheter nos billets de train. J'ai dit à Amit que je l'emmenais voir son oncle et que nous rentrerions dans quelques semaines. J'espère que la vie du village – une nourriture simple mais copieuse, les travaux des champs, durs mais honnêtes –, une vie loin des distractions de cette ville dépravée, lui conviendra. Je sais que tu ne trouveras jamais dans ton cœur de quoi me pardonner de t'avoir pris Amit, mais vois-tu, Bhima, tout comme toi, j'ai besoin d'une raison pour continuer à vivre. Mon fils me revient de droit; il sera soutien de ma vieillesse et une raison pour moi de continuer à mettre un pied devant l'autre. De ton côté, toi tu auras Pooja. Elle sera ta raison de continuer à respirer.

Chère femme, crois-moi quand je dis que le jour où je t'ai conduite dans ma maison, c'était mon intention de te traiter comme une reine. Quelquefois, quand tu es à ton travail, je reste seul dans cette cabane misérable et je me querelle avec les dieux pour savoir qui ou quoi nous a volé notre vie. Je cherche des réponses dans la bouteille. Je m'adresse aux cieux. Je fouille mon cœur. Et il n'y a pas de réponses. Il y a seulement un grand silence qui recouvre mon cœur, ainsi que les vagues à Chowpatty. Te rappelles-tu nos soirées au bord de la mer quand j'étais encore ton mari et que je subvenais aux besoins de nos enfants? Ai-je raison de me dire que nous étions heureux à l'époque? Ma Bhima, après toutes ces années passées ensemble – des années de joie et de tristesse, d'amertume et de bonheur – c'est tout ce qui me reste, je suis comme ces coquillages abandonnés sur le sable quand la mer se retire. Je t'ai aimée jadis et, même si tu ne le crois pas, je le sais, je t'aime encore. En dépit de tout, en dépit de cette affreuse semaine, je t'aime encore. Maintenant que je n'ai plus rien – ni travail, ni argent, ni maison, ni fierté, ni dignité – seul me reste l'amour.

Tu ne pourras jamais me croire, je le sais. Mais où que nous soyons, je demeure

Ton mari, Gopal

Une fois qu'elle a fini de lire, Maya pleure en silence. Mais Bhima ne s'en aperçoit même pas.

Elle se rappelle la première et funeste lecture de cette lettre, des années auparavant – elle revoit Jaiprakash se mâchonnant nerveusement la lèvre, quand il avait eu relevé la tête et vu l'expression démoniaque de Bhima ; elle se rappelle qu'elle l'avait maudit quand il lui avait annoncé que Gopal et son fils étaient partis par le train de trois heures trente, à la suite de quoi elle avait erré dans le bidonville, à bout de nerfs, jusqu'au retour de Pooja, puis elle avait passé la nuit sans pouvoir ni dormir ni rester éveillée et, le matin, elle avait quarante de fièvre. Elle se rappelle aussi les jours qui avaient suivi – elle revoit Serabai hocher gravement la tête en disant que Gopal étant le père d'Amit, elle ne pourrait jamais le lui reprendre contre sa volonté ; elle se souvient de son attente anxieuse d'une lettre qui lui apprendrait où se trouvaient son fils et son mari ; elle repense aux commères du *basti* qui détournaient le regard en chuchotant à son passage, l'air hagard et hébété ; à Jaiprakash qui l'avait évitée pendant plusieurs semaines, puis un jour qu'elle était tombée sur lui, avait voulu se disculper en lui jetant à la figure : « C'est votre faute, Bhima *devi*. Vous avez humilié votre mari en public. À quoi vous attendiez-vous ? Les hommes ont leur fierté, voyez-vous. » Et sachant qu'il disait vrai, Bhima était vite partie, anéantie par ces paroles.

De penser à sa malchance, Bhima secoue la tête. Puis elle se concentre pour écouter ce que Maya est en train de lui dire, d'une voix timide. « *Ma-ma*. Est-ce que tu as eu des nouvelles d'oncle Amit ? »

Les questions de Maya sont pareilles aux ongles avec lesquels on s'arrache ses croûtes. « Amit ne m'a jamais écrit, répond-elle, après avoir pris un temps pour purger ces mots de leur venin, afin de pouvoir parler. Mais le frère aîné de Gopal m'écrivait de temps en temps. Il disait qu'il était très content qu'Amit l'aide à la ferme.

— À la place d'oncle Amit, je serais revenue à Bombay dare-dare, c'est sûr, dit Maya pour la consoler.

— En laissant ton papa tout seul ? Il n'y a que les enfants méchants qui abandonnent leurs parents.

— Peut-être qu'il reviendra à Bombay un de ces jours. Qu'est-ce qu'on ferait, *ma-ma*, si l'oncle Amit venait frapper à notre porte ? »

Qu'est-ce que je ferais ? J'irais à genoux jusqu'au temple le plus éloigné pour dire merci, songe Bhima. Je jeûnerais pendant une semaine pour remercier les dieux. Je distribuerais des *peda* à tous les enfants du bidonville. Je volerais jusqu'à la lune et la rapporterais pour la donner à manger à mon enfant. Pour revoir mon fils, je me trancherais un morceau du foie.

« Est-ce que grand-papa sait... est-ce que tu lui avais dit pour maman et papa ? » questionne encore Maya.

Soudain, la bouche de Bhima se dessèche d'effroi et elle prend sa tabatière. Elle façonne une petite boulette qu'elle glisse à l'intérieur de sa joue, avant de répondre : « À l'époque, je n'ai pas pu. J'étais à Delhi. Je n'avais pas le temps. Mais quand on est rentrées, toi et moi, j'ai envoyé une lettre pour lui dire ce qui s'était passé. C'est Serabai qui l'avait écrite.

— Et qu'est-ce qu'il a répondu ? demande Maya d'une voix haletante.

— C'est son frère qui a répondu. Ils me reprochaient de ne pas avoir averti Gopal à temps. De l'avoir empêché de revoir sa fille. Ils disaient que l'âme de ma Pooja ne... » En voyant les yeux écarquillés de Maya, elle s'interrompt. « De toute manière, après cette lettre, je n'ai plus jamais eu de nouvelles.

— Tu crois que grand-papa serait venu à Delhi, s'il avait su ? »

Bhima entend l'angoisse et l'espoir enfouis dans cette question. Elle ferme les yeux, puis les rouvre et regarde sa petite-fille bien en face. « Il serait venu. Même si la terre et le ciel avaient essayé de l'en empêcher, il serait quand même venu. Il aurait trouvé un moyen, je le sais. Ton grand-père adorait ta maman, Maya.

— Dans ce cas, pourquoi a-t-il préféré emmener Amit plutôt qu'elle ? »

Bhima déglutit avant de répondre. « Parce qu'il savait que j'avais besoin de Pooja davantage que d'Amit, dit-elle à mi-voix. Amit était mon fils. Mais Pooja était la première née... elle était mon fils et ma fille tout à la fois. »

Brusquement, Maya fond en larmes. « Ma maman t'aimait aussi, *ma-ma*. Crois-moi ou pas, mais je m'en souviens. Elle parlait tout le temps de Bombay, de votre ancienne maison et de toi. »

Bhima se penche vers Maya qui sanglote et la prend dans ses bras. « Petite sotte, la gronde-t-elle.

À quoi bon pleurer pour ces vieilles histoires ? Tout ça s'est passé il y a des siècles.

— Oui, mais le passé demeure en nous, *ma-ma*. C'est toi-même qui l'as dit. »

Bhima lui donne une tape sur la main. « Tu deviens un peu trop maligne, pour une fille. » Elle voit les oignons par terre et soupire. « Si tu ne m'avais pas retardée avec toutes tes questions, j'aurais déjà fini de préparer le repas. »

Elle réfléchit un instant et se redresse. « Allons, va te débarbouiller. Ce soir on ira à Chowpatty et on mangera quelque chose là-bas. Il est trop tard pour que je me mette à cuisiner. »

20

Il est huit heures moins le quart et Dinaz veut du *bhelpuri* pour son dîner. Ils viennent juste de s'attabler devant un véritable festin composé de poulet au *khara* et de côtelettes de mouton que Bhima a préparé dans la journée, quand Dinaz repousse son assiette. « Ces côtettes me soulèvent le cœur, dit-elle. Enlevez-les, s'il vous plaît. » (Elle avale le *l* du mot « côtelettes », à la façon parsie, exactement comme sa grand-mère Banu, et Sera frémit en pensant au pouvoir maléfique de l'hérédité.)

Viraf grimace. « Je croyais que les nausées cessaient au bout de trois mois », dit-il, et les deux femmes devinent ce qu'il n'a pas dit : Je ne pense pas être capable de revivre les affres de ce premier trimestre, quand les hormones, la fatigue et les nausées transformaient ma femme en créature hystérique.

Dinaz rit. « Ne prends pas cet air épouvanté, *yaar*. Tu as vu sa tête, maman ? Tout ça parce que je n'ai pas envie de ces côtettes. Quel dommage, vraiment, que les hommes ne puissent pas faire des enfants... le problème de la surpopulation de l'Inde serait réglé du jour au lendemain, vu qu'aucun d'entre eux ne voudrait être "enceinte".

— Il faut tout de même que tu manges quelque chose, ma chérie, dit Sera. Le bébé a besoin d'une bonne nourriture et...

— Tu sais de quoi j'ai envie ? De *bhelpuri*. À Chowpatty.

— Allons, Dinu, bougonne Viraf. Je viens à peine de rentrer du bureau. Je n'ai pas le courage de ressortir. Et puis, c'est tellement sale là-bas. On a l'impression qu'ils font la vaisselle avec l'eau des toilettes. »

Dinaz s'obstine. « Au moins, moi je n'ai pas des envies de murs de plâtre, de cafards ou de ce genre de choses, comme d'autres femmes enceintes. » Elle donne une petite tape amusée sur le bras de Viraf. « *Gadhera*. C'est ta faute si je suis devenue grosse comme une génisse. Le moins que tu puisses faire c'est de me nourrir avec du *bhelpuri*.

— D'accord, d'accord. C'est un des devoirs d'un futur père, je suppose. »

Sera considère la table recouverte de mangeaille. Depuis ce matin, elle attendait ce dîner. « Et tout ça ? dit-elle. Bhima va être tellement déçue.

— Oh, tant pis pour Bhima ! dit Viraf. D'ailleurs, elle sera ravie. Moins de travail pour elle demain. » Il repousse sa chaise. « Bien, on y va. Allez prendre un châle ou un chandail, maman. Cette année, il fait un peu frais pour un mois de novembre. »

Dans la voiture, Sera soupire. « Ça fait si longtemps que je ne suis pas allée à Chowpatty. Il paraît que la municipalité a nettoyé la plage. La dernière fois que je m'y suis promenée, c'était quelques jours avant la mort de ton papa. C'était vraiment dégoûtant.

— Papa était tellement drôle, remarque Dinaz en riant. Il avait des principes ridicules concernant l'hygiène. Un jour, je me souviens, il m'avait emmenée à la fontaine Flora et voilà qu'un malappris qui se trouvait sur le trottoir avait craché du jus de *paan* dans la rue. Papa croyait dur comme fer qu'un peu de ce jus rouge avait éclaboussé mon pantalon, alors que moi, je n'en voyais pas la moindre trace. J'ai cru qu'il allait étrangler ce pauvre type de ses propres mains. Pourtant il ne voyait pas d'inconvénient à manger ce qu'on vend aux étals en plein air.

« Quand il venait à mon école, pour une pièce de théâtre ou une fête quelconque, poursuit-elle en s'adressant à son mari, il s'arrêtait toujours en passant au stand où on faisait le meilleur *pyali*. Il en prenait deux bols. Tu te rappelles, *ma-ma* ? Tu le grondais toujours parce qu'il le mangeait si épicé qu'il en pleurait. »

Sera sourit. « Un jour, il m'a raconté qu'il était malade chaque fois qu'il revenait de Londres, parce qu'il se précipitait pour aller manger du *bhelpuri* à Chowpatty. Par conséquent, il y retournait tous les jours jusqu'à ce que son estomac se réhabitue à cette nourriture.

— C'était bien papa Feroz, ça ! s'exclame Viraf. On peut dire que c'était quelqu'un. »

Au souvenir de Feroz, ils se taisent tous trois quelques instants. « Le mois prochain, ça fera trois ans, murmure Sera. Vous vous rendez compte ?

— Non, dit Dinaz, ça ne me semble pas si loin. » Le silence retombe à nouveau, puis elle remarque :

339

« Je ne savais pas que papa et toi, vous étiez allés à Chowpatty quelques jours avant sa mort.

— Oui. Nous étions d'abord allés au grand temple du feu de Fountain. Ta grand-mère Banu avait eu une attaque quelques mois plus tôt et ton papa était tellement désolé de voir sa mère dans cet état qu'il avait fait le vœu d'aller au temple du feu tous les jours pendant un mois, afin de prier pour son rétablissement. Il m'arrivait de l'accompagner. Souvent, on dînait ensuite à Paradise. Mais ce jour-là, on avait décidé d'aller à Chowpatty. Ton papa était toujours d'accord pour manger du *bhelpuri* et du *panipuri*. D'ailleurs avant notre mariage, nous y allions tout le temps.

Viraf laisse échapper un éclat de rire soudain. « Qu'est-ce que tu as ? » demande Dinaz. Il fait sombre à l'intérieur de la voiture, mais Sera perçoit un tendre sourire dans la voix de sa fille.

« Rien. Je pensais simplement au conseil que ton père m'avait donné la première fois que je suis venu chez toi. C'était pour ton anniversaire, tu te souviens ? Il y avait énormément de monde, mais il avait remarqué que nous nous plaisions, toi et moi. Il m'avait donc pris à part sous prétexte qu'il voulait me dire quelque chose. Un conseil d'homme à homme, selon ses propres termes. En résumé, il m'avait dit qu'il estimait que j'étais un jeune parsi sympathique et que j'avais tout pour rendre sa fille heureuse. Toutefois, il avait ajouté que je devrais me montrer persévérant si je ne voulais pas être évincé par tes autres prétendants. "Un homme qui convoite une femme doit se comporter comme un taureau furieux", il me semble que c'est ce qu'il avait dit mot pour mot. J'étais tellement intimidé que j'avais seulement pu répondre : "Oui, mon oncle, et non, mon oncle."

— Je crois que papa était soulagé parce que tu étais parsi, voilà tout, remarque Dinaz en riant. Il avait toujours la hantise que je lui ramène un chrétien de Goa ou un hindou ou, comble de l'horreur, un musulman. Et puis, je ne sais pourquoi, il était convaincu que je m'attendrirais un jour sur le sort d'un infirme ou d'un individu en fauteuil roulant et que je l'épouserais par pitié. Tu t'imagines ? C'est certainement en grande partie pour ça qu'il refusait que je devienne assistante sociale. Il me disait tout le temps : "Ne te marie pas avec quelqu'un pour la seule raison qu'il te fait pitié." Et je l'assurais que cette idée ne m'était jamais venue à l'esprit. » Elle pince Viraf à la cuisse. « Ce que je ne lui disais pas, c'était que j'attendais que se présente un mec séduisant, avec un physique de star de cinéma.

— Et au lieu de ça, tu m'as épousé, dit Viraf, avec une moue. Par chance, ton père faisait une telle fixation sur les handicapés physiques qu'il ne s'est pas rendu compte que tu épousais un handicapé mental, hein ?

— *Ovaru ! ovaru !* bougonne Sera en claquant des doigts. Cessez de dire des sottises, mes enfants.

— Et toi, maman, ne te laisse pas avoir. Il cherche seulement à nous faire dire qu'il est très beau et très intelligent. »

Viraf ralentit, en quête d'une place pour se garer, et sifflote un petit air dissonant. Sera sourit intérieurement en pensant combien son gendre est différent de son mari. Dans ce genre de situation, Feroz n'aurait pas cessé de jurer à mi-voix en cherchant des yeux un policier à qui glisser un billet de dix roupies, afin de pouvoir stationner en interdiction. Viraf, lui, est un *thanda pani ka matla* – un pot en terre rempli d'eau froide. « Aha ! s'exclame-t-il d'un air triomphant en apercevant une place minuscule. Je parie que je vais réussir à me caser là-dedans.

— Impossible », rétorque automatiquement Dinaz, bien qu'elle sache, de même que sa mère, que Viraf est un excellent conducteur. Et quand son mari se gare du premier coup, elle grommelle : « Je parie que tu as oublié que ta femme a un ventre gros comme une montgolfière. Dieu sait comment je vais pouvoir m'extraire de là.

— Mon Dieu, quel changement ! s'exclame Sera en arrivant devant la plage. Tout a l'air tellement plus propre. J'ai entendu dire qu'on mettait des amendes aux gens qui laissaient des ordures sur le sable ou qui y faisaient leurs besoins.

— Ouais, mais c'est absolument anticonstitutionnel, si vous voulez mon avis, plaisante Viraf. Déposer des ordures et faire ce que vous savez en public sont des droits inaliénables des habitants de Bombay. »

Sera essaye de se rappeler à quoi ressemblait la plage la dernière fois qu'elle y était venue avec Feroz. Mais elle n'y arrive pas parce que le seul souvenir qui lui vient à l'esprit, c'est la tendresse et les attentions que Feroz lui avait témoignées, ce soir-là. Il l'avait conduite chez son vendeur préféré et, bien qu'il n'eût rien mangé de toute la journée, il avait insisté pour qu'elle soit servie la première. Après avoir pris chacun deux assiettes de *bhelpuri,* il avait demandé du *kulfi* au lait. « Sois raisonnable, mon chéri, lui avait-elle dit. Tu sais bien que c'est mauvais pour ton cholestérol.

— *Arre,* au diable le cholestérol, avait-il répliqué. Ça fait si longtemps que nous ne sommes pas venus ici. Et tu sais ce que je dis toujours : on pourra payer deux cents roupies pour une glace au Taj ou dans n'importe quel autre hôtel cinq étoiles, mais jamais on ne se régalera autant qu'avec le *kulfi* de Chowpatty. »

Bien entendu, elle avait fini par céder à ses arguments. Quand Feroz prenait son air suppliant, elle ne pouvait rien lui refuser. Depuis l'attaque dont Banu avait été victime, il avait changé. À croire que le spectacle de cette mère tyrannique réduite à l'état de légume lui avait ouvert les yeux sur le caractère brutal et imprévisible de l'existence. Il passait la voir tous les soirs en sortant du bureau et, à la maison, il était plus gentil et plus communicatif qu'il ne l'avait jamais été.

« Il s'est passé tant de choses depuis quelque temps », avait-il soupiré ce soir-là, en rentrant de la plage. À la lumière de la lampe, Sera avait remarqué que des rides creusaient son visage et que son crâne chauve se plissait quand il était préoccupé. Elle prenait conscience du fossé que représentaient les treize années la séparant de son mari vieillissant. « J'ai l'impression de me remettre à peine de la mort de papa et voilà maintenant que c'est maman qui me cause du souci. Je ne supporte pas de la voir souffrir. Crois-moi, la seule bonne chose qui nous soit arrivée ces dernières années, c'est le mariage de Dinaz. S'il n'y avait pas le bonheur de Dinaz et de Viraf, je me demande quelle raison j'aurais de vivre. »

Elle s'était levée pour aller vers lui. Assise sur le bras du fauteuil dans lequel il était affalé, elle lui caressait la tête. « Je me disais que nous devrions prendre des vacances, *janu*. Aller faire un petit séjour quelque part, à Goa, par exemple.

— Tu as raison. Mais pas maintenant. Attendons que la santé de maman s'améliore. Je ne pourrai jamais partir en la laissant dans l'état où elle est. » Il avait relevé la tête et elle s'était aperçue avec stupéfaction qu'il avait les larmes aux yeux. Comme il l'aime ! pensait-elle. Ne se rend-il pas compte que par la façon dont elle s'est immiscée dans notre vie, sa mère a anéanti toutes nos chances de former un couple heureux ? Lui est-il jamais arrivé de réfléchir à tout ça ?

Comme s'il avait lu dans ses pensées, Feroz avait poursuivi : « Je sais que tu as besoin de te reposer un peu, toi aussi. Je te remercie, Sera, de si bien t'occuper de ma mère, qui en a tant besoin actuellement. Ce n'est pas quelqu'un de facile à vivre. Nous partirons, je te le promets. On pourra peut-être même emmener les enfants. Mais... pas maintenant. »

Et trois jours plus tard, il était mort et sa promesse était restée, avec beaucoup d'autres, dans le tiroir des promesses non tenues. La promesse d'un mariage heureux, par exemple. Ce mariage qui avait débuté sous les meilleurs auspices pour partir très vite en fumée, à l'image des pétards et des feux de Bengale que Dinaz et ses amis lançaient dans le ciel, le jour du Diwali, et qui retombaient presque aussitôt dans des sifflements dérisoires, comme si un dieu grognon les avait arrêtés de la main.

Le soir de sa mort, Feroz était rentré en se plaignant d'une sensation de malaise diffuse.

« Tu travailles trop, dit Sera. C'est cette tension que tu transportes partout avec toi. Tu devrais peut-être faire du yoga ou apprendre à apaiser ton esprit.

— Peut-être. » Il eut un léger sourire, puis s'assombrit. « Aujourd'hui, je ne suis même pas allé voir maman. Elle va être très contrariée. » Sur ces mots, il écarta les couvertures et se mit au lit.

Elle eut envie de lui rappeler que sa mère ne reconnaissait plus personne, qu'elle n'avait plus la notion du temps, mais elle se tut.

« Viens t'allonger à côté de moi », chuchota-t-il et, pour la première fois, elle pensa qu'il était peut-être réellement malade. Jamais il ne lui avait paru aussi las, aussi vulnérable.

« Qu'est-ce que tu ressens, exactement ? demanda-t-elle en essayant de prendre un ton détaché, tout en luttant contre une panique soudaine et irraisonnée. Tu veux que j'appelle un médecin ?

— Non, pas de médecin, je t'en prie. Ce n'est probablement qu'une grippe ou quelque chose dans ce genre. Je ne sais pas trop... je n'arrive pas à définir exactement ce que je ressens. C'est comme si quelque chose s'agitait dans ma poitrine. Un peu d'hypertension, peut-être. Je vais dormir un petit moment et ça ira mieux, j'en suis sûr. »

Sera alla prévenir Bhima de ne pas faire de bruit pour le laisser dormir. « Il est très fatigué, dit-elle en réponse à son regard surpris. Il a besoin de calme et de repos. »

Pendant que Feroz dormait, elle lui prépara la soupe chinoise au poulet et au maïs qu'il aimait tant, en se disant qu'il fallait qu'il mange et que le régime draconien qu'il s'était imposé avait dû l'affaiblir. À six heures, Bhima apporta la soupière sur la table, et Sera alla réveiller son mari.

Après être entrée dans la chambre sur la pointe des pieds, elle s'assit au bord du lit, en chuchotant : « Réveille-toi, chéri, je t'ai préparé une bonne soupe bien chaude. »

Pas de réponse. Elle réitéra son appel et s'apprêtait à le secouer, quand elle crut entendre quelque chose. Mais en fait, ce qu'elle entendait, c'était justement l'absence de bruit. Feroz ne respirait plus. « Feroz ! » s'écria-t-elle, tout en tendant la main vers le bouton de la lampe de chevet. Inondant la chambre, la lumière tomba sur le visage immobile de son mari. Il avait la bouche ouverte, ainsi que les yeux, mais bien que submergée par la panique et la détresse, Sera comprit que Feroz avait enfin trouvé la paix qu'il cherchait depuis si longtemps.

« Feroz ! hurla-t-elle. Non, non, non. Je t'en supplie, Feroz, je t'en supplie. Bhima, Bhima, viens vite ! Oh, mon Dieu, non ! »

Bhima accourut aussitôt. « *Arre Bhagwan*. Qu'est-ce qui nous arrive encore comme malheur ? » bafouilla-t-elle, ne sachant plus quoi faire.

C'était terminé. Sa vie avec Feroz était terminée. Comme ça, en un clin d'œil, Feroz était parti. Feroz – mari et oppresseur, amant et persécuteur, victime et bourreau. Aucun homme ne l'avait rendue aussi heureuse et aussi malheureuse. Aucun homme ne l'avait aimée aussi passionnément ; aucun homme ne s'était autant acharné à tuer l'amour qu'elle avait pour lui. Il détenait les clés de son bonheur, mais ces clés avaient ouvert les portes de l'enfer. C'était un être plein de contradictions – agressif, brillant, violent, jaloux, mais également tendre, généreux et charitable. Peut-être n'avait-elle pas su le prendre, pas su naviguer dans les remous qu'il déclenchait dans son sillage. Une autre femme, plus avertie, plus astucieuse, aurait-elle agi autrement ? Une autre femme aurait-elle traité Banu comme une enquiquineuse, un sujet d'irritation, et rien de plus ?

« Feroz, sanglota-t-elle. Feroz, mon cher mari. Je te demande pardon pour tout. Pardonne-moi d'avoir été une épouse aussi médiocre. J'étais tellement accaparée par mes propres ennuis que je n'ai même pas pris le temps de me soucier des tiens. »

Elle parlait sans doute tout haut, car Bhima, qui se tenait auprès d'elle, lui releva la tête, en écartant ses cheveux de son visage brûlant et couvert de larmes. « Allons, Serabai, murmura-t-elle. C'est le moment d'être courageuse, *bai*. Et puis vous n'avez aucune raison de demander pardon. Vous avez été une bonne épouse, *bai*. Je l'ai vu de

347

mes propres yeux, jour après jour. Maintenant, ressaisissez-vous, il faut prévenir Dinaz. »

Dinaz. Sera sentit son cœur se glacer à l'idée d'annoncer la nouvelle à sa fille. Elle se força néanmoins à réfléchir. « Ils sont sûrement en chemin pour rentrer chez eux. Il vaut mieux essayer de les appeler sur leur portable. Va me chercher le répertoire, Bhima. J'y ai inscrit le numéro de Viraf. » C'est alors qu'une pensée lui traversa l'esprit et elle s'interrompit brusquement. « Oh, mon Dieu ! il va falloir que quelqu'un aille prévenir la vieille dame que son... son fils est mort. » Et sur ce, elle se remit à sangloter.

« Viraf *baba* s'en chargera, cria Bhima depuis la pièce voisine. Vous n'aurez pas à le faire. De toute manière, elle ne comprendra peut-être même pas ce qui se passe, la pauvre. Elle reste dans son lit toute la journée, sans plus bouger que du bois mort. »

Une demi-heure plus tard, la sonnette retentit. Viraf et Dinaz entrèrent, les yeux et le nez rouges. « On est descendus du train en catastrophe pour sauter dans un taxi, expliqua Viraf, tout essoufflé. Mais comme Dinaz s'impatientait à cause des feux rouges, on l'a laissé en plan et on a fait le reste du chemin en courant. »

Les sanglots de Dinaz déchiraient le cœur de Sera. Elle ne l'avait pas entendue pleurer ainsi depuis le jour de ses douze ans. Bien sûr, elle avait pleuré aux obsèques de papa Freddy – à sa mort, Sera avait eu elle-même l'impression de perdre son bras droit –, mais le chagrin que lui causait la disparition de son père était d'une autre nature

– cuisant, mordant, tel un fer rouge. « Je n'ai même pas pu lui dire adieu, se lamentait-elle. Cette banlieue où nous habitons est si loin, que je ne l'ai presque pas vu, ces derniers temps. »

Sera fouillait dans sa mémoire, en quête de quelques pièces d'or. « Je sais, *deekra*, je sais », murmurait-elle, tout en continuant à chercher et, soudain, elle trouva quelque chose. « Sais-tu ce que papa m'a dit il y a à peine deux ou trois jours ? Que ton mariage était l'unique motif de bonheur de sa vie. »

Mais cette remarque qui se voulait consolante produisit l'effet inverse, puisque c'était maintenant Viraf qui pleurait, son corps svelte secoué par le désespoir, son nez aussi rouge qu'une betterave. « C'était un roi, disait-il en pleurant à chaudes larmes. Papa Viraf était un prince. »

Tout à coup, Sera se sentit emprisonnée dans une bulle de pensée claire et objective, flottant, intacte, sur les eaux tumultueuses du chagrin incontrôlé dont elle était environnée. Voilà comment on réécrit l'histoire, songea-t-elle. C'est ainsi que ça commence, dans l'exaltation. Alors, il ne suffit plus qu'un homme ait été simplement un homme ; les usages du deuil exigent d'en faire un prince, un roi. Il faut alors faire disparaître les défauts de cet homme, de même qu'on efface au fer les faux plis d'un costume, de manière qu'il apparaisse lisse et immaculé, ainsi qu'au jour de sa naissance. Comme si la terre allait refuser de le recevoir et les vautours de la Tour du silence de le déchiqueter s'il n'était pas rendu à sa gloire originelle. Dans la mort, tout homme devient un saint, pensa-t-elle, et cette idée la réjouit et l'indigna tout à la fois. Cela valait peut-être mieux – gommer les mauvais souvenirs pour les remplacer par d'autres, plus aimables, ainsi qu'on change une nappe sale et tachée. Sans doute, mais dans ce cas, que faire concernant son corps à elle, ce corps informe et alourdi, ce corps qui criait son histoire vraie, ce corps qui voulait attester, porter témoignage de ce qu'on lui avait fait ? Ce corps meurtri, blessé qu'on avait châtié pour les fautes des autres – pour les crises de jalousie de Feroz, pour les manigances et les superstitions de Banu. Faudrait-il que ce corps – ce tricot de muscles, d'os et de terminaisons nerveuses –, faudrait-il que ce corps meure à son tour, que son sang se fige, avant que quelqu'un chante ses louanges et déclare qu'il était celui d'une reine ou d'une princesse ?

« Maman, dis quelque chose, s'il te plaît. Je me sens si seule. » La voix plaintive de Dinaz creva la bulle où était enfermée Sera, la replongeant aussitôt dans la mer houleuse de l'affliction.

« Viens, ma chérie, dit-elle, en pressant la tête de sa fille contre sa poitrine. Tu ne seras jamais seule. Pas tant que je vivrai. »

Cela fait déjà trois ans, s'étonne Sera. Comment est-ce possible, alors que le souvenir de ce jour funeste est encore si vif que j'ai l'impression d'avoir de la poudre de piment dans les yeux ? Pourtant, s'avoue-t-elle, je n'ai jamais été aussi heureuse que durant ces trois années, maintenant que mes deux enfants vivent avec moi et qu'un troisième est en route. Elle éprouve un pincement de regret à la pensée que Feroz ne connaîtra jamais le bébé. Lui qui aimait tant Dinaz, il aurait été fou de son petit-fils. Malgré tout, elle soupire – quelle joie ce sera d'avoir l'enfant tout à elle, quand Dinaz et Viraf seront à leur travail. Elle pourra profiter de son petit-fils comme jamais elle n'a profité de Dinaz. Car Dinaz était née dans une atmosphère familiale perpétuellement assombrie par le comportement irrationnel de Banu et les crises de fureur de Feroz. Et même après qu'ils eurent déménagé, elle n'avait jamais pu se délivrer totalement de la présence de la vieille femme, se sentant l'otage d'un coup de sonnette imprévu. D'autre part, contrairement à ce qu'elle espérait, les poings de Feroz n'avaient pas non plus cessé de voltiger. Alors, elle avait trouvé une nouvelle excuse, définitive, cette fois, à ses colères : la séparation forcée d'avec sa mère.

Mais tout ça, c'est terminé, se dit-elle maintenant. Le foyer que tu n'as jamais eu avec ton mari, tu l'as aujourd'hui avec ta fille et ton gendre. Grâce à Viraf et Dinaz, ton rêve s'est réalisé. Par conséquent, cesse de vivre dans le passé, sotte que tu es, puisque le présent regorge d'espoir.

Viraf enfonce son coude dans les côtes de Sera. « *Su che*, maman ? plaisante-t-il. Que signifient ces sourires mystérieux et enjôleurs ? Vous pensez à votre petit ami ? Comment s'appelle-t-il ? Pestonji Pipyadas ? Prenez garde, tous les *bhaiya* du coin vont s'imaginer que vous leur faites du charme. »

Sera éclate de rire. « Petit idiot. Je devrais raconter à ta mère toutes les sottises qui sortent de ta bouche.

— Ma mère ne sait même pas ce que veut dire faire du charme, j'en suis sûr. » Il fait un clin d'œil à Dinaz et se retourne vers Sera. « Il faut dire qu'elle n'est pas très séduisante, contrairement à vous. Crois-moi, Dinaz, si ta mère avait vingt ans de moins...

— Ne l'écoute pas, maman, intervient Dinaz en la prenant par le bras. Quel *saparchand* tu fais, dit-elle à son mari. Vas-tu te décider à nourrir ta pauvre femme qui est enceinte au lieu de nourrir ta bouche avec tes réflexions stupides ? Allez, viens, je meurs de faim.

— Allons voir si Ramdas est toujours là, dit Sera. C'était le *bhaiya* préféré de ton père. »

Ils cherchent l'éventaire, mais tout a changé. « Ça ne fait rien, dit Sera. On a qu'à aller manger n'importe où. »

Ils attaquent leur seconde assiette de *bhelpuri* quand Dinaz pousse un cri de surprise. « Regardez qui est là ! dit-elle, la bouche pleine.

— Je n'ai rien compris, remarque Viraf. Avale et parle ensuite. »

Dinaz avale. Ses yeux brillent d'excitation. « Regardez, c'est Bhima et Maya, là-bas, devant cet autre stand. Seigneur ! ça fait des siècles que je n'avais pas vu cette petite. Bhima ! appelle-t-elle.

— On ferait peut-être mieux de les laisser tranquilles, dit Viraf. Maya a perdu son enfant et il est possible que...

— Bhima ! Maya ! Par ici », crie Dinaz en agitant frénétiquement la main.

Les deux femmes se retournent dans la direction de la voix.

21

Bhima se retourne vivement. Quand elle voit qui l'appelle, son visage s'éclaire d'une joie sincère. Dinaz leur fait signe et, même de loin, Bhima se rend compte que celle-ci sourit jusqu'aux oreilles. « C'est la petite Dinaz, dit-elle, en tirant Maya par le poignet. Viens, allons les saluer.

— Vas-y, toi, *ma-ma*. Je t'attends ici.

— *Arre wah.* » Bhima a l'air outré. « Ta tête a tellement enflé que tu ne peux plus faire trois pas pour dire bonjour à des gens qui sont si gentils avec toi ? Allons, viens, petite paresseuse, dit-elle en lui serrant le poignet encore plus fort.

— Bonjour, bonjour, bonjour, lance Dinaz en les voyant approcher. Alors, Maya, il y a si longtemps que je ne t'ai pas vue. Comment vas-tu ?

— Ça va », bougonne Maya en fixant le ventre arrondi de Dinaz.

Dinaz surprend son regard et rit. « Eh oui, tu dois trouver que j'ai engraissé comme un cochon, *na* ? dit-elle en se tapotant le ventre.

— Moi aussi, j'étais comme ça, dit Maya avec une soudaine expression de rancune. Jusqu'à ce que ta maman s'en occupe », ajoute-t-elle en dévisageant Sera qui a blêmi face à cette insolence inexplicable.

Bhima est mortifiée. Qu'est-ce qu'il lui prend ? se demande-t-elle. Elle scrute le sol, essayant d'y trouver une excuse à la conduite de Maya, quand Serabai vient à son secours. « Ça fait plus d'un mois, maintenant, Maya, dit-elle du ton mesuré qui lui est habituel. Ce qui est fait est fait. Il faudra que tu viennes me voir pour qu'on parle de ce qu'on peut faire au sujet de tes études. »

Maya marmonne une réponse incompréhensible et détourne la tête. Sous les lumières dorées des éventaires, ses yeux luisent d'un éclat artificiel et elle est si rouge que Bhima se demande si elle ne couve pas quelque chose. Ce qui expliquerait son étrange comportement.

Tout en continuant à observer sa petite-fille, Bhima voit une ombre se déplacer dans les marges de son champ de vision et elle la suit jusqu'à ce que son regard se pose sur Viraf. Il s'est arrêté derrière Sera et Dinaz, et il fixe maintenant Maya par-dessus leurs têtes. Comme Maya, il a un air troublé qui contraste tellement avec son assurance et son calme coutumiers que Bhima en reste fascinée. Il se mordille la lèvre supérieure et ses longs doigts minces tripotent sa barbe naissante. Ce garçon a l'air malade... non, terrifié... non, coupable, songe Bhima et elle s'aperçoit qu'il essaye en fait de se cacher derrière sa femme et sa belle-mère. Un incident survenu dans le *basti* quelques mois plus tôt lui revient alors à l'esprit. Quelqu'un avait accusé le fils d'un voisin de lui avoir volé de l'argent dans sa cabane. L'adolescent avait nié le forfait en secouant énergiquement la tête, mais sa rougeur, son attitude embarrassée, sa façon de déglutir, de passer la langue sur ses lèvres desséchées disaient le contraire. Voilà à quoi ressemble Viraf, s'étonne Bhima. On dirait un voleur, on dirait qu'il est coupable de quelque chose. Mais de quoi?

Dinaz a dû s'apercevoir de quelque chose, elle aussi, puisqu'elle se retourne vers son mari et lui prend la main. « *Ae,* chéri. Tu n'as même pas dit bonjour à Maya et à Bhima.

— Bonjour », dit Viraf à mi-voix, tandis que ses yeux se posent sur la tête inclinée de Maya, avant de s'arrêter sur Bhima, et il tressaille légèrement en s'apercevant qu'elle l'examine avec attention.

« Il va bientôt être l'heure pour lui d'aller au lit, dit Dinaz avec un rire joyeux, en donnant de petites tapes sur la poitrine de son mari. En fait, il ne voulait même pas sortir, ce soir. Mais moi j'avais une envie folle de *bhelpuri.* Maintenant, il faut rentrer.

— Je vais chercher la voiture, dit aussitôt Viraf. Vous n'aurez qu'à venir m'attendre aux feux.

— Ça m'a fait tellement plaisir de te voir, dit Dinaz à Maya. Dommage que tu ne viennes plus chez maman Banu. Je sais que tu retourneras à la fac, le moment venu, murmure-t-elle en l'étreignant brièvement. Je suis vraiment désolée de ce qui t'est arrivé. »

La mère et la fille s'en vont et Bhima a l'impression d'être enracinée au sol, comme si elle était l'un de ces dieux hindous sculptés dans le sable, au pied desquels les promeneurs jettent des pièces de monnaie. Elle a véritablement l'impression d'être faite en sable et qu'un seau d'eau suffirait pour l'anéantir. Le monde qui l'environne lui semble construit en sable, lui aussi – chancelant, ambigu, provisoire. Un monde qui n'est pas régi par les lois et les tabous habituels. Un monde dans lequel une jeune fille pauvre peut séduire un bourgeois distingué et honnête, dont l'épouse est sur le point de mettre au monde son premier enfant. Un monde dans lequel Maya et Viraf...

Elle est saisie par la manière dont la lumière s'est faite en elle. Une seconde plus tôt, elle ne se doutait de rien et maintenant elle comprend tout. L'instant d'avant, son esprit était aussi vide que le désert et, soudain, le serpent de la suspicion s'y est glissé en relevant sa tête venimeuse. Désormais, elle va devoir vivre avec la certitude cataclysmique que Viraf Davar est le père de l'enfant mort de Maya. Alors qu'elle avait examiné d'un œil soupçonneux tous les jeunes gens et tous les hommes d'âge moyen du bidonville, alors qu'elle s'était humiliée devant des étudiants moqueurs, alors qu'elle avait sottement imaginé sa petite-fille régnant dans une belle cuisine, entourée de poêles et de casseroles rutilantes, l'idée ne lui était jamais venue de s'intéresser au serpent qu'elle avait sous le nez.

Mais peut-être se trompe-t-elle, après tout. Ses soupçons sont peut-être faits de sable, eux aussi, et une bonne vague va bientôt les anéantir. Si c'est le cas, elle a hâte que les flots de l'oubli déferlent pour emporter les craintes qui la rongent. Mais en même temps qu'elle prie pour qu'il en soit ainsi, sa certitude acquiert la dureté du ciment.

À côté d'elle, Maya s'impatiente. « Viens, *mama*, dit-elle. J'ai envie de rentrer à la maison.

— Il n'y a pas de maison dans notre avenir, remarque Bhima, énigmatique. Il n'y a pas de repos en ce monde pour les pêcheurs corrompus. À cause de tes péchés, je vais tourner à jamais en rond dans ce monde de malheur. Par conséquent, autant que je commence tout de suite à m'entraîner. Alors, viens, j'ai besoin de marcher encore un peu. »

Maya rougit et ses yeux s'agrandissent tandis qu'elle regarde le visage anguleux de sa grand-mère. Elle ouvre la bouche comme pour protester, mais Bhima est déjà partie en direction de la mer et, au bout d'un instant, sa petite-fille la suit.

Elles marchent dans un silence total. Mais c'est un silence qui crie, qui hurle, qui est rempli de bruits – les battements précipités du cœur de Bhima, la terreur déchirante et griffue qui étouffe Maya, le raclement des pieds de Bhima qui fouaillent hargneusement le sable. À l'intérieur de ce silence, elles avancent côte à côte, redoutant de frôler ses contours, car rompre le barrage de ce silence reviendrait à laisser s'engouffrer les eaux de la colère, de la rage et de la fureur, permettant à la marée du passé récent – ce passé qu'elles ont ignoré, interrompu, assassiné – de remonter en grondant et de détruire leur fragile présent.

Mais le silence, de même que l'amour, ne dure pas éternellement.

Alors Bhima parle. Si on peut appeler parler émettre les sons inarticulés et rauques qui sortent de sa bouche. « Pourquoi ? Pourquoi lui ? »

Maya la regarde d'un air indécis, comme si elle se demandait si sa grand-mère s'adresse à elle ou à une invisible divinité qui flotte au-dessus de la mer d'Oman et se moque d'elles. Muette, elle contemple l'océan sans limites.

Cette absence de réaction déclenche la fureur de Bhima. Elle lui donne un violent coup dans le dos et, sous le choc, Maya vacille. « Je t'ai posé une question, fille sans vergogne ! » insiste-t-elle, mais Maya continue à se taire.

« Ashok Malhotra, tiens donc ! D'abord tu séduis un homme marié et ensuite tu mens pour brouiller les pistes. En mordant la main qui t'a nourrie. En trahissant la confiance que te faisait toute la famille Dubash. La femme de cet homme, Dinaz, je l'ai toujours considérée comme ma fille. Comment pourrai-je jamais les regarder en face ? *Namak-haram,* toutes les lettres que tu as appris à lire, tous les points de couture des vêtements que tu portes, tous les grains de sel que tu manges, tout provient de la générosité de Serabai. »

Le visage de Maya est un champ de bataille où s'affrontent des sentiments conflictuels. Bhima se cuirasse, s'apprêtant à entendre sa petite-fille nier que le père de son enfant mort est Viraf, lui dire qu'elle ne voit pas de quoi elle parle. Mais le temps du mensonge est passé et la lassitude qui se lit sur les traits de Maya est la confirmation définitive dont elle a besoin.

Mais avant qu'elle puisse contre-attaquer, Maya prend la parole. « Ce n'est pas vrai, *ma,* s'écrie-t-elle. J'avais commencé à apprendre à lire et à écrire avant de venir à Bombay. À Delhi, mes parents m'avaient envoyée à l'école. Serabai voulait simplement se faire croire que j'étais une petite ignorante qu'elle pouvait arracher à son destin. Et pour ce qui est de me vêtir et de me nourrir, c'est à toi que je le dois, pas à elle. À ta sueur et à ton travail, pas à la générosité de Serabai. Si tu arrêtais de travailler pendant un mois, crois-tu qu'elle t'enverrait ton salaire par la poste ? »

Bhima regarde sa petite-fille, bouche bée. « Voyez-la, dit-elle à mi-voix, comme si elle parlait toute seule. Écoutez les mots perfides qui sortent de la bouche de cette misérable ingrate. Cracher ainsi sur celle qui lui a permis de construire sa vie. Et tout ça parce qu'elle s'est conduite comme une traînée avec le gendre de Serabai et qu'elle doit maintenant cacher la souillure de sa faute. Ma Pooja, que Dieu la bénisse, doit verser des larmes de honte brûlantes en pensant au monstre qu'elle a mis au monde. »

Maintenant elles ne marchent plus et se tiennent immobiles, à quelques centimètres l'une de l'autre, indifférentes à l'eau tiède qui vient clapoter autour de leurs pieds, ignorant la curiosité non dissimulée des promeneurs. « Pourquoi es-tu si prompte à rejeter la faute sur moi, *ma* ? dit Maya, le souffle entrecoupé par l'émotion. Et lui, il n'a rien fait ? Faut-il donc que tu continues à considérer comme des saints tous les membres de cette famille ? Est-ce uniquement les tiens que tu dois maudire et accuser de toutes les vilenies ? »

Bhima perçoit la haine dans la voix de Maya et elle se rappelle la façon dont celle-ci s'est raidie en entendant Dinaz l'appeler. Elle a pensé que Maya refusait de répondre parce qu'elle avait honte. D'ailleurs, elle s'est déjà comportée de façon bizarre avec Serabai, le jour de l'avortement et, depuis, elle refuse d'aller chez les Dubash. Bhima observe attentivement sa petite-fille. « Est-ce que... est-ce que Viraf *baba*... t'a fait mal ? » Elle étouffe la rage meurtrière qui accompagne cette pensée.

Maya secoue la tête d'un geste impatienté, comme si la question était une mouche venue bourdonner à ses oreilles. « Tu as tout de suite cru que c'était moi la coupable. Pourquoi, *ma* ? Pourquoi aimes-tu ces gens encore plus que tu aimes ta propre famille ? »

Bhima ravale les remords qui lui brûlent la gorge comme de la lave en fusion. « Je n'ai jamais dit ça, murmure-t-elle. Comment peux-tu dire une chose pareille, alors que tu es tout pour moi ? Pour toi, je... » Elle hoche la tête, submergée par l'émotion, incapable d'aller jusqu'au bout de sa phrase. Elle regagne le sable sec et cherche des yeux un endroit à l'écart. Elle va s'y installer, en tirant Maya par la main, pour la faire asseoir auprès d'elle.

Pendant quelques minutes, elles écoutent les vagues qui clapotent, sans dire un mot. Puis Bhima tourne vers Maya un visage bienveillant, purgé de tout reproche et de toute colère. « Raconte-moi ce qui s'est passé, *beti*, dit-elle avec douceur. Raconte-moi tout. »

Et Maya raconte.

22

Maya était chez Banu, un après-midi, en train de préparer le thé dans la cuisine, quand on avait sonné à la porte. Elle s'en était étonnée. Il était quatre heures et demie et elle n'attendait personne. Gaya, l'infirmière de nuit, n'arrivait jamais avant huit heures.

Elle alla ouvrir et Viraf apparut. « Ah! Viraf *baba*, s'exclama-t-elle. Déjà? » Elle savait qu'il passait toujours voir la malade en rentrant du bureau. Mais le voyant troublé, une inquiétude la saisit. « Tout le monde va bien, j'espère? La petite Dinaz n'est pas souffrante?

— Non, non, tout le monde va bien », se hâta-t-il de répondre, en la frôlant pour entrer dans la salle à manger. Puis, s'apercevant qu'elle semblait toujours soucieuse : « Non, non, ne t'inquiète pas. Dinaz est en pleine forme. Le seul ennui, avec elle, c'est son fichu caractère. Quelle enfant gâtée! On croirait qu'elle est la première femme dans l'histoire du monde à attendre un enfant. »

Maya pinça les lèvres. Elle ne supportait pas que quelqu'un, même Viraf, parle ainsi de Dinaz. Devant son air réprobateur, il eut un sourire malicieux. « Oh! pardon de critiquer ta petite Dinaz chérie. J'oubliais combien vous vous aimez, toutes les deux. Tiens, j'aurais dû faire appel à toi pour la décider à aller au cinéma. J'avais pris ma demi-journée et je suis rentré chez moi de bonne heure, dans cette intention. Mais bien entendu, elle était d'une humeur de chien et elle m'a sermonné en me disant qu'elle était restée à la maison pour faire quelques menus travaux et que j'étais un irresponsable si je m'imaginais que ma femme allait me consacrer quelques heures, sous prétexte que je rentrais tôt. Par conséquent, c'est moi le *chootia*, dans cette affaire. »

Ce langage cru la fit tiquer. Elle n'avait jamais entendu Viraf jurer, comme ces bons à rien qui traînent dans le bidonville. Il dut sentir qu'elle était choquée et déçue, car il la regarda d'un air repentant. « Excuse-moi. Je crois que je me suis laissé emporter. » Il l'attira distraitement à lui et lui tapota le dos. « Gentille Maya, murmura-t-il. J'avais oublié que tu étais si fidèle, tu fais penser à un adorable petit chiot. »

Maya était stupéfaite, flattée et perplexe. Après Dinaz, Viraf avait toujours été la personne qu'elle préférait dans la famille de Serabai. Feroz *seth* la terrifiait et même si Serabai était avec elle d'une bonté sans faille, quelque chose l'intimidait chez cette grande femme distinguée, qui ne se départait jamais d'une certaine réserve. Mais dès le début, Viraf avait toujours plaisanté avec elle, et il aimait la taquiner. En outre, il avait parfois des élans de générosité envers elle et sa grand-mère. La semaine dernière, par exemple, Bhima était rentrée à la maison avec une boîte de bonbons si énorme qu'elles avaient dû en distribuer une partie à des voisins. « Viraf *baba* nous a donné ça, leur avait-elle annoncé, toute fière. Un client lui a offert trois boîtes de *mitahi* pareilles que celle-ci. Et il nous en a donné une. »

Toutefois, jamais encore Viraf ne l'avait touchée, jamais il ne s'était montré aussi familier et affectueux. Elle ne le connaissait pas non plus tel qu'il était en ce moment, bizarre, agité, démonstratif et quêtant un réconfort de manière si évidente. Quelque chose en elle s'éveilla, quelque chose de tendre et d'humide. Paralysée par la timidité, elle fit un effort pour ne pas baisser les yeux sur ses pieds et les posa sur le visage écarlate de Viraf, tout en cherchant un moyen de lui rendre sa bonne humeur habituelle.

« J'étais en train de préparer une bonne petite tasse de thé bien chaud pour Banubai, dit-elle. Je vais vous en faire une aussi, Viraf *baba*. »

Il sourit et le Viraf de toujours reparut. « D'accord. Je vais aller dire bonjour à la vieille dame et ensuite je m'installerai dans l'autre pièce pour m'occuper de ses comptes. De toute manière, c'est pour ça que je suis venu. » Il s'assombrit de nouveau. « Aussi déprimante que soit cette maison, on y trouve au moins le calme et la tranquillité nécessaires pour pouvoir travailler. Pas d'épouse acariâtre aux hormones déchaînées pour régenter les pauvres mâles. » Il s'éclaira d'un brusque sourire. « Pas d'épouse acariâtre. Rien qu'une vieille dame méchante et tyrannique, clouée au lit. »

Elle n'avait pas l'habitude de le voir changer ainsi d'humeur. L'ancien Viraf, le Viraf auquel elle était accoutumée, apparaissait et disparaissait, comme le soleil derrière les nuages. Elle le regardait bouche bée, ne le connaissant pas suffisamment pour savoir s'il plaisantait ou s'il parlait sérieusement, ni comment réagir aux propos blasphématoires qu'il tenait sur sa propre famille. Elle était si jeune, si petite, si douloureusement consciente de la situation singulière qu'elle occupait à l'intérieur de ladite famille – condamnée qu'elle était à écouter et à se taire; à ne pas pouvoir répondre à la provocation et dire ce qu'elle pensait vraiment de Banu – qu'elle tomba d'accord sur ce portrait donnant de Banu l'image d'une vieille harpie qui gâchait la vie de tout le monde.

Comme pour lui donner raison, des gargouillis leur parvinrent. « Urgghh, urgggh, urgghh », éructait Banu.

Il se retourna en lui adressant un clin d'oeil. « Elle entend tout, hein? Bon, il est temps que j'aille présenter mes respects à Kali *devi.* » Cette fois, elle ne put retenir un petit cri scandalisé devant ce blasphème manifeste. « Viraf *baba...* » protesta-t-elle, mais il était déjà parti. Elle l'entendit qui disait : « *Kem* Banubai? Comment vous sentez-vous aujourd'hui? Vous avez très bonne mine. Des joues rouges comme des pommes du Cachemire. Et vous ne laissez personne respirer une minute, j'espère? »

Depuis la cuisine, Maya perçut un son étouffé qu'elle identifia comme étant le rire de Banu. Vraiment, ce Viraf *baba* exagérait. Quand il déployait tout son charme, il aurait été capable de faire rire un mort.

Lorsqu'elle lui apporta son thé, elle le trouva

installé devant un monceau de factures et le carnet de chèques de Banu. Il avait ôté sa cravate, qui était posée soigneusement sur le lit, et retroussé ses manches de chemise. « Merci, dit-il en souriant, avant de se remettre à ses comptes. Une bonne tasse de thé, voilà exactement ce dont j'ai besoin. »

Le souvenir de son sourire la réchauffa tandis qu'elle faisait boire Banu, en lui mettant une serviette sous le menton, pour arrêter le filet de thé au lait qui coulait de ses lèvres flasques et inertes. Comme de coutume, elle trempa deux biscuits au glucose dans la tasse et les lui fit manger par petits morceaux. Quelquefois, quand elle était en colère, Banu crachait du thé mêlé à des miettes spongieuses sur Maya, qui prenait alors la serviette pour s'essuyer le visage et les vêtements. Mais ce jour-là, les attentions et les plaisanteries de Viraf l'avaient mise de bonne humeur.

« C'est bien, mamie, lui dit Maya d'un ton sec, après qu'elle eut fini de boire son thé. Maintenant vous allez dormir quelques heures, comme une gentille petite fille, et ce sera l'heure de dîner. Reposez-vous pour être belle. »

Les yeux gris laiteux la suivirent tandis qu'elle remettait un peu d'ordre dans la chambre. Mais quand Maya la regarda, juste avant de sortir, elle dormait déjà, la bouche ouverte et molle.

Elle retourna ensuite dans la pièce où travaillait Viraf, qu'elle trouva allongé sur le lit. En la voyant entrer, il s'étira et dit d'une voix alanguie : « Ce thé était tellement bon qu'il m'a donné sommeil. Je me suis dit que j'allais faire un petit roupillon.

La nuit, Dinaz bouge tellement, à cause du bébé, que la plupart du temps, je dors très mal. »

Elle s'apprêtait à sortir avec la tasse vide, quand il reprit : « Ah ! Maya. Va voir dans l'armoire à pharmacie s'il n'y aurait pas un flacon d'Iodex. J'ai affreusement mal au cou. Je passe trop de temps assis à mon bureau. »

Elle revint avec une petite bouteille remplie d'un liquide foncé qu'elle lui tendit, mais il la regarda avec un sourire implorant. « Ça va être difficile pour moi de me frictionner à cet endroit. Tu ne pourrais pas le faire ? »

Après avoir hésité un instant, elle trempa deux doigts dans l'onguent. Viraf défit les premiers boutons de sa chemise et se retourna sur le ventre. Lorsque la main de Maya entra en contact avec sa peau, il poussa un petit cri. « Tu as les mains froides », grommela-t-il, mais elle devina qu'il souriait.

Ses doigts cherchèrent la contracture et commencèrent à dénouer adroitement le muscle. « Creuse plus profond », grogna-t-il. Il se mit légèrement de côté et défit deux autres boutons pour qu'elle puisse le masser plus facilement. « Oh ! que Dieu te bénisse, soupira-t-il, tandis que le muscle se relâchait sous sa main. Tout à l'heure, c'est à peine si j'arrivais à tourner la tête. Une raison de plus, sans doute, à ma mauvaise humeur.

— Ma grand-mère a souvent le torticolis, elle aussi. Mais je réussis toujours à la soulager, remarqua-t-elle, toute fière. Elle n'arrête pas de dire que c'est moi qui fais les *champi-malish* les plus efficaces. »

Elle sentit que Viraf souriait. « J'imagine que tu n'es tout de même pas aussi capable que les masseurs de la plage de Chowpatty, la taquina-t-il.

— Oui, mais ce n'est pas juste. Ces *bhaiya* utilisent de l'huile d'amande mélangée à des *masala* et je ne sais quoi d'autre.

— Dans ce cas, tu n'as qu'à prendre de l'huile Johnson pour bébé, répliqua-t-il d'une voix amusée. Après, on verra ce que tu sais faire. »

Elle interrompit son massage, ne sachant pas s'il parlait sérieusement. Devinant son hésitation, il se souleva sur un bras et la poussa légèrement de l'autre. « Mais oui. Un massage du dos me ferait le plus grand bien. »

Le temps qu'elle revienne avec l'huile, il avait enlevé sa chemise. Elle fut stupéfaite de voir que son dos était si lisse et complètement dépourvu de poils. Et pâle. Si pâle. De la couleur et de la texture de la farine avec laquelle *ma* faisait les *chapati*. Comparé à celui des voyous qui traînaient dans le *basti*, vêtus de leur *lungi* à carreaux, et dont l'échine était aussi velue que celle d'un ours de foire, le dos de Viraf paraissait aussi inoffensif qu'une miche de pain.

Elle répandit de l'huile dessus en essayant de centrer son regard sur un endroit du mur plutôt que sur la peau soyeuse de Viraf. Elle n'avait encore jamais touché le dos d'un homme et la gêne lui paralysait la langue. Mais ses yeux revenaient sans cesse sur l'empreinte que ses mains brunes laissaient sur cette peau crémeuse. « Hum, hum, hum ! gémissait Viraf. Ça alors, ce n'était pas de la blague. Un seul massage de toi et les *bhaiya* de Chowpatty n'auraient plus qu'à se reconvertir dans le commerce du *narial pani*. »

Elle était ravie de lui procurer tant de plaisir. Tandis que ses mains pétrissaient et caressaient le dos de Viraf, qu'elle effaçait la tension qui nouait ses muscles, elle se sentait forte, importante... et puissante. Le Viraf de tout à l'heure, qui récriminait et blasphémait, avait disparu. Chassé par ses mains expertes et agiles. Avec ces mains, elle pouvait l'émouvoir, le modeler et le régénérer. Maintenant qu'il était détendu, il serait peut-être plus gentil avec la petite Dinaz, quand il rentrerait chez lui. Maya s'était doutée que la paix ne régnait pas toujours dans le ménage ; il lui était arrivé d'entendre des murmures exaspérés provenant de leur chambre, lorsqu'elle allait chercher sa grand-mère, mais jusqu'à présent, elle n'avait jamais pensé pouvoir faire quelque chose pour remédier à la situation. Cependant, en voyant ses muscles apaisés se déplier tels des reptiles dans le panier d'un charmeur de serpents, elle s'aperçut qu'elle s'était trompée et elle ressentit une sorte d'effroi admiratif au spectacle de ses mains brunes se déplaçant telles des ombres sur les eaux tranquilles de son dos.

« Plus bas, murmura-t-il. J'ai horriblement mal aux reins. » Elle obtempéra, tout en veillant à ne pas s'aventurer au-delà du sillon fessier mais en laissant ses yeux s'y promener. Elle était hypnotisée par les mouvements circulaires et cadencés de ses propres mains et elle crut presque que Viraf s'était endormi tant il était calme.

Mais il se retourna soudain, si bien que l'espace

d'un instant, ses mains pianotèrent confusément dans le vide, avant de se poser sur la toison sombre de son torse et de sentir l'émouvante délicatesse des clavicules, la dépression mélancolique de la cage thoracique, la crispation des muscles; elle comprit de par une connaissance primitive, innée, qu'elle était la cause de cette tension, la raison de cette respiration entrecoupée. Puis son effroi se mua en fierté et la fierté en panique, au moment où Viraf se souleva à demi et la poussa doucement mais fermement sur le lit, en la plaquant par les épaules, si bien que le temps d'une fraction de seconde, la partie supérieure de son corps se trouva couchée sur le matelas, alors que ses jambes pendaient au-dessus du sol. Son ventre s'abaissa à son tour, et tandis que Viraf approchait la bouche de ses seins, se déclencha en elle un déferlement de sensations, déferlement qui envahit ses cuisses, rompant le barrage de sa résistance, rendant ses jambes lourdes et molles tout à la fois.

Elle protesta; elle ne protesta pas. Peu importait, puisque l'inévitable était sur le point de se produire, était en train de se produire, et qu'ils le savaient l'un et l'autre. Pareils à des nageurs emportés dans un même courant, ils s'examinaient gravement, sans dire un mot. La pièce, l'univers faisait silence autour d'eux, ils étaient seuls au monde, les deux derniers êtres humains qui restaient, sur une terre où il n'y avait plus personne et pas même l'idée d'une personne, pas de vieille clouée au lit dans la chambre voisine, pas d'infirmière sur le point d'arriver pour relayer Maya, pas de Bhima pour s'insurger contre ce qui était en train de se passer et, surtout, pas de Dinaz avec un bébé qui grandissait dans son ventre.

« Oh, mon Dieu! Oh, mon Dieu! Oh, mon Dieu! » disait Viraf, tout en se tortillant sur elle. Elle se mordit la lèvre pour étouffer la douleur aiguë qui la transperça à l'instant où il la pénétra; elle essaya de s'agripper à son dos, en même temps qu'elle cambrait son corps vers le sien, mais ses mains enduites d'huile n'avaient pas de prise. Puis tout ne fut plus que frottement et mouvement, tout était moite et glissant – l'huile sur le dos de Viraf, le sang perlant à la lèvre qu'elle avait mordue trop fort, cet autre sang, plus cérémoniel, qui s'écoulait d'un autre endroit – les larmes de plaisir et de douleur s'accumulant dans des yeux hermétiquement clos, la sueur soudant leurs deux corps ainsi que de la glu et, finalement, le déchargement de la chair enfiévrée et raidie de Viraf dans la chair de Maya.

Elle reprit ses esprits la première. Alors qu'elle était étendue là, pétrifiée de honte et d'épouvante, il baignait toujours dans son euphorie, alangui par la chaleur et la libération de ses sens. « Ça faisait si longtemps, murmura-t-il. La grossesse de Dinaz... tellement froide... me laisse pas l'approcher... » Mais elle eut du mal à le comprendre, à cause du carillon assourdissant de la peur qui résonnait dans sa tête.

Le téléphone sonna. Un instant, ils se regardèrent, les yeux agrandis par la perplexité. « Va répondre », ordonna-t-il. Elle se leva d'un bond, enfila son *salwar khamez*, gênée de le voir regarder son corps nu. Mais il n'y avait pas de désir dans

ses yeux, seulement une expression fermée, indé-
chiffrable. La sonnerie du téléphone avait mis un
terme à sa rêverie et l'avait ramené à la réalité.

C'était Dinaz qui voulait parler à son mari.
« Bonjour, ma Maya. Comment se fait-il que tu
aies été si longue à répondre ? » Et Maya en aurait
pleuré, tant cette voix était teintée d'affection et
d'innocence. « Est-ce que Viraf est là ? »

Il se tenait juste derrière elle, prêt à prendre l'appareil. « Je me suis endormi quelques minutes, ma
chérie. Tenir les comptes de ta grand-mère est une
vraie corvée, tu le sais. Non, tout va très bien. Tu
n'as pas à t'excuser. Je ne t'en veux pas, vraiment.
On ira voir ce film débile un autre jour. J'ai bientôt
fini ce que j'avais à faire. À tout de suite, chérie. »

Quand il entra dans la cuisine, après avoir raccroché, Maya dut faire un effort pour le regarder.
Elle était muette, confuse, mortifiée. Elle aurait
aimé dire quelque chose, lui expliquer qu'elle
n'était pas une mauvaise fille, qu'elle n'avait
jamais fait avec aucun homme ce qu'elle venait de
faire avec lui. Mais Viraf, qui la dominait de toute
sa taille, lui paraissait aussi impressionnant qu'une
montagne.

« Y a-t-il une serviette propre ? Je voudrais
prendre une douche avant de partir », dit-il. S'il
remarqua l'air blessé, apeuré, de Maya, il n'en fit
aucun commentaire. « Et puis, il faudra que tu
nettoies les draps avant l'arrivée de la garde de
nuit. Il y a... du sang dessus. Elle risquerait de se
douter de quelque chose. »

Pendant qu'il se lavait, elle resta accroupie dans
un coin de la cuisine, à pleurer sans bruit. Elle se

sentait souillée, à cause de ce corps empreint d'une odeur qu'elle ne reconnaissait pas. Elle aurait voulu ne jamais le voir ressortir de la douche. Mais au bout d'un moment, elle se rendit compte que l'eau ne coulait plus et, bientôt, il lui apparut, environné d'un discret parfum de lavande.

« Écoute, Maya, dit-il doucement. Pendant que je prenais ma douche, j'ai réfléchi. J'ai réfléchi à ce qui... ce qui vient d'arriver, à ce que tu as fait. Non, ce n'est pas bien de m'avoir aguiché comme ça, d'avoir profité que j'avais un moment de faiblesse. »

Elle ouvrit la bouche pour protester, mais il la fit taire. « Chut ! Laisse-moi finir. Ce que je veux dire, c'est que je te pardonne ce que tu as fait. À condition que ça ne se reproduise plus. Et à condition que tu n'en parles à personne. Parce que si jamais la pauvre Dinaz apprenait ce qui s'est passé, elle en mourrait. Elle, elle ne te le pardonnerait pas. Tu comprends ? Elle y verrait la trahison suprême de la confiance qu'elle a en toi. Et vu qu'elle est enceinte, je ne peux pas prendre le risque qu'il lui arrive quoi que ce soit. Rappelle-toi, les Dubash ont toujours été d'une extrême bonté pour ta grand-mère et toi. Ils vous traitent comme si vous faisiez partie de leur famille, ils t'ont permis de faire des études. Tu as un bel avenir devant toi. Il ne faut pas que ce malheureux incident gâche ta vie. Tu comprends ce que je dis ?

— Mais je n'ai rien fait, moi, répliqua-t-elle d'une voix raffermie par l'indignation. C'est... c'est vous qui m'avez sauté dessus comme un chien enragé. »

Elle s'attendait à le voir exploser mais il se contenta de la considérer d'un air accablé, en secouant imperceptiblement la tête. « Maya, Maya, soupira-t-il. Arrête. Si tu racontes ce qui s'est passé à qui que ce soit, qui penses-tu qu'on croira ? Toi ou moi ? Pour commencer, je nierai tout. Sois donc raisonnable et ne fais rien qui pourrait compromettre tes études ou la place de Bhima. S'il te plaît. Promets-moi d'oublier tout ça. »

Elle acquiesça d'un signe de tête. Elle avait mal partout et ne désirait qu'une chose : qu'il s'en aille. Il lui était déjà arrivé d'avoir des remords, de penser qu'elle s'était mal conduite, mais elle s'était toujours sentie elle-même, Maya. Maintenant, à cause de ce qu'il venait de dire, elle avait l'impression d'être une prostituée. Tel un animal acculé, elle attendit en silence qu'il ait fini de rassembler ses papiers et les ait rangés dans l'armoire de la chambre de Banu. Il resta un moment auprès de l'invalide, comme s'il se demandait s'il allait la réveiller pour lui dire au revoir, mais à cet instant la vieille femme émit un ronflement particulièrement sonore ; alors il recula et sortit de la chambre sur la pointe des pieds.

Arrivé à la porte d'entrée, il s'arrêta pour regarder Maya et elle s'aperçut qu'il avait les yeux tristes et humides. Malgré elle, son cœur bondit à la pensée qu'il allait avoir un mot gentil, un petit geste qui dissiperait la sensation de salissure qui enveloppait ses membres. Viraf se mordillait la lèvre et ses yeux la scrutaient. « Ça va ? » demanda-t-il, et comme elle ne répondait pas, une expression de contrariété passa sur son visage. « Allons,

Maya, reprends-toi. Ce qui est arrivé était... bref, c'est arrivé. C'est la faute de personne, d'accord ? Bon. En tout cas, l'infirmière ne va pas tarder à arriver. Par conséquent si tu dois... tu sais... mettre un peu d'ordre, tu as intérêt à le faire avant que Banu se réveille. Et souviens-toi, pas un mot à qui que ce soit. Le mieux c'est que tu oublies tout ça. »

Il avait déjà franchi le seuil, quand il se retourna. « Ah ! une dernière chose. N'oublie pas de laver les draps, d'accord ? »

23

Bhima ne savait pas que la haine pouvait avoir cet effet corrosif. Que c'était une chose aussi inconfortable, constante et gênante qu'un caillou dans une chaussure ou un vêtement trop étroit. Elle ne savait rien non plus de son pouvoir d'amalgame – parce qu'elle allait chercher tous les affronts passés, toutes les vieilles trahisons, pour les pétrir en une boule de feu qu'elle vous installait dans l'estomac. Qu'elle donnait un goût amer à tout, comme si on avait aspergé la terre entière avec du jus de citron vert.

Le jeune docteur de l'hôpital du sida, qui avait murmuré un méprisant « Vous autres ! » Le comptable qui s'était rengorgé pour avoir su profiter de l'ignorance d'une pauvre analphabète. Le vieux médecin qui ne s'était intéressé à Gopal qu'après avoir flairé l'odeur de l'argent et du pouvoir. Gopal, qui était parti en prenant Amit, comme si l'enfant avait été un ballot de linge sale qu'on transporte d'un endroit à l'autre. Gopal, qui lui avait écrit une lettre qui était à la fois un baiser et un assassinat.

Et maintenant, il y avait Viraf. Mais cette fois, le grondement qui assaille les oreilles de Bhima est aussi assourdissant que celui des avions qu'elle avait vus à l'aéroport Sahara, un jour où elle y avait accompagné Serabai. Elle a dans la bouche un goût de bile, que même le tabac à chiquer ne peut chasser. Sa haine lui donne l'impression que tout son corps est transpercé de minuscules aiguilles. Sa haine pour Viraf est toute neuve, si vive, si aiguë, que ses morsures l'ont tenue éveillée toute la nuit, la laissant, ce matin, à vif et tout endolorie. Ce qu'elle aimait justement chez Viraf – sa séduction, ses traits nets et bien dessinés –, elle l'a désormais en horreur, parce qu'elle y voit un masque dissimulant une nature cynique et corrompue.

Qu'éprouve-t-il de savoir qu'on a supprimé un enfant de son sang, alors même que sa femme va bientôt en mettre un autre au monde ? Telle est la question que se pose Bhima en se levant. Y voit-il un signe de mauvais augure, l'ombre de l'enfant mort tombant sur le ventre fertile de sa femme ? Ou bien se soucie-t-il si peu du petit bâtard qu'il dort paisiblement et ne voit dans ses rêves que l'enfant, le fils, qui héritera la beauté de son père, son charme, sa richesse, son pouvoir ? À cette pensée, Bhima entre dans une fureur noire. Puis, des cendres de cette pensée surgit un souvenir. Elle se rappelle le jour où Viraf, qui l'emmenait au marché dans sa voiture, avait tranquillement remarqué que le temps pressait et que Maya devait avorter sans tarder. Assassin d'enfant ! fulmine-t-elle. Qui est ce père qui programme la mort de son propre enfant ?

C'est certainement pour cela que Maya avait tenu à ce que Sera l'accompagne à la clinique. Serabai qui, sans le savoir, avait cautionné le meurtre de l'enfant qui était le négatif, le frère (ou la sœur) de l'autre et risquait de compromettre le bonheur de la famille Dubash, sa position sociale, sa respectabilité. Maya s'était donc arrangée pour que Serabai soit présente au moment de l'expulsion, au moment où le rival était définitivement réduit au silence. Le regard de Bhima se porte vers l'endroit où dort Maya et, malgré son dégoût, elle éprouve pour elle une admiration fugitive. Maya a fait en sorte que les Dubash soient impliqués dans la mort de l'enfant, qu'un peu de ce sang maudit salisse à jamais leurs mains. Ce jour-là, en rentrant de la clinique, Serabai n'avait sûrement pas manqué de raconter son horrible journée ; Viraf l'avait sûrement écoutée, impassible et captivé, faire le récit du meurtre de son enfant. Peut-être s'était-il réveillé en pleine nuit, enveloppé dans le remords comme dans un linceul et peut-être avait-il reconnu dans les ténèbres qui l'entouraient la noirceur démoniaque de son âme.

Mais peut-être pas. Tout à coup Bhima se sent vieille et lasse. Une lourdeur familière s'abat sur elle. Il y a tant de choses qu'elle ne sait ni ne comprend. Viraf *baba* est un homme séduisant, instruit, riche, un homme qui a beaucoup voyagé. Il est tout ce qu'elle n'est pas, elle, Bhima. Comment pourrait-elle prétendre savoir ce qu'il pense ? N'a-t-elle pas remarqué que lorsqu'il s'adresse à elle, il parle lentement, comme s'il craignait qu'elle ne comprenne pas ce qu'il dit ? Et puisqu'elle n'a même pas été capable de deviner son propre mari, qu'elle n'a pas su discerner l'hypocrisie de son cœur, comment pourrait-elle prétendre détecter les plantes vénéneuses qui croissent au fond de l'âme dépravée de Viraf.

Elle va lui dire qu'elle sait. L'idée s'impose à elle avec autant de clarté et de soudaineté que lorsqu'on frotte une allumette dans le noir. Il saura ainsi que bien qu'elle soit une femme, pauvre de surcroît, elle n'a pas besoin qu'on lui parle lentement ; qu'elle n'est plus une personne à se laisser abuser par des comptables et des maris, ni traiter avec condescendance par des médecins et des hommes qui ont violé sa petite-fille. Au contraire, elle est quelqu'un qui le connaît mieux que sa propre mère parce que, tout illettrée qu'elle est, elle est capable de lire la corruption dans son cœur. Elle lui dira qu'elle sait et qu'il doit désormais la craindre, car elle a le pouvoir d'anéantir son bonheur présent aussi vite qu'un ouragan peut démolir une maison. Elle lui dira qu'elle sait et qu'il doit désormais surveiller ses mains, qu'elle ne laissera pas ses mains sales et malfaisantes souiller une autre jeune fille. Elle lui rappellera que par son égoïsme et son insouciance il a fait dérailler la vie de sa Maya, lui a barré la route qui lui aurait permis de sortir du bidonville. Ce qu'elle et Serabai avaient construit ensemble, Viraf l'a détruit. Les femmes créent, se dit Bhima, les hommes détruisent. Ainsi va le monde.

C'est aujourd'hui samedi, jour où Viraf l'emmène au marché. Elle lui dira qu'elle sait, dans la voiture. Que Maya n'a pas gardé son secret, de même qu'elle n'a pas gardé le symbole de sa honte. Il secouera la tête, implorera son pardon, mais elle sera inflexible. Il est des péchés trop abjects pour être pardonnés. Même elle sait cela.

D'avoir pris cette décision, elle retrouve son énergie. Elle se lève de sa couche et perçoit le claquement coutumier de sa hanche, mais elle n'attend pas de savoir si la douleur va suivre. Elle n'a pas le temps de prêter attention aux craquements et aux plaintes de son corps. Elle est prête pour infliger de la souffrance à Viraf.

« Allez, *beti*, réveille-toi, dit-elle à la dormeuse, qu'elle pousse doucement du bout de son pied. Va chercher de l'eau pendant que je prépare le thé. Dépêche-toi un peu. Aujourd'hui il faut que je sois de bonne heure à mon travail. »

Est-ce son imagination ou Viraf lui jette-t-il vraiment un regard inquisiteur au moment où elle entre dans l'appartement ? Elle n'a pas le temps de réfléchir à la question car déjà Sera la prend par la main. « Ah, Dieu merci ! te voilà, Bhima. Est-ce que tu as oublié le dîner de ce soir ? Viens, il faut qu'on voie ensemble ce que tu devras acheter au marché.

— Ah ! au fait, aujourd'hui je dois aller au *maidan* un peu plus tôt que d'habitude, annonce Viraf depuis le seuil de la cuisine. Par conséquent, il faudra peut-être que Bhima prenne un taxi pour aller au marché. »

Avant que Sera ait pu répondre, Bhima dit : « C'est difficile de trouver un taxi le samedi matin. Je peux partir tout de suite, si vous voulez.

— Oui, après tout, vous allez tous les deux dans la même direction, dit Sera. Inutile de dépenser de l'argent pour un taxi, si on peut faire autrement, n'est-ce pas ? Je ne cesse de vous répéter, mes enfants, que l'argent ne pousse pas sur les arbres », ajoute-t-elle en souriant.

Viraf reste impassible. « Très bien. Comme vous voudrez. » Il s'adresse à Sera bien que Bhima soit présente. « Mais qu'elle soit prête à partir dans quelques minutes. »

Sera se retourne vers Bhima qui est en train de rassembler des sacs de toile pour les courses. « *Ae*, Bhima, comment va Maya ? Je ne lui ai pas trouvé très bonne mine hier soir. C'est ce qu'elle a mangé à Chowpatty qui l'a rendue malade ? »

Bhima continue à lui tourner le dos. « Non, ce n'est pas ça, *bai*. Avec tout ce qui s'est passé ces temps derniers, elle est encore très...

— Je comprends, soupire Sera. La pauvre. Toute cette histoire est vraiment regrettable. Enfin, ça lui servira peut-être de leçon. À cet âge, les filles sont tellement... Feroz et moi, on surveillait Dinaz de très près quand elle était adolescente, je m'en souviens. C'est que la vertu d'une fille est son meilleur atout. Et tu sais bien comment ça se passe chez nous, en Inde, Bhima. Les hommes veulent tous épouser une fille vierge. Peu importe qu'ils soient hindous, chrétiens ou parsis, tous les hommes sont pareils, non ? »

Bhima se mord la lèvre inférieure jusqu'à ce qu'elle sente le goût du sang.

Sera se rend compte qu'elle s'est raidie. « Je ne veux pas dire par là que... Maya est une fille comme il faut, je suis certaine que nous n'aurons aucun mal à lui trouver un parti convenable. De plus, personne, dans ta communauté, n'a besoin de savoir ce qui s'est passé. Il y a un proverbe anglais qui dit : "Ce qu'on ignore ne peut nuire." Mais j'espère que Maya ne se mariera pas avant plusieurs années ? *Bas*, le mieux pour elle, c'est de terminer ses études. Ensuite on pourra songer à lui trouver un mari. »

Bhima juge préférable de se taire. Si elle ouvrait la bouche, les mots s'échapperaient, elle le sait. Des mots empoisonnés qui infligeraient à Serabai une blessure dont elle ne guérirait jamais.

Sera s'approche d'elle par-derrière. « *Chal ne*, Bhima, dit-elle en feignant l'impatience. Combien de temps te faut-il pour choisir tes sacs ? À ce train-là, je serai vieille avant que tu rentres du marché. »

Viraf passe la tête à la porte. « Prête ? »

Bhima opine du chef, en fixant un point situé au-dessus de l'épaule droite de Viraf. Si elle regardait en face ce beau visage, elle risquerait de vouloir le griffer.

Ils entrent tous deux dans l'ascenseur et descendent jusqu'en bas sans échanger une seule parole. À la place, Viraf bavarde avec le liftier qui caresse timidement sa batte de cricket. « Que pensez-vous de la nouvelle équipe des Antilles, *seth* ? » demande le garçon, les yeux rivés sur la batte reluisante. Il est grand et dégingandé, et ses dents en avant lui donnent l'air de sourire perpétuellement de quelque blague confidentielle.

Viraf hausse les épaules. « Ces Antillais sont toujours très forts. »

La bouche du garçon s'élargit dans un sourire et il secoue la tête. « Oui, mais cette fois, notre équipe indienne ne l'est pas moins, réplique-t-il aussitôt, comme s'il avait prévu la réponse de Viraf. Moi je dis qu'on va infliger une bonne leçon à cette bande de macaques, au match de Bombay. » Il se penche comme pour confier un secret. « On nous a conseillé d'apporter des peaux de bananes. Ils adorent les bananes, tous ces singes africains. On va les lancer sur le terrain, quand ce sera à eux de batter. »

Viraf pince les lèvres en signe de désapprobation. « Ce n'est pas très sportif, hein ? Exactement le genre de comportement qui donne une mauvaise image de notre pays. »

L'ascenseur arrive au rez-de-chaussée et le garçon se lève comme un ressort de son strapontin, pour ouvrir les portes. « C'est vrai, c'est vrai, ce ne serait pas bien. » Il cligne des yeux, pensant que Viraf va lui tendre un pourboire, mais celui-ci l'ignore et part vers sa voiture, avec Bhima qui le suit de quelques pas. Quel imbécile ! pense-t-il. Il ressemble lui-même à un rat tondu, avec ses dents en forme de ciseaux, et il traite les autres de singes.

Aussitôt monté dans sa voiture, Viraf met la climatisation en marche mais aujourd'hui, bien qu'il fasse très chaud dehors, Bhima grelotte. Plaquée contre la portière, de manière à mettre le plus d'espace possible entre eux deux, elle s'efforce de ne pas claquer des dents de façon trop visible. Elle a les mains moites et froides, et une sensation glacée qu'elle sait due au trac lui enserre l'estomac. Elle tâche de réveiller l'audace, l'impression de « rien-à-perdre » qui l'habitaient ce matin, de battre le rappel de la haine et de la hargne que lui inspirait Viraf, quelques heures plus tôt à peine, mais en vain. Elle parvient tout juste à contenir suffisamment les tremblements humiliants de son corps pour que Viraf ne s'aperçoive de rien ; elle a besoin de toute sa volonté pour maîtriser ses intestins, qui lui semblent soudain prêts à la trahir.

Aujourd'hui, Viraf d'ordinaire si prévenant, l'ignore et tripote les boutons de la radio. Il finit par trouver une station à son goût et accompagne la chanson qui sort du poste en sifflotant à contre-temps. Bhima glisse un regard dans sa direction et constate qu'il a l'air parfaitement détendu et bien dans sa peau. Quoiqu'elle sache que cette décontraction n'est qu'apparente, que c'est un masque qu'il a mis à son intention, elle l'admire de pouvoir si bien feindre. Elle prend le parti d'essayer d'en faire autant et, obligeant sa voix à ne pas trembler, elle annonce : « Viraf *seth*, j'ai quelque chose à vous dire. »

Viraf a le regard fixé sur la chaussée, droit devant lui. Après ce qui semble à Bhima un temps infini, il demande d'un ton détaché : « Quoi ? »

Elle ouvre la bouche pour lui dire qu'elle sait, qu'elle ne trouvera jamais dans son cœur de quoi lui pardonner ce qu'il a fait, qu'il a volé la jeunesse et l'innocence de Maya, qu'elle n'a pas encore décidé si elle révélera son odieux forfait à Sera et à Dinaz.

Elle ouvre la bouche et rien ne se passe. Sa langue est desséchée par la peur. Maintenant son corps tremble carrément, ainsi qu'une feuille de papier traînant dans une rue venteuse. Et malgré le froid qui s'insinue à l'intérieur ses os, elle sent la sueur ruisseler sur son visage. Elle ouvre la bouche pour le menacer, le maudire, lui faire comprendre qu'elle est monumentalement indignée et, au lieu de ça, elle dit : « Viraf *baba*, pourquoipourquoi-pourquoipourquoi ? Oh, pourquoipourquoi-pourquoi ? » Ce ne sont pas les mots eux-mêmes, mais leur son qui oblige Viraf à appuyer sur le frein ; c'est le cri plaintif, douloureux, de sa détresse, un son étrange et animal, même aux oreilles de Bhima, si bien que l'espace d'une fraction de seconde, elle a l'air aussi décontenancée que lui.

Viraf blêmit ; il ralentit un peu ; sa main qui se resserre sur le volant blanchit ; un muscle de sa mâchoire tressaille quelques instants. Mais à part cela, rien. Il continue à conduire, sans quitter la rue des yeux. Il ne lui fait même pas l'aumône d'un regard. Mais bientôt ses doigts se mettent à pianoter sans bruit sur le volant, et elle comprend qu'il attend la suite, qu'il veut savoir ce qu'annonce cette explosion.

Mais elle en a terminé. Elle est épuisée, anéantie, brisée. Le gémissement qu'elle vient de pousser lui a semblé pitoyable et insignifiant, et elle a l'impression d'être un petit oiseau qui se serait cogné contre une montagne. Assis dans sa voiture, Viraf est aussi impassible et impénétrable que cette montagne. Elle se rend compte qu'elle ne pourra pas l'atteindre. La haine qu'elle éprouvait ce matin lui paraît maintenant comique et dérisoire ; elle est comme un enfant qui tape du pied pour défier ses parents ou une personne qui voudrait se trancher les veines et se coupe le doigt. Ainsi font les femmes depuis des siècles : elles retournent leur fureur contre elles-mêmes.

Car la seule arme qu'elle possède contre lui, elle ne l'utilisera pas. Elle le sait désormais. Le seul moyen qu'elle a de nuire à Viraf serait de le dénoncer à Serabai et à Dinaz, de voir l'ombre de son ignominie s'étendre sur leurs visages. Et cela, elle ne le peut pas. Ou alors, ce serait l'anéantissement des deux seules personnes qui l'aient jamais traitée comme un être humain, qui lui ont toujours témoigné un soutien et une fidélité inébranlables, qui ne la méprisent pas d'être ignorante, analphabète et désarmée. Elle se rappelle Dinaz à cinq ans, six ans, douze ans, quatorze ans et chacun de ces souvenirs est aspergé d'eau de rose, exquis comme du sucre et pur comme du cristal : Dinaz refusant de manger du chocolat si elle ne peut pas le partager avec Bhima ; Dinaz suppliant Bhima de s'asseoir avec elle sur le canapé, un jour qu'elles étaient toutes deux seules à la maison ; Dinaz glissant quelques pièces de son argent de poche dans les mains de Bhima, au grand embarras de celle-ci. Avant Maya, il y avait Dinaz, et Dinaz l'aimait avec un abandon dont seul un enfant, peut-être, est capable de faire preuve. Elle se rappelle que Feroz *seth* lui disait en riant : « *Arre*, Bhima, tu ne serais pas une *jadoogar*, par hasard ? Comment as-tu fait pour ensorceler si totalement ma petite fille ? *Saala*, si ça continue, il faudra que tu lui fasses réciter ses leçons et que tu ailles voir ses maîtres quand il y aura des réunions à l'école. »

Et Serabai, grande, belle, sentinelle postée

devant les portes de l'enfer pour empêcher que Bhima ne soit happée par les flammes démoniaques. Sera qui avait sauvé la vie à Gopal, tenté d'infléchir le destin de Maya en l'envoyant à l'université, et présidé à la suppression d'une vie à venir, parce qu'elle pensait que c'était pour son bien.

Et aujourd'hui le sort de ces deux femmes est entre les mains de Bhima. Ces mains calleuses, abîmées, qui ont coiffé les cheveux de Pooja, qui ont fait des centaines de vaisselles, haché des milliers d'oignons, ces mains tiennent en ce moment les rênes du bonheur de Sera et de Dinaz. Un seul petit coup, et le bonheur s'en ira au galop pour toujours.

Enfin Viraf la regarde, avec attention et circonspection. « Bhima, dit-il. Il faut que nous trouvions tous la force de continuer. »

Elle ne sait pas trop ce qu'il a voulu dire mais elle sait qu'elle ne le lui demandera pas. Entre eux, les choses resteront ainsi, inachevées, frustrantes, un long silence ténu et stérile, qui prendra la place des plaisanteries et des taquineries du Viraf d'avant, de ce Viraf sans tache. Dans une brève vision prémonitoire, elle le voit soudain sous l'aspect d'un homme au visage empâté, aux cheveux blancs, gras et vieux avant l'âge, avec des paupières tombantes et un surcroît de chair dus à de lointains remords. Il vieillira mal, celui-là, pense-t-elle. Il ressemblera plus à son beau-père qu'il ne se l'imagine.

Comme s'il avait lu dans ses pensées, Viraf serre le volant plus fort et appuie sur l'accélérateur. Une jeune femme accompagnée de deux enfants s'engage sur la chaussée et évite la voiture de justesse, avec l'adresse et le naturel des habitants de Bombay. Mais aujourd'hui Viraf n'est pas d'humeur à tolérer ces comportements irresponsables. « Espèce d'idiote ! hurle-t-il en baissant sa vitre. Comment allez-vous pouvoir élever ces enfants si vous n'êtes même pas capable de veiller à votre propre sécurité ? » Il marmonne dans sa barbe et remonte la vitre. « Cette ville devient impossible, tout simplement impossible. Il y a partout des connards. Conduire dans ces conditions n'est pas un plaisir, mais une vraie corvée. »

D'instinct, Bhima prend ses distances par rapport à sa hargne. Elle l'a déjà vu furieux, elle l'a entendu se quereller avec sa femme, mais ses invectives étaient enrobées d'une tendresse amusée. La colère qui l'habite en ce moment a un côté vindicatif. Elle l'a démasqué, obligé à faire face à sa noirceur, elle a gratté la façade séduisante et aimable pour mettre au jour le grouillement repoussant de contradictions et de vices qu'elle cachait. Bhima essaie d'imaginer la terreur visqueuse que Viraf doit ressentir à l'idée de ce qu'elle s'apprête peut-être à faire. Va-t-elle le dénoncer et révéler sa vraie nature à son épouse et à sa belle-mère ? Il doit avoir l'impression d'être assis sur un baril de poudre. Et le plus horrible, c'est que la personne qui a le pouvoir d'y mettre le feu, de déclencher l'explosion qui anéantira sa vie et sa famille, cette personne est une simple servante, une femme analphabète, sèche comme un coup de trique, aussi laide qu'un os de poulet tout rongé. Brusquement, Bhima est prise d'une envie de rire irraisonnée et irrépressible, mais Viraf l'arrête net en demandant d'une voix étranglée, une voix qu'on dirait asphyxiée par le flot des vapeurs d'essence qui les environnent : « Comment va Maya ? »

Comment répondre à une telle question ? Pour y répondre correctement elle devrait remonter au moins à l'époque de son arrière-grand-mère, lui expliquer que dans sa famille les femmes ont toujours été placées comme domestiques. Il faudrait lui dire combien elle avait souffert, enfant, quand sa mère était partie en la laissant malade à la maison, pour aller s'occuper de la maison et des enfants d'étrangers. Comment lui faire comprendre que lorsque Maya s'en allait à la faculté, le matin, elle se disait que tout ce qu'elle avait enduré dans son existence – les privations, les affronts, les trahisons – ne l'avait pas été en vain, si elle pouvait offrir à sa petite-fille une vie meilleure que celle qu'elle-même avait connue, ainsi que sa mère et la mère de sa mère ? Et surtout, comment lui dire qu'il ne suffisait pas d'un avortement pour effacer le passé, pour reculer les aiguilles de la pendule et permettre à Maya de repartir de zéro et de reprendre ses études. D'accord, c'était sa faute à elle, qui s'était empressée de faire face à Ashok Malhotra pour le convaincre d'épouser sa petite-fille, ruinant ainsi toutes les chances de Maya, mais que pouvait-elle faire d'autre ? Elle s'était laissé envoûter par la vision d'une cuisine remplie d'ustensiles rutilants et d'un petit garçon propret courant à travers la maison.

Par conséquent elle ne dit rien, fixe le tapis sous

ses pieds et, bientôt, Viraf, agacé, claque de la langue. Les voilà presque rendus au marché et il ralentit, tout en cherchant un endroit où la déposer. « On arrive », annonce-t-il, et elle perçoit un soulagement dans sa voix.

Elle a la main sur la poignée de la portière quand elle l'entend qui dit : « Écoute, enfin, je veux dire... si vous avez besoin de quoi que ce soit... »

Elle sent son visage devenir dur comme de la pierre. « Nous n'avons besoin de rien, dit-elle, la bouche pincée. Nous sommes pauvres, mais chaque grain de riz que nous mangeons, nous l'avons gagné. »

Viraf exhale un soupir bruyant. « Bon. D'accord. Mais bon Dieu, pourquoi est-ce que tout le monde, dans cette ville, se comporte de façon si noble et si mélodramatique ? Je disais simplement que... »

Elle est déjà sortie de la voiture et se sent happée dans l'agitation et la chaleur accueillantes de la rue. Ma place est ici, songe-t-elle. Parmi les vendeurs, les tireurs de charrettes, les marchands de poisson et les chiffonniers. Pas dans une auto climatisée. « Merci de m'avoir emmenée, Viraf *seth* », dit-elle.

À son expression, elle voit qu'il est blessé. Il a remarqué qu'elle l'avait appelé « monsieur », au lieu de *baba* – « mon petit » – le nom affectueux qu'elle lui donne habituellement. Son désappointement lui procure une petite satisfaction.

« Ce n'est rien, répond-il sèchement. Ah ! autre chose. Dis à Dinaz et à Sera de déjeuner sans moi. Aujourd'hui je rentrerai un peu plus tard. »

389

24

La journée a été longue et la maison est silencieuse, parce que Viraf et Dinaz sont sortis. Bhima est prête à partir, mais Serabai lui demande une tasse de thé et elle se sent obligée d'aller la lui préparer. Serabai n'est pas la même quand les enfants passent la soirée dehors, elle est plus songeuse, plus renfermée. Elle a besoin de sa fille et de son gendre pour animer l'appartement et, à cette pensée, Bhima éprouve un élan de pitié. Elle se souvient que l'année qui avait suivi la mort de Feroz, Serabai oubliait quelquefois de déjeuner si elle, Bhima, ne la harcelait pas pour qu'elle mange, et qu'une fois ou deux elle n'avait même plus pensé à se laver. Un soir, en entrant dans le salon, elle l'avait trouvée assise dans le noir, en train de marmonner toute seule et de se gratter furieusement le bras. Bhima s'était demandé laquelle des deux avait été la plus saisie, mais naturellement, Serabai avait réussi à renverser la situation en disant qu'elle ne pouvait jamais être tranquille chez elle et que ce n'était pas bien d'espionner les gens. De voir Sera, d'ordinaire si élégante, si convenable, tapie dans l'obscurité comme un animal en cage et rappelant une de ces vieilles folles parsies – Banubai, par exemple – avait choqué et attristé Bhima.

Le samedi suivant, quand le jeune couple était venu déjeuner comme à l'accoutumée, elle avait tenu à en parler à Dinaz. « Ta maman souffre de sa solitude, lui avait-elle chuchoté, alors qu'elle rapportait les assiettes sales à la cuisine. Des fois, elle oublie de boire et de manger et elle reste assise toute seule sans allumer la lumière. » Après tant d'années passées à protéger Serabai, à garder ses secrets et à respecter ses silences, elle avait eu la curieuse impression de la trahir. Mais l'expression inquiète de Dinaz avait été la confirmation dont elle avait besoin. « Je me posais justement des questions à ce sujet. Merci de m'en avoir parlé, Bhima. »

Oui, ç'avait été une bonne chose que Dinaz ait proposé à sa mère de venir habiter chez elle. La présence des enfants a été bénéfique pour Serabai. Bhima a connu trop de femmes parsies vieillies avant l'âge, qui, sans raison apparente, ne quittaient plus leur lit, se servaient d'un pot de chambre au lieu d'aller aux toilettes et refusaient de sortir de chez elles, sauf pour les cérémonies funéraires. Mrs Motocyclettewalla, qui habitait trois immeubles plus loin, au cinquième étage, en était un exemple. Il faut toutefois préciser qu'elle avait déjà commencé à perdre la tête depuis plusieurs années. Après l'accident de Gopal, Bhima avait pris un travail d'appoint, et elle faisait la vaisselle chez cette femme. Tous les après-midi, celle-ci restait dans la cuisine à la regarder se pencher au-dessus de l'évier, sans lui dire un seul mot et en imitant parfois le roucoulement des pigeons perchés sur le rebord extérieur de la fenêtre. Bhima en avait les cheveux qui se dressaient sur la tête. Pourquoi ne fait-elle pas sa vaisselle elle-même, puisqu'elle a du temps à perdre à me regarder avec ses yeux de hibou ? grommelait-elle tout bas. Mais elle avait besoin d'argent et Mrs Motocyclettewalla la payait toujours ponctuellement. Au bout de quelques mois, elle avait remarqué qu'elle roucoulait, même quand il n'y avait pas de pigeons sur la fenêtre. Et un jour, alors que Bhima s'apprêtait à partir, sa patronne l'avait regardée de ses yeux flamboyants, en disant : « Est-ce que tu as *pege paro* le *bati* avant de sortir de la cuisine ? »

Bhima l'avait considérée avec perplexité, puis elle avait dit : « Je ne comprends pas, *bai*. »

La voix de Mrs Motocyclettewalla s'était faite suraiguë : « Je te demande si tu as rendu hommage à la lampe à huile qui brûle dans la cuisine, sous le portrait du Seigneur Zoroastre. On ne doit jamais sortir de la cuisine sans avoir touché la lumière.

— Mais je ne suis pas parsie, *bai*, avait pris soin de lui rappeler Bhima. Je suis hindoue et même pas de famille brahmane. » Chez la plupart des parsis pour qui elle avait travaillé, c'était le contraire. Banubai, par exemple, aurait fait n'importe quoi pour empêcher l'ombre de Bhima de tomber sur le *bati* qui brûlait jour et nuit dans sa cuisine.

Par malheur, c'était justement ce qu'il ne fallait pas dire. Mrs Motocyclettewalla s'était lancée dans un long discours. « Personne n'est autorisé à sortir de cette maison sans s'être conformé au rituel, avait-elle dit en refermant la main sur le poignet de la servante. Sinon cent années de ténèbres s'abattront sur cette maison. » Elle avait pratiquement traîné Bhima dans la cuisine, où celle-ci avait dû imiter tous ses gestes, effleurant la lampe à huile du bout de ses doigts, puis se touchant le front en signe de respect. Après quoi, elle avait déclaré : « Très bien, *bai*, il faut que j'y aille, maintenant. Serabai doit m'attendre. »

À l'énoncé de ce nom, Bhima avait vu une nouvelle lueur de folie s'allumer dans les yeux de cette femme. « Tu diras à cette Sera de venir avec toi, demain, et d'apporter plusieurs bâtons de bois de santal. Il faut purifier la maison. Voilà des semaines que les pigeons me disent que quelque chose ne va pas et je sais maintenant que c'est toi la coupable. À partir d'aujourd'hui, tu devras baiser l'image du Seigneur Zoroastre avant de t'en aller, c'est compris ?

— *Achcha bai*, avait dit Bhima, en sortant de l'appartement à reculons. Je ferai la commission à Serabai. »

C'est le souvenir de Mrs Motocyclettewalla, qui s'était mise au lit, un jour, en refusant définitivement de se lever, bien que les médecins ne lui aient trouvé aucune maladie, qui avait poussé Bhima à parler de sa mère à Dinaz.

Mais aujourd'hui, pour la première fois, elle regrette son intervention. Si les enfants n'avaient pas quitté leur lointaine banlieue, Viraf ne serait probablement pas allé chez Banubai le jour où Maya s'y trouvait. Certes, Sera aurait passé beaucoup d'autres soirées semblables à celle-ci, à arpenter la maison comme si elle y voyait des fantômes, mais au moins Maya aurait été épargnée, au moins sa petite-fille aurait...

Sera entre dans la cuisine. « N'oublie pas de mettre des feuilles de menthe, dit-elle. Et fais-en une tasse pour toi aussi. »

Bhima se dirige vers le coin où elle range ses affaires et prend son gobelet, pendant que Sera va chercher une tasse pour elle, dans le placard. La vapeur qui monte du thé élève une barrière ondulante entre les deux femmes. Elles emportent chacune leur thé dans la salle à manger et s'installent à leur place habituelle – Sera juchée sur une chaise, Bhima accroupie par terre. Elles boivent en silence. Puis Sera soupire. « Il est bon, ce thé. Je suis sûre que c'est toi qui fais le meilleur thé dans tout Bombay.

— La maison est bien calme ce soir, sans les enfants », remarque Bhima. Elle ne peut se résoudre à prononcer tout haut le nom de Viraf.

« C'est vrai. Mais je suis contente que Dinaz soit sortie avec ses amies. Pauvre petite, elle est si fatiguée par sa grossesse depuis quelques jours, qu'elle a failli se décommander ce matin, sous prétexte qu'elle avait très mal dormi. Mais Viraf a réussi à la faire changer d'avis. Dieu sait qu'une fois que le bébé sera là, elle n'aura plus le temps de s'amuser avec ses copines. De plus, ses anciennes collègues de bureau tenaient beaucoup à la sortir.

— Il ne l'a pas accompagnée ? demande Bhima d'un air détaché, avec l'espoir que Sera ne s'apercevra pas qu'elle évite de prononcer le nom de Viraf.

— Non. C'est une sortie entre filles. C'est aussi bien. Ce garçon travaille beaucoup trop et il a besoin de se reposer un peu. » Elle fait une moue.

« Je ne dis pas qu'aller chez maman Banu soit du repos. Mais il ne devrait pas tarder à rentrer. Il a juste fait un saut là-bas pour vérifier les comptes du mois avec les infirmières et ranger quelques papiers. Hier soir, il y est resté jusqu'à onze heures. Combien de gendres feraient ça ? Mais même si elle en avait conscience, ma belle-mère ne lui en serait même pas reconnaissante. »

Un instant, Bhima est prise de panique à l'idée que Viraf est seul avec l'infirmière Edna. Et si jamais il tentait d'abuser de cette pauvre femme ? Elle secoue la tête pour chasser les images importunes qui commencent à s'y former. Edna est une femme mariée, une mère de famille. Elle saurait se défendre si jamais Viraf tentait un de ses *badmaashi* avec elle. En outre, les hommes dans son genre préfèrent la chair fraîche comme Maya. Pourquoi s'intéresserait-il à une femme fatiguée, pourvue d'un mari et de plusieurs enfants ? Non, Viraf et ses pareils ont besoin de salir ce qui est pur, comme lorsqu'on fait tomber une goutte d'encre dans un verre de lait.

« Arrête de froncer les sourcils, Bhima, s'exclame Sera en riant. Seigneur ! on dirait que tu as vu un *bhoot* ou je ne sais quoi. Dis-moi quelles sombres pensées t'occupent ? »

Si seulement je pouvais vous le dire, songe Bhima. Vous donner un coup de poignard serait moins cruel que de vous tuer avec le poison de mes pensées. « Ma vie tout entière est une sombre pensée », déclare-t-elle à haute voix.

Sera soupire. « Je vois ce que tu veux dire. » Elle lutte visiblement contre son émotion, puis s'efforce de se redresser sur sa chaise. « Mais nous ne pouvons pas nous laisser aller, Bhima. Nous autres femmes, nous ne vivons pas que pour nous, loin de là. Toi, tu vis pour Maya, moi pour Dinaz et bientôt, pour le bébé. Vois-tu, je me dis souvent que les hommes peuvent se permettre de prendre davantage de risques, de voler plus haut et de s'écraser avec plus de violence, parce qu'ils ont toujours le suicide comme porte de sortie. Si ça tourne mal... *bas,* il leur reste au moins cet ultime recours. Quand j'étais jeune, j'enviais les hommes à cause de ça. Deux de mes cousins se sont supprimés, vois-tu. Mais quand on est une femme, on ne vit pas pour soi. Surtout si on a des enfants. Je me demande même à quoi ça nous sert d'avoir un corps avec lequel se déplacer, une fois qu'on a des enfants. Dès qu'ils sont là, nous vivons exclusivement pour eux. *Arre,* et il n'y a pas que les enfants. Figure-toi que je me fais même du souci pour maman Banu, c'est vraiment le comble. Maintenant que Feroz n'est plus là, je me demande souvent ce qu'elle deviendrait si je partais avant elle.

— Pourquoi est-ce que vous partiriez avant elle ? proteste Bhima. Votre heure n'est pas encore venue, Serabai, et je prie pour qu'elle ne vienne pas avant longtemps.

— Moi aussi. Et avec le bébé qui va bientôt arriver... Tu te rends compte, Bhima ? Pour la première fois de ma vie, j'ai vraiment envie de vivre. Jusqu'ici, je peux le dire en toute sincérité, ça m'était égal. J'ignore ce qui n'allait pas chez moi, mais même quand j'étais jeune, je ne tenais pas plus que ça à l'existence. Toutes les choses qu'il faut faire uniquement pour rester en vie me semblaient trop compliquées, je trouvais que ça ne valait pas la peine de se donner tant de mal. Mais aujourd'hui, j'ai très envie de voir grandir l'enfant de Dinaz. Et je veux être là quand... »

La sonnette de la porte d'entrée retentit. Bhima s'apprête à se lever, mais Serabai l'arrête. « J'y vais. C'est sûrement Viraf. J'ai presque fini mon thé. » Elle boit une dernière et longue gorgée et pose sur la table la tasse que Bhima débarrassera plus tard.

Bhima reste là à siroter son thé, en se demandant ce qu'elle et Maya pourraient faire ce soir. Depuis qu'elles ont rencontré Viraf à Chowpatty, Maya refuse d'aller au bord de la mer et les soirées à la maison sont désormais longues et pesantes. Bhima a la nostalgie de l'air doux de la nuit, de l'odeur de l'eau et de l'intimité qui les unissait quand elles marchaient côte à côte sur la plage. Elle songe avec regret au spectacle qu'offrait la promenade – les messieurs et les dames bien vêtus, passant dans de grosses automobiles, les culs-de-jatte mendiant sur des planches à roulettes, les sikhs à la carrure imposante, coiffés de leur turban rouge, les musulmanes en *burqa*, les vieux couples parsis assis bras dessus, bras dessous, sur les bancs de pierre, les call-girls en talons hauts guettant les clients des hôtels avoisinants, les bandes bruyantes d'adolescents sortant des lycées du quartier. Bhima était si contente de fuir la lugubre solitude de sa baraque, pour se mêler à cette foule fluide et informe. Il lui semblait parfois qu'elle n'avait même pas besoin de faire un geste, de mettre un pied devant l'autre, qu'il lui suffisait simplement d'être là, pour que le flot l'entraîne vers l'avant, de même que le vent pousse les vagues...

Elle sursaute en prenant conscience que Viraf prononce son nom, et son front commence à se plisser de colère. Il est temps qu'elle rentre à la maison et cet imbécile va sans doute avoir encore besoin d'elle. Elle est en train de se demander ce qu'il peut bien lui vouloir, quand la voix de Serabai, qui sonne bizarrement, l'arrête dans ses suppositions. « Impossible, dit Sera. Tu dois te tromper, *deekra*. » Elle a un ton catégorique, inquiet, blessé et soupçonneux, tout à la fois.

Il y a un silence que vient aussitôt combler la voix bien timbrée de Viraf, de même que la cavalcade des souris qui parcourent sa cabane trouble le calme de la nuit. « Je vous assure. Je l'ai constaté de mes propres yeux, reprend-il, sur un registre plus aigu et plus affirmé que précédemment.

— Bhima. » La voix de Sera, toujours empreinte de cette curieuse tonalité, l'appelle. Elle se lève avec un petit grognement et attend quelques secondes que ses vieux os se mettent en place.

Viraf et Sera sont dans le séjour, assis l'un près de l'autre, sur le canapé. Sera est très rouge et elle a un air agité qui contraste totalement avec l'expression songeuse qu'elle avait à peine quelques minutes plus tôt. Apparemment, ce qu'a dit ou fait ce garçon l'a beaucoup perturbée. Un instant, Bhima se demande s'il ne lui aurait pas parlé de Maya, mais elle écarte aussitôt cette idée.

« Ah! Bhima, c'est bien. Tu es là, bredouille Sera.

398

Viraf a un problème. Il semble... il semble que de l'argent ait disparu de l'armoire de Banubai. »

Bhima la regarde sans comprendre, elle ne voit pas trop en quoi cette affaire la concerne. « Beaucoup d'argent ? finit-elle par demander. Il y a longtemps qu'il a disparu ?

— C'est justement la question. D'après notre Viraf, c'est...

— L'argent était encore là il y a trois jours, l'interrompt celui-ci. » Son visage est moite de sueur et un tic nerveux fait tressaillir sa mâchoire. « Je l'y avais mis là moi-même. Et hier je t'ai dit d'aller me chercher les carnets de reçus. Je t'avais dit de prendre une enveloppe et de laisser l'autre, tu t'en souviens ?

— Oui, elle était là, s'écrie triomphalement Bhima, toute contente de contribuer à démêler l'imbroglio. Je l'ai vue de mes yeux.

— Tu l'as ouverte ?

— Mais non. Pourquoi faire ? Au toucher, j'ai reconnu tout de suite celle qui contenait les carnets de reçus. » Bhima se demande si elle n'aurait pas commis une faute en omettant de vérifier le contenu de chacune des deux enveloppes.

Un silence embarrassé retombe et Sera pose sur Viraf un regard à la fois perplexe et rassuré. « Alors, c'est un mystère, dit-elle gaiement. Dieu merci ! ce n'était pas une grosse somme. Seulement sept cents roupies.

— La question n'est pas là. » Les paroles de Viraf sont tranchantes comme des lames de couteau. Il braque ses yeux noirs sur Bhima. « Tu as dit que tu m'avais tout de suite rapporté les clés de l'armoire, c'est bien ça ? Tu ne les as pas données à Edna ni à personne d'autre ? »

Ce garçon la prendrait-il pour une demeurée ? Elle allait chez Banubai des années avant que ce Viraf ait commencé à s'occuper de son argent, avec toutes ces histoires de carnets de reçus et de carnets de dépôts. Elle a transporté des sommes importantes d'une maison à l'autre, elle a déposé des chèques sur le compte bancaire de Feroz, elle a eu en main les trousseaux de clés des deux appartements. « Personne d'autre que moi n'a eu les clés, *seth*, dit-elle d'un air maussade.

— Dans ce cas, je ne vois qu'une seule explication. Entre le moment où j'ai mis l'argent dans l'armoire, avant-hier, et celui où je suis retourné chez Banu, aujourd'hui, tu as été la seule personne à ouvrir cette armoire. C'est donc toi qui as pris l'argent. »

Sera pousse un cri – d'indignation ? De colère ? De dénégation ? En entendant ce cri, Bhima la regarde sans rien dire. Elle voudrait que Sera gifle l'homme assis à côté d'elle, qu'elle plaque la main sur sa bouche, pour lui rentrer ces paroles blasphématoires dans la gorge. Sera capte ce regard et cela semble la tirer de sa stupeur. « Viraf, ne dis pas d'absurdités, murmure-t-elle.

— Des absurdités ? Et pourquoi des absurdités ? Sans vous manquer de respect, maman Sera, est-ce que vous allez laisser Bhima nier l'évidence ou allez-vous la nier à sa place ? Regardez-la, elle a l'air coupable d'une voleuse et vous vous précipitez pour prendre sa défense. »

Une minute durant, le monde devient noir, puis,

400

étonnamment, aveuglément, blanc. Dans ce néant blanc, Bhima éclate de rire. Sortant de ce blanc – qui est maintenant bordé de rouge, rouge comme du sang, rouge comme la fureur – elle voit le visage de Sera, levé, interrogateur ; elle voit Viraf et son air sournois. Elle comprend qu'il lui a tendu un piège. Il a dû préparer son coup depuis longtemps. Alors même qu'il refusait de la regarder en face toutes les fois qu'elle le toisait avec des yeux furibonds, alors même qu'il jouait les humbles quand elle le rembarrait, qu'il mangeait les œufs au plat dans lesquels elle avait craché un jour avant de les lui servir, il installait son piège. Pendant tout ce temps, son cerveau complotait sa vengeance, disposait chaque pièce, empilait les briques du mur qui allait l'emprisonner.

Elle rit de nouveau. Elle rit de sa sotte naïveté, qui s'avère aussi funeste que celle de Maya. Elle rit de la prétention qui l'a amenée à croire qu'elle pouvait s'attaquer à un homme instruit et puissant comme Viraf, sans en payer le prix. Mais surtout, elle rit d'avoir cru qu'il se repentait de sa mauvaise action, qu'il avait sincèrement honte de ce moment de faiblesse. Il s'était conduit en bête sauvage, pourtant elle ne l'avait pas vu ainsi. Elle avait préféré se dire qu'il ne s'en prendrait jamais plus à sa famille, que le fait de savoir qu'elle savait suffirait à lui ôter ses crocs.

Et voilà où elle en était. Feroz *seth* lui-même, malgré son mauvais caractère et son arrogance, n'aurait jamais mis en doute son honnêteté, sa fidélité de chien de garde. Elle croit entendre Maya lui reprocher, non sans aigreur, d'être plus dévouée aux Dubash qu'à sa propre famille. Elle disait vrai – elle les a servis comme une esclave, protégés et défendus avec acharnement. Et maintenant, ce serpent, ce démon au visage séduisant, l'accusait d'avoir volé Serabai.

« Vous avez vu cette *naffat*? demande Viraf. Vous vous rendez compte? Elle rit alors qu'on l'accuse d'avoir commis un grave délit. Si ça continue, je vais appeler la police, c'est sûr. »

Le mot « police » ramène Bhima à la réalité. Elle sent le sang cogner dans sa tête et les mots s'écoulent de sa bouche, épais et salés comme du sang. « C'est ça, appelez la police. Racontez-leur votre histoire et ensuite je leur raconterai la mienne. Je leur raconterai comment vous avez ruiné la réputation de ma famille, comment vous avez sali son honneur. Appelez la police, espèce de *kutta*, et vous verrez de quoi je suis faite, sale chien...

— Bhima, siffle Sera, blême de fureur. Maîtrise-toi. Est-ce que tu es devenue folle pour parler de façon aussi vulgaire? N'oublie pas à qui tu t'adresses. »

Bhima se retourne soudain vers elle, les traits déformés par la colère. Elle se rend compte qu'elle doit se dépêcher de parler avant que les larmes se mettent à couler et noient ses paroles. « Je sais parfaitement à qui je m'adresse, *bai*. C'est vous qui ne connaissez pas cet homme. Ça fait des mois que je me tais, par respect pour vous. Mais maintenant il faut que je parle, que je vous fasse voir la noirceur de son cœur...

— Vous voyez ce que vous avez fait, maman

Sera ? hurle Viraf. C'est votre récompense pour avoir traité une domestique comme un membre de la famille. Cette femme sans vergogne ne reculera devant rien pour essayer de se disculper. Dieu sait depuis combien de temps elle vous vole et vous n'avez même pas...

— Que Dieu me foudroie si je vous ai jamais volé un seul *paise,* dit Bhima d'une voix tremblante de larmes contenues. Et vous, que Dieu vous foudroie d'accuser injustement une pauvre femme comme moi, dans le seul but de cacher votre infamie avec mon déshonneur.

— Ingrate, lance Viraf. Tu as mangé notre pain pendant des années et maintenant tu nous maudis. Maman Sera, vous auriez dû écouter ce que tout le monde ne cesse de vous dire depuis si longtemps. C'est ma faute, j'aurais dû empêcher cette femme de vous mener par le bout du nez. Voilà ce qui arrive quand on gâte trop un chien perdu. Tôt ou tard, il vous mord. »

Sera est assise sur le canapé. Elle a l'air accablée. Bhima la sent qui s'éloigne d'elle ainsi qu'une lune s'élevant de plus en plus haut dans le ciel de la nuit. « Serabai, *maaf karo.* Pardonnez-moi ces paroles cruelles, *bai.* Mais vous ne savez pas quelle perversité se cache chez cet homme. C'est lui, le chien enragé, *bai,* pas moi. Je vous supplie de... »

Viraf lève une main menaçante au-dessus de la tête de Bhima. « Écoute, espèce de salope. Continue à nous insulter et je te traînerai toute nue jusqu'au poste de police, compris ? Et maintenant, prends tes affaires et fiche le camp d'ici. »

Il taillade l'air de la main et Sera a un mouvement de recul. « Essayons tous les trois de retrouver notre calme, dit-elle d'une voix forte. Nous sommes en train de perdre le contrôle de la situation. » Les yeux pleins de larmes, elle regarde Bhima. « Bhima, dis-moi la vérité. Si tu avais besoin d'argent, je comprendrai. Mais dis-moi la vérité. »

Sa prière reste un moment en suspens dans l'atmosphère, ainsi qu'une goutte d'eau accrochée à un toit qui fuit. Alors, folle de rage et d'indignation, Bhima décide de faire s'écrouler le toit. « La vérité ? Si vous voulez la vérité, demandez-lui ce qu'il a fait à ma Maya, ricane-t-elle. Demandez-lui quel crime il essaie de cacher. Il croit pouvoir acheter mon silence avec ses sept cents roupies ? Même s'il me construisait une maison tout en or, je ne lui pardonnerais pas ce qu'il a fait à ma... »

Sera laisse échapper un cri étranglé. Épouvantée, elle se tourne vers Viraf et le questionne du regard, avec des yeux écarquillés et remplis de crainte qui scrutent sa face de pierre. Mais l'instant d'après, le refus de croire se peint sur son visage. « Ça suffit, dit-elle en se bouchant les oreilles comme le faisait Pooja, quand Bhima et Gopal se disputaient. J'en ai assez de tes élucubrations, Bhima. Grâce au Ciel, ma Dinu n'est pas là pour entendre les horreurs qui sortent de ta bouche. Il vaut mieux que tu t'en ailles avant que je dise des choses que je regretterai par la suite. Je peux te trouver des excuses pour m'avoir volée, mais avoir voulu salir l'honneur de mon gendre, ça, je ne te le pardonnerai jamais.

— Écoutez-moi, Serabai. J'essaie de vous dire...

— Ce que ta Maya a fait, c'est son affaire, hurle Sera. Elle peut coucher avec qui bon lui semble, je m'en fiche. Mais ne mêle pas ma famille à ces turpitudes. J'ai fait tout ce que j'ai pu pour elle. Désormais, je me lave les mains de ce qui pourra vous arriver. Va-t'en, répète-t-elle, tout en se mordant la lèvre nerveusement. Que je ne te revoie jamais plus. »

Bhima entend la dernière brique se mettre en place. Elle voit la pellicule de sueur qui couvre le visage de Viraf, ainsi qu'une expression de satisfaction presque imperceptible. Il a un regard brillant, perçant, l'air de dire : « Tu vois ? Je savais bien que je finirais par t'avoir. »

Des sanglots se forment, telles des bulles, dans la gorge de Bhima, et agitent son corps frêle. « Sera-bai, ne me renvoyez pas, supplie-t-elle. Après tant d'années, où pourrais-je aller ? »

Mais Sera conserve un visage de marbre. Elle regarde Bhima comme si elle la voyait pour la première fois. « Prends tes affaires et va-t'en, dit-elle à mi-voix. S'il te plaît. Ne dis plus rien. Pars tout simplement. Je t'enverrai l'argent que je te dois. »

Bhima parcourt le long couloir menant à la cuisine, sur des jambes qui semblent incapables de la soutenir. Viraf et Sera la suivent et ils lui font l'impression d'être des geôliers accompagnant un condamné à sa cellule. Son regard erre sur les maigres possessions qu'elle a entreposées dans un carton, dans un coin de la cuisine : une boîte à savon, du talc, un peigne auquel il manque une dent, son gobelet de métal, sa tabatière. Au moment de prendre le carton, ses larmes jaillissent, brûlantes. Elle parcourt des yeux cette pièce qu'elle a tant de fois balayée et nettoyée, où elle est entrée si souvent, le soir, sans même allumer la lumière, connaissant la place de chaque fourchette, de chaque assiette, de chaque casserole. Elle aperçoit la toile d'araignée qui est en train de se former dans un angle, près de la fenêtre, et qu'elle avait eu l'intention d'enlever hier. Elle éprouve une certaine fierté en remarquant que la Cocotte-Minute qu'elle a astiquée dans la journée reluit. Elle soupire en regardant le haut plafond qui faisait un contraste si agréable avec celui de sa masure, qui l'écrase et l'oblige à se baisser pour entrer.

Elle va sortir de la cuisine quand, tout à coup, une idée lui vient et elle se retourne vers Sera qui a le regard fixe et vide d'une somnambule. « La petite Dinaz, dit-elle d'une voix cassée par l'émotion. Je ne vais pas pouvoir dire au revoir à la petite Dinaz. »

Une lueur chaleureuse s'allume dans les yeux de Sera, pour se changer très vite en glaçons. « Tant mieux, dit-elle, d'une voix qui se durcit à mesure qu'elle parle. Après toutes les horreurs que tu viens de dire, je suis contente que tu ne revoies jamais ma fille. »

La boule logée dans la gorge de Bhima a un goût de sang. « Je n'ai jamais eu l'intention de vous faire du mal, ni à vous ni à la petite, Serabai. Elle est comme ma...

— *Achcha, bas,* assez de pleurnicheries, dit Viraf. Dépêche-toi, *chalo,* fiche le camp. »

Il ouvre la porte d'entrée et la lui tient pour

qu'elle sorte. Le diable devant les portes de l'enfer, songe-t-elle. C'est alors qu'elle est saisie par une autre pensée : L'enfer est de l'autre côté de cette porte. Ce sera l'enfer pour trouver du travail à mon âge, pour m'habituer au mode de vie d'une autre famille, balayer, laver et cuisiner pour des inconnus. Ce sera l'enfer de travailler pour des gens qui me seront étrangers, en gagnant moins et en voyant Maya jeter son avenir à la poubelle, comme un fruit pourri. L'enfer de savoir qu'il n'y aura jamais une autre Serabai, personne pour s'intéresser aux études de Maya, personne pour se soucier si elle, Bhima, est morte ou vivante.

La gratitude lui serre la gorge et l'incite à saisir la main raidie de Sera pour la porter à ses yeux. « Serabai, même si je suis condamnée à renaître en ce monde un million de fois, je ne pourrai jamais vous rendre... » Malgré la pénombre du crépuscule, elle voit la larme qui luit sur la peau claire du poignet de Sera.

Viraf lui claque la porte au nez avant qu'elle ait pu finir sa phrase. Elle s'appuie un instant contre le mur, les yeux fermés, puis elle se dirige à pas lents vers l'ascenseur. Mais mortifiée à l'idée que le liftier soit témoin de sa disgrâce, elle décide de prendre l'escalier et entame sa longue et doulou-reuse descente.

25

Il fait déjà presque nuit quand Bhima sort de l'immeuble. Le ciel d'un orange poussiéreux tombe sur les visages des gens qui marchent en dessous, si bien que chacune de ces faces brunes, cireuses, irradie comme si elle était éclairée par la lumière de plusieurs millions de soleils. Les passants ont l'air dorés par la caresse d'un dieu bienveillant. Le vent qui souffle en rafales balaye les cheveux de Bhima et met du désordre dans son chignon. Son carton en équilibre sur sa main droite, elle essaye de rabattre ses mèches folles avec la gauche, mais, n'y arrivant pas, elle renonce et se sert de sa main libre pour tenir son sari que soulève une bourrasque. En temps normal ce vent incessant l'aurait irritée, mais aujourd'hui il est le bienvenu. L'air frais du soir danse sur son visage et ses larmes se figent le long des sillons qu'elles ont tracés sur ses joues. Grâce à ce vent, elle se sent libre et anonyme ; il la protège des regards curieux des centaines d'autres personnes qui avancent en même temps qu'elle dans la rue.

Ses pieds raclent la pierre du trottoir ; ils connaissent le chemin aussi bien qu'un chien d'aveugle. Elle n'a pas besoin de penser à la direction qu'elle doit prendre, ses pas la conduiront jusque chez elle. Elle peut consacrer toutes ses facultés à faire le tri parmi les cadavres, identifier les restes calcinés, réunir les membres dispersés par l'explosion qui a bouleversé sa vie. Car ce n'est pas seulement sa vie et celle de Maya qui ont été atteintes. De cela elle est certaine.

L'expression qu'a eue Serabai, quand elle lui a révélé la vérité. Serabai pourra-t-elle un jour désapprendre ces paroles, les enfouir sous les strates protectrices de l'oubli et du refus de croire ? Ou, au contraire, ces mots ne vont-ils pas s'obstiner à croasser à ses oreilles ainsi que de noirs corbeaux, à picorer sa peau claire comme des vautours, à la tourmenter dans la moiteur de ses nuits d'insomnie ? Sera-t-elle capable, un jour, de voir la physionomie innocente et enjouée de Dinaz sans penser à l'infidélité dont elle a été victime ? Ces paroles inopportunes vont-elles élever un mur de verre entre Serabai et Viraf, mur qu'ils seront seuls à distinguer, qu'ils ne pourront escalader ni l'un ni l'autre, qui les enfermera tous les deux dans un univers figé par la suspicion ? Et le bébé. Ce bébé que Bhima ne connaîtra jamais. Elle sait qu'il sera beau, il aura le regard noir et intense de Viraf, la bouche tendre de Dinaz. Mais Serabai pourra-t-elle contempler cet enfant au teint clair et parfait sans penser à son demi-frère, plus foncé de peau, à la mort duquel Maya l'a contrainte à assister ?

Les riches raisonnent-ils ainsi ? se demande Bhima. N'apprennent-ils pas à se protéger des obsessions et des tourments engendrés par la vérité, en même temps qu'ils apprennent à écrire et à compter ? Elle n'en a aucune idée. Dans un sens, elle connaît mieux Serabai que la plupart des personnes de sa famille, mais que sait-elle en réalité de cette femme digne et fière, qui a représenté pour elle, des années durant, une puissance comparable à Dieu ? Elle se rend compte maintenant que ce qu'elle connaît de Serabai, ce sont surtout ses goûts et ses manières d'être. Elle sait qu'elle aime son thé léger, avec un peu de lait ; qu'elle n'aime pas porter des vêtements amidonnés, qu'elle est généreuse et croit dans les bienfaits de l'instruction. Elle connaît aussi Serabai par ses silences – un silence soudain, réprobateur, quand quelque chose ne lui plaît pas ; un silence fier, glacial, quand elle veut cacher ses blessures aux yeux du monde ; un silence timide, embarrassé, quand elle est en compagnie de commères et qu'elle-même n'a rien à dire.

Mais, en fin de compte, bien qu'elle travaille chez Serabai depuis si longtemps, Bhima s'aperçoit qu'elle ne sait rien de ses pensées. Et pourquoi en serait-il autrement, ignorante que tu es ? se morigène-t-elle. Serabai est instruite. Elle a voyagé, elle lit le journal tous les jours, alors que toi, tu glanes les bribes d'informations que tu trouves sur ton chemin comme des miettes de pain. De quoi pourrait-elle bien te parler ? Bhima rougit en pensant aux nombreuses fois où Serabai a dû lui ouvrir les yeux. À propos de sa terreur des musulmans, par exemple. Comme tant d'autres, elle avait été élevée dans l'idée que les musulmans allaient bientôt s'emparer du pouvoir, qu'ils projetaient de s'approprier toutes les richesses du pays et d'en chasser les hindous. C'est pour cette raison qu'ils avaient tant et tant d'enfants, et le gouvernement les soutenait, ciblant les campagnes pour la limitation des naissances sur les seuls hindous. Quand Bhima lui avait confié ses inquiétudes à ce sujet, Serabai avait d'abord éclaté de rire. Mais aussitôt après, elle était devenue grave, et une expression préoccupée était passée dans son regard. Elle était allée dans la pièce voisine et en était revenue avec un gros livre dont elle lui avait lu des passages. Ce livre disait que les musulmans de l'Inde étaient presque tous d'une extrême pauvreté et infiniment moins nombreux que les hindous. « Même si certains d'entre eux avaient l'intention de – comment as-tu dit ? – de s'emparer du pouvoir, à ce rythme, il leur faudrait plus de cent ans », avait déclaré Serabai, mais Bhima ne voulait pas le croire. C'est alors qu'elle s'était mise en devoir de lui traduire des articles du journal où il était question de villages musulmans incendiés par la populace hindoue et de la façon dont les hommes politiques montaient les deux communautés l'une contre l'autre. Mais surtout, Serabai lui avait expliqué qu'hindous et musulmans avaient vécu en bonne entente pendant des siècles, jusqu'à l'arrivée des *sahib* blancs qui, avec leurs *badmaashi*, avaient réussi à faire germer la peur entre eux. À partir de ce jour, Bhima avait cessé de détester les musulmans pour reporter sa haine sur les hommes politiques.

Mais, aujourd'hui, Bhima regrette que Serabai ne lui ait pas fait partager quelques-unes de ses pensées plutôt que de lui donner des leçons d'histoire. Des pensées qu'elle gardait enfermées dans

411

sa tête comme des remèdes dans un placard à pharmacie, ou de l'argent dans une armoire. De l'argent dans une armoire. Sept cents roupies. Bhima savait que lorsque Viraf recevait des amis, il dépensait bien plus que ça, rien qu'en bière et en boissons non alcoolisées. C'était une somme trop modeste pour qu'il y ait prêté attention en toute autre circonstance.

Mais qui dit que cet argent a vraiment disparu ? pense-t-elle, soudain ulcérée. En ce moment, cet argent se trouve probablement dans la poche de son pantalon. L'enveloppe marron a été la dernière brique avec laquelle il t'a emprisonnée, tu comprends ? Tu avais cru que le comptable de la société qui employait Gopal t'avait roulée, alors qu'il avait simplement profité de ta bêtise et de ton ignorance. Mais ce garçon. Ce garçon t'a traitée ouvertement de voleuse, sans que tu puisses rien faire. Tel un chasseur qui pose un piège pour attraper une bête sauvage, il a installé un piège à ton intention. Il a dû choisir un jour où il savait que la petite Dinaz ne serait pas là. Il a dû préparer son plan pendant des jours et des semaines. Toutes les fois que tu le regardais de travers, toutes les fois que tu ne venais pas aussitôt qu'il t'appelait, toutes les fois que tu l'humiliais devant sa femme, il réfléchissait, il calculait, il échafaudait son plan. D'ailleurs, ce n'était pas très compliqué. Avait-il vraiment peur, sachant qu'il avait affaire à une vieille bonne femme ? Sans doute n'attendait-il même pas une occasion propice. Il devait simplement s'amuser avec toi, te balader ici et là, jusqu'à ce que tu te croies plus puissante que tu ne l'étais.

412

Puis, d'une pichenette, il t'a fait dégringoler de ton perchoir. Sept cents roupies, voilà avec quoi il t'a achetée et vendue. C'est ce que tu vaux – moins que la bière nécessaire pour un dîner.

La gorge de Bhima brûle du sel de l'injustice. Elle avale la boule qui s'y loge et qui se fraye un chemin de feu dans son tube digestif, pour finir par s'installer dans son estomac, tel un tas de braises. Elle se demande si elle ne devrait pas retourner chez Serabai, à un moment où celle-ci sera seule. Et un cri lui échappe, tant la réponse est évidente : Impossible. S'il n'y avait eu que l'argent volé, elle aurait pu aller trouver Serabai, la convaincre de son innocence. D'ailleurs, elle n'aurait même pas eu à dire un seul mot – Serabai avait pris sa défense, n'est-ce pas ? En cela, Viraf n'avait pas tenu compte du sens de la justice enraciné dans le cœur de sa belle-mère. Si ce garçon avait cru qu'elle la renverrait sur la seule foi de ses infâmes accusations, il se trompait. Mais si Viraf avait été incapable d'allumer son bûcher funéraire, Bhima s'en était chargée à sa place. Elle avait grimpé tout en haut du tas de bois soigneusement disposé et s'y était couchée ; elle avait frotté l'allumette et fait naître les flammes qui l'avaient dévorée. Par ses paroles, elle avait déclenché un feu auquel ils s'étaient tous brûlés. Un feu qui l'avait consumée, transformant en cendres son avenir et ses rêves. Elle ne saurait jamais quels dégâts il avait causé chez les deux autres – les flammes les avaient-elles seulement léchés, avant d'être étouffées sous leurs dénégations, ou, au contraire, est-ce qu'ils en porteraient à jamais les cicatrices ?

Et malgré son chagrin et son indignation, Bhima prie pour que Serabai ne la croie pas. Elle n'a aucune envie de faire du mal à cette femme qui a déjà tant souffert. « *Ae bhagwan*, pardonnez-moi, murmure-t-elle. Vous auriez dû me couper la langue plutôt que de me laisser prononcer ces mots épouvantables. » Elle ferme les yeux un instant pour ne pas voir le visage stupéfait, interdit, de Sera, et frôle un adolescent qui roule à bicyclette, du mauvais côté de la rue. « *Ae mausi*, faites un peu attention ! lui crie-t-il par-dessus son épaule, tout en zigzaguant à travers la cohue. Z'avez failli m'faire tomber de ma bécane, *yaar*. »

Confuse, Bhima marmonne des excuses et accélère le pas. Tout à coup, elle repense au soir où est mort Feroz *seth*. Quelque chose dans le ciel qui flamboie de pourpre et d'orange lui rappelle ce moment. Elle se revoit debout devant la porte en train de regarder le corps raidi et se disant, chose étrange, qu'elle ne verrait plus jamais Feroz *seth*, une fois que les ambulanciers l'auraient emporté. Seuls les parsis avaient le droit de pénétrer dans la Tour du silence. Immobile sur le seuil de la chambre, elle s'efforçait d'imprimer ses traits dans sa mémoire et de réentendre le son de sa voix, son rire bref et abrupt. Pour s'apercevoir qu'elle en était incapable. Mort depuis quelques minutes à peine et déjà disparu.

La rupture avec Sera me donne aussi cette curieuse impression, songe-t-elle. Une rupture aussi brutale que la mort. En pire, car elle devra désormais vivre en sachant que Sera habite dans la même ville en même temps qu'elle, que dans quelques semaines elle se penchera sur le berceau du bébé en lui chantant une chanson, pendant qu'une autre femme lavera ses vêtements, ses poêles et ses casseroles.

La pensée de cette autre déclenche en elle un flot de colère et, pareille à de l'électricité, cette colère change de cours et se retourne vers le dedans. Femme stupide, se dit-elle. Que t'importe la personne qui travaillera dans cette maison ? Même quand ton mari est parti, tu as eu moins de peine qu'aujourd'hui. Qu'est-ce que ces gens sont pour toi, après tout ? Ils t'ont jetée, le moment venu, comme un croûton de pain rassis, n'est-ce pas ? Serabai n'a-t-elle pas préféré croire le mensonge évident de son gendre plutôt que ton évidente vérité ? Ne s'est-elle pas repliée derrière sa famille, lorsqu'il lui a fallu faire un choix ? A-t-elle giflé Viraf, quand il t'a traitée de voleuse ? Lui a-t-elle intimé l'ordre de sortir de chez elle, quand tu lui as appris ce qu'il avait fait ? Non, au contraire c'est à toi qu'elle a demandé de partir. Ce que maman disait toujours est bien vrai : le sang est plus épais que l'eau. Par conséquent, bien que Serabai n'ait pas mis Viraf au monde, il n'en est pas moins son fils – même peau claire, même assurance face à des inconnus, même façon de s'exprimer dans un langage choisi.

En ce jour d'intrigue et de perfidie, Bhima ne s'étonne pas de constater que même ses pieds l'ont trahie. Au lieu de la conduire chez elle, ainsi qu'elle le pensait, ils ont pris un brusque virage, si bien qu'elle se retrouve devant l'océan. Le ciel, au-dessus de l'eau, prend des teintes encore plus

415

violentes ; il est comme meurtri, tailladé de rouge et de violet par une lame de rasoir maniée par un fou. Tout à coup elle ressent un besoin irrépressible de s'approcher tout près de la mer, d'entendre dans ses battements sauvages mais contrôlés le violent tumulte de son propre cœur. Le vent la pousse en avant, à travers les six files de voitures qu'elle doit franchir pour atteindre le trottoir opposé. Un instant, elle se sent un peu coupable à l'idée que Maya doit s'inquiéter de ne pas la voir rentrer, mais une bourrasque s'empare de ses remords et les emporte.

Elle pose son carton sur le muret de ciment qui court le long du rivage et s'assoit à côté. Quand elle s'en ira, elle le laissera là. Ce n'est qu'un rappel ironique d'un temps à jamais révolu. Quelqu'un n'aura qu'à y faire son choix. Elle imagine la joie d'un jeune garçon découvrant son peigne bleu ; une mendiante repartant avec sa boîte à savon ; une adolescente se passant son talc sur la peau, demain matin. Elle reste assise avec les centaines de personnes qui contemplent l'eau grise en train de marteler de ses poings les gros blocs séparant la mer du muret. Elle enjoint l'océan de déclencher une énorme vague, une vague qui s'élèvera majestueusement par-dessus la digue, en balayant tout – les dames riches qui promènent leur chien, les étrangers aux cheveux jaunes, qui marchent à grandes enjambées, leurs gros sacs sur le dos, les couples installés face à la mer, les mains entrelacées, le *channawalla* et sa plainte nasale, qui tente de la convaincre de lui acheter des cacahuètes. Et, plus que tout, elle voudrait que cette vague s'enfle et submerge son corps maigre et las pour l'emporter au large, tel un bout de bois; elle voudrait danser sur les flots, comme une noix de coco sèche qu'on a jetée à la mer pour apaiser les dieux; elle prie pour que l'eau la lave de ses péchés, évacue de sa tête les pensées qui la brûlent et éteigne le feu qui ronge sa gorge.

« *Bai*, *bai*. » Le *channawalla* est toujours là, qui la harcèle pour qu'elle lui achète quelque chose. Elle refuse d'un signe de tête, mais cette preuve qu'elle l'a entendu ne fait que l'encourager. « S'il vous plaît, *bai*, dit-il avec un sourire enjôleur. Les affaires ne marchent pas aujourd'hui. J'ai une femme et cinq enfants à la maison. »

Elle le considère avec dédain, en repensant au vieux Pachtoune et à sa tranquille dignité. Lui, il n'aurait jamais supplié personne de lui acheter ses ballons. Il aurait préféré mourir de faim et regagner son refuge solitaire les mains vides à la fin de la journée, plutôt que de s'abaisser à mendier. Le *channawalla* voit le mépris s'accumuler sur le visage de Bhima comme de l'écume de mer, et il baisse les yeux. Il s'éloigne à la hâte, en maugréant sur la dureté des gens des villes.

Le souvenir du beau visage pensif du marchand de ballons afghan rassérène Bhima et elle s'imagine un court instant que la mer a véritablement entendu sa prière. C'est curieux, pense-t-elle, d'avoir tant de mal à me rappeler à quoi ressemblait Feroz *seth*. Et, que Dieu lui pardonne, elle commence également à oublier comment était Amit. Plus exactement, elle ne revoit de lui que certains détails – les points blancs sur ses ongles, la morve verdâtre qui coulait souvent de son nez, la texture de ses épais cheveux noirs, la fossette de son menton. Mais, depuis quelque temps, elle a des difficultés à se représenter son visage en totalité. Le souvenir le plus net qu'elle a gardé de lui remonte à deux ans environ avant son départ. Et encore, c'est à cause d'une photographie qu'elle a conservée de cette époque, une photo jaunie par le temps et toute sale à force de l'avoir tant de fois serrée contre elle, embrassée, caressée.

Les traits du Pachtoune, eux, lui apparaissent avec autant de netteté que si elle l'avait rencontré la veille. Elle voit le gris laiteux de ses yeux tristes, dont elle avait toujours pensé qu'il reflétait le ciel de sa terre natale. Elle voit la peau brune et parcheminée de son visage aux traits aussi abrupts que le pays d'où il venait. Elle voit son long nez, aussi droit qu'une chaîne de montagnes, et ses lèvres minces qui sinuaient comme une rivière quand il se concentrait sur sa tâche. Par-dessus tout, elle se rappelle ses belles mains brunes, des mains qui créaient de la poésie à partir de rien et transformaient un morceau de caoutchouc inerte en objets magiques qui semaient des étoiles dans les yeux des enfants.

Bhima sent quelque chose s'alléger dans son cœur. Le ciel a perdu un peu de sa spectaculaire fulgurance, mais le vent et le battement rassurant de la mer achèvent de l'apaiser. Au milieu des cris, des appels et des bavardages incessants des gens qui l'entourent, elle croit entendre la voix grave et profonde du Pachtoune, qui la réconforte, l'encourage et la presse de ne pas renoncer. Sa voix lui parvient, par-delà les montagnes et les années, portée par le vent. Le regret qu'elle a toujours eu de ne pas lui avoir parlé, de ne pas l'avoir interrogé sur sa vie, la quitte enfin. Parce que, d'une certaine façon, et bien qu'elle ne l'ait jamais questionné, le Pachtoune lui a parlé. Elle se souvient de ses joues creuses gonflées de l'air qu'il soufflait par le col des ballons, de ses longs doigts bruns courant avec légèreté sur leurs corps lisses, évoquant les doigts souples de Krishna jouant de la flûte. Bhima s'étonne de ce paradoxe : un homme solitaire, un exilé, un être sans pays et sans famille, avait quand même réussi à créer des mondes féériques pour des centaines d'enfants, il avait pénétré chez des étrangers avec ses œuvres remplies de couleurs, d'imagination et de magie. Cet homme qui jamais plus ne toucherait ni n'embrasserait les doux visages de ses propres enfants faisait naître des sourires sur ceux des enfants des autres. Tel un musicien, le Pachtoune avait appris à tirer une chanson de sa solitude. Tel un magicien, il se servait de l'air pour transformer des morceaux de caoutchouc en objets de bonheur. De ses mains nues, il avait construit un univers.

Autour de Bhima, le monde entier fait silence. Les caniches blancs cessent d'aboyer, les Klaxon ne cornent plus, les vendeurs ambulants ne vantent plus l'excellence de leur marchandise. Bhima n'entend plus rien que le bruit rythmé des vagues qui s'écrasent sur le rivage et les mots assourdis du Pachtoune qui murmure à son oreille, tissant une mélodie où se mêlent en parts égales la solitude et la recette pour vaincre la solitude, une mélodie qui parle à la fois de l'amertume de l'exil et de la douceur de la solitude, de la peur de se retrouver seul et de la liberté qui bat des ailes juste sous cette peur. Bhima écoute cette musique sans bouger. Et bientôt, le *shenai* met un terme à sa lamentation perçante et tragique, puis, au bout de quelques minutes, la cithare cesse sa mélopée engourdissante et, à la fin, il ne reste plus que le roulement du tabla – incessant, envahissant, puissant. Bientôt la solitude cesse de gémir, la peur met fin à sa mélopée engourdissante et il ne reste plus que la liberté – incessante, envahissante et puissante.

Bhima rit tout haut. Le couple assis à côté d'elle s'immobilise à la vue de cette vieille assise en tailleur sur le mur de ciment et qui rit toute seule. « Elle doit se prendre pour le Bouddha qui rit, chuchote l'homme à sa compagne.

— Trop maigre », chuchote celle-ci en réponse.

Bhima ne les entend pas. Désormais elle prend ses ordres ailleurs, en suivant le bruit qui tinte à ses oreilles, le bruit des vagues clapotantes, le bruit de l'apprentissage du vol. La liberté.

Maintenant, elle éprouve presque de la reconnaissance pour Viraf, car son mensonge aura été le couteau qui a tranché le fil qui l'enchaînait depuis si longtemps.

Sachant ce qui lui reste à faire, elle descend du mur. Dans sa hâte, elle n'attend pas que l'articulation défectueuse de sa hanche trouve sa place pour se mettre en marche, et elle est punie par un élancement fulgurant qui lui parcourt la jambe. Seulement ce soir, elle s'en moque et, avant même que le feu de la douleur s'apaise, elle fouille dans son sari pour y prendre les vingt roupies qu'elle sait y trouver. L'espace d'une fraction de seconde, elle pense à Maya qui attend son retour, devant le réchaud, et elle s'en veut un peu de la priver de la nourriture que permettraient d'acheter ces vingt roupies. Mais aussitôt elle se demande ce qu'on peut faire avec une aussi misérable somme dans le Bombay d'aujourd'hui. Que m'en donnerait-on ? Quelques livres de sucre ? Je n'aurais qu'à boire mon thé sans sucre pendant quelques semaines. Car avant de pouvoir continuer, avant de décider quelle excuse elle donnera à Maya quand elle rentrera à la maison, et à quelle famille elle ira demander du travail, avant d'affronter la terrible réalité du chômage et de la recherche d'un emploi, avec toutes les humiliations que cela risque de lui valoir, avant de pouvoir décider si elle doit céder à l'appel enivrant de la liberté ou l'ignorer, il lui reste quelque chose à faire. Il faut qu'elle rende un hommage au souvenir du Pachtoune.

Dans sa précipitation, elle manque de rentrer dans un jeune homme accroupi sur le trottoir, la figure cachée derrière les ballons qu'il propose aux passants. Elle recule de quelques pas, s'arrête et examine les ballons fixés à de minces bâtons qui les font ressembler à des sucettes géantes. « C'est tout ce que vous avez comme ballons ? » demande-t-elle.

Il se lève d'un bond, un sourire empressé sur le visage. « *Arre, mausi,* des ballons, j'en ai plein plein. De toutes les couleurs, des jaunes, des rouges, des oranges. Que voulez-vous de plus ? »

Elle secoue la tête d'un mouvement impatienté. « Ce n'est pas cette sorte de ballons que je veux. Il y a d'autres marchands par ici ? »

Il la regarde un peu de travers, partagé entre le désir de réussir une vente et un reste de loyauté envers ses confrères. « Oui, dit-il enfin. Allez un peu plus loin et vous en trouverez un qui a des ballons gonflés au gaz. Mais c'est vraiment loin », ajoute-t-il en guise d'avertissement.

Bhima le remercie et repart d'un pas rapide, en esquivant adroitement les gens qui arrivent dans le sens opposé. À un moment, elle s'étonne d'avancer si vite, comparé à la façon dont elle marche quand elle est avec Maya. Et, de nouveau, elle entend un battement d'ailes. La liberté. Il y a si longtemps qu'elle n'a pas été seule comme ça.

Elle est presque à bout de souffle quand elle aperçoit enfin l'autre marchand de ballons. La foule est plus clairsemée et elle se demande un instant pourquoi il a choisi cet endroit. C'est alors qu'elle se souvient de ce que lui disait Serabai, à savoir que la police et les truands du coin s'entendaient pour racketter les marchands auxquels ils allouaient un emplacement. Ça doit lui coûter moins cher de travailler ici, pense-t-elle.

Son cœur saute de joie quand elle voit la bonbonne de gaz, preuve que ces ballons sont bien ceux qu'elle cherche. Elle attend avec impatience que l'homme ait fini d'en gonfler un pour une petite fille qui s'accroche à la main de son père et contemple, émerveillée, le ballon qui s'enfle. « Et s'il éclate ? » demande-t-elle, toute triste.

Le marchand sourit. « Non, non, pas éclater, travail de spécialiste, petite. »

Quand vient le tour de Bhima, l'homme cherche un enfant des yeux, puis la considère d'un air intrigué. « Combien pour un ballon ? demande-t-elle, mais avant qu'il puisse répondre, elle lui tend son billet de vingt roupies. Donnez-moi tous les ballons que je peux avoir pour cet argent. »

Il la regarde comme s'il n'osait pas croire à sa chance. « C'est votre patronne qui donne une fête ? demande-t-il d'un ton détaché, tout en commençant à gonfler des ballons.

— Je n'ai pas de patronne », réplique-t-elle sèchement. Et au lieu de lui donner un goût amer d'aspirine, au lieu de lui taillader la bouche comme un bout de verre brisé, ces mots lui semblent aussi délectables qu'un éclair au chocolat. « Non. Pas de patronne », répète-t-elle.

Quand il a terminé, elle prend les ballons et les rassemble en un bouquet de fleurs, qu'elle tient par leurs longues ficelles, tandis qu'ils dansent au-dessus de sa tête. Maintenant le ciel est noir, sans plus rien du flamboiement de tout à l'heure, et les ballons ondulent dans le vent, têtes pourpres, rouges et bleues sur le fond obscur du ciel. À la lumière des lampadaires, elle remarque les regards curieux des promeneurs. De temps à autre, un enfant saisi d'envie échappe à la main de sa mère et cherche à attraper un ballon. Bhima feint de ne pas s'en apercevoir. Tout le long des eaux sombres scintille le Collier de la reine, ainsi qu'on appelle affectueusement l'enfilade miroitante des lampadaires qui suivent la courbure de la côte, de la colline de Malabar jusqu'à Nariman Point.

Le vent tente de lui arracher les ficelles et elle les serre plus fort dans sa main. Elle regarde alentour, ne sachant trop quoi faire, quand ses yeux se posent sur un endroit du mur où le ciment s'effrite, créant une ouverture permettant de descendre sur les rochers battus par les flots. Elle se penche et ôte ses sandales. Elle se tortille pour se glisser dans la brèche, puis descend prudemment un pied jusqu'à ce qu'il touche la roche. En équilibre sur ce pied et serrant toujours les ficelles des ballons qui dansent au-dessus de sa tête comme de joyeux fantômes, elle pose l'autre pied sur les blocs, se tenant un instant au mur, avant de se lâcher. Elle reste une seconde sans bouger, à examiner l'eau noire qui l'entoure, se fiant davantage à son ouïe qu'à sa vue.

Puis elle ressent le besoin d'être encore plus près de la mer, de sentir sa fraîcheur humide sur ses pieds. Courbée en deux, le bout des doigts appuyé sur les rochers, elle s'approche de l'eau peu à peu, en passant d'un bloc à l'autre. Tel un maître cruel, le vent la fouette et cherche à lui arracher les ballons des mains. Bien que les rochers soient glissants, elle avance maintenant plus facilement, ses orteils agrippés à leurs contours et leurs aspérités. La mer gargouille autour de ses pieds nus et le bruit de l'eau et du vent noie les mots que lui chuchote le Pachtoune, noie la rumeur de la ville. Bombay lui semble très loin maintenant et elle se dit que si elle y retournait, elle ne serait pas surprise de voir que la ville n'existe plus, qu'il n'y a plus de taxis, que les grands immeubles se sont écroulés, que les habitants ont disparu. Face à l'immortalité, à la mer aux remous incessants, aux champs labourés du ciel, au vent que rien ne retient, sa vie lui semble absurde, ridiculement mortelle et provisoire. Provisoire comme l'argent, fragile comme l'amour. Sans substance et prête à éclater comme ces ballons qui dansent dans les rafales.

Et elle comprend enfin ce phénomène qu'elle a si souvent observé sur la physionomie des gens, quand ils se trouvent au bord de la mer. Il y a bien longtemps, à l'époque où elle venait fréquemment à ce même endroit, avec Gopal, elle avait remarqué que chacun relevait légèrement la tête en regardant la mer, comme pour essayer de détecter un signe de Dieu ou de percevoir le bourdonnement silencieux de l'univers ; elle s'était aperçue que les visages s'adoucissaient, devenaient pensifs et prenaient une expression rappelant celle de ces braves vieux chiens errant dans les rues de Bombay. On aurait dit que tout le monde reniflait l'air salé, à la recherche d'une transcendance, de quelque chose qui permettrait de s'évader de la prison familière de sa propre peau. Dans les temples et les sanctuaires, on gardait la tête courbée et un visage modeste, apeuré et respectueux, rétréci jusqu'à l'insignifiance par les psalmodies ritualisées des prêtres. Mais quand ils regardaient la mer, les êtres humains redressaient la tête et la curiosité s'imprimait sur leurs traits, comme s'ils cherchaient une chose dont ils savaient qu'elle demeurerait longtemps après que le vent aurait effacé l'empreinte de leurs pas dans la poussière. On pouvait acheter de la terre, la vendre, la posséder, la diviser, la revendiquer, la piétiner et se battre pour elle, celle-ci était souillée en permanence par des flaques de sang; elle s'enflait et se boursouflait, à cause des restes des innombrables êtres humains ensevelis dessous. Mais la mer était intacte, éternelle, et échappait apparemment à toute revendication humaine. Ses eaux se soulevaient et absorbaient l'écarlate infamie du sang versé.

Bhima a toujours les ballons à la main et, tout à coup, elle se dit que leurs ficelles sont la seule chose qui la rattache à cette terre lugubre et pleine de décombres; que si elle les lâche, elle s'élèvera et s'en ira flotter au-delà des rochers, vers cette mince ligne où la mer rencontre le ciel. Et en même temps que cette pensée la traverse, ses doigts qui tiennent les ficelles se desserrent et le vent libérateur s'enroule autour des ballons et les emporte. L'image du vieux Pachtoune – triste, pensif, mais également digne et courageux – lui apparaît un instant, puis disparaît, emportée par le vent, et elle ne voit plus que les ballons qui montent et ondoient au-dessus de l'eau sombre comme des têtes coupées, s'élevant de plus en plus haut, escaladant le ciel à l'instar du chariot d'Arjun, en direction des étoiles. Bhima suit leur envol en clignant des paupières, elle les suit longtemps, jusqu'à ce que le dernier ballon ait disparu à sa vue. Ensuite elle reste debout sur les rochers, glissant de temps à autre, mais reprenant vite son équilibre, et elle regarde la mer en attente, comme si elle en espérait une réponse. Tout près d'elle, un rat détale de sous un bloc, mais elle ne s'en aperçoit même pas. Elle consacre toute son attention à parler à la mer, à lui remettre ses fardeaux, de même qu'une petite fille qui rentre de l'école donne ses livres pesants à son grand frère, pour qu'il les lui porte.

Elle se dit qu'elle pourrait rester ici pour toujours. Elle pourrait s'installer dans cet endroit qui n'est ni mer ni terre et attendre le moment où le ciel et l'océan désenchevêtreront leurs membres entremêlés pour se séparer dans la lumière d'un jour nouveau.

Un jour nouveau. Elle l'affrontera demain, pour Maya. En même temps que la mer se réveillera, en même temps que tous ceux qui peuplent Bombay – les gosses des rues et les chiens errants, les marchands de cacahuètes miséreux et les femmes qui vendent six choux-fleurs par jour, les habitants des bidonvilles aux yeux creux et les résidents des gratte-ciel voisins aux joues bien pleines, les employés de bureau déversés par les trains à Churchgate, et les enfants montant dans les bus scolaires, les vieillards gémissant sur leur lit de mort et les bébés sortant du ventre obscur de leur mère –, en même temps que la gigantesque métropole tout entière, et tous ces êtres qui suivent chacun leur destin, comme des légions de fourmis se prenant pour une armée de géants ; en même temps que Banubai dans son lit humide, et Serabai dans son monde en lambeaux, et Viraf *baba* avec ses remords qui l'étouffent, et Maya avec ses rêves timides et hésitants, et oui, en même temps que Gopal et Amit se réveillant dans une contrée lointaine à l'odeur de terre fertile et riche en humus, oui, comme tous les autres, ces millions de personnes qu'elle n'a jamais vues et les quelques-unes qu'elle connaît – elle aussi, elle affrontera un jour nouveau, demain.

Demain. Le mot s'attarde un moment, à la fois promesse et menace. Puis il s'éloigne tel un bateau de papier, emporté par la mer qui lui caresse les chevilles.

Dehors il fait nuit, mais dans le cœur de Bhima le jour se lève.

Glossaire

Agyari : temple du feu parsi
Akuri : brouillade d'œufs avec oignons, tomates et coriandre
Baba : papa
Babu : terme affectueux
Bai : patronne
Balloonwalla : marchand de ballons
Baniya : commerçant
Basti : bidonville
Battatawada : beignet de pomme de terre
Beedie : petite cigarette brune
Beta : terme affectueux
Beti : terme affectueux
Bhaiya : personne qui exerce son métier en plein air
Bhel : crêpe
Bhelpuri : crêpe recouverte de légumes (lentilles, pois chiches...)
Biryani : plat de viande au riz, très parfumé
Brinjal : aubergine
Champi-malish : massage
Channawalla : marchand ambulant

429

Chapati : petite galette servant de pain

Chappals : sandales

Chawl : immeuble d'habitation à bon marché

Chokri : terme affectueux

Cilantro : coriandre

Daal : purée de lentilles

Daru : tenancier de bistrot

Deekra : terme affectueux

Dhansak : poulet ou agneau aux légumes, spécialité parsie

Dhoti : pièce d'étoffe courte drapée autour des hanches, portée par les hommes

Feranga : nom donné aux Occidentaux

Gaajar halwa : gâteau aux carottes

Goonda : voyou

Harijan : autre nom des intouchables

Hathgadi : charrette

Herogiri : comportement hâbleur imprudent

Jadoo : mauvais sort

Jadoogar : sorcier

Janam : malheur

Janu : terme affectueux

Kanjoos : avare

Kulfi : crème glacée à la pistache

Kurtah : chemise couvrant le genou, portée par les hommes

Lungi : pièce d'étoffe longue, drapée autour des hanches, portée par les hommes

Maida : terrain de cricket

Masala : mélange d'épices (cumin, coriandre, cardamome, cannelle)

Masala dosa : chausson fourré aux légumes et aux épices